KB134452

NFT Art
그 무엇으로도 대체 불가능한 예술

NFT Art
그 무엇으로도 대체 불가능한 예술

김민지 지음

Contents

PART 2

지금, NFT 트렌드

PART 3 NFT 아트의 다양한 양상과 특징

NFT 아티스트 인터뷰

NFT 아트의 미래

서문.

NFT 아트에 매료된 순간들

돌아보면, 알파고가 시작이었다. 2016년 3월 알파고와 이세돌 9단의 대국이 화제가 되었을 무렵, 인공지능으로 대두되는 4차 산업혁명이 미래를 어떻게 바꿔놓을 수 있는지 알고 싶었다. 나의 관심사는 두 가지였다. 과연 우리 아이들이 살아갈 미래에는 인공지능과 차별화되는 어떠한 '대체 불가능한 능력'을 키워야 할 것인지, 그리고 인공지능의 창의성은 어떻게 미래 예술을 변화시킬 것인지. 이듬해 교육스타트업 팀장으로 근무하며 수많은 초, 중, 고등학교를 돌며 아이들을 만나고 교사 연수 프로그램을 진행했다. 2017년 당시 알파고의 파장은 교육 현장에도 미쳐 4차 산업혁명이 가져올 변화를 이해하고 준비하려는 움직임이 있었다. 그때 아이들뿐 아니라 선생님들께 4차 산업혁명의 개념과 핵심기술이 일으킬 미래 사회의 변화가 아이들의 삶에 미칠 영향은 무엇인지 용이한 언어로 전했다. 무엇보다 인공지능이 온전히 대체할 수 없는 공감, 소통, 창의, 융합 사고력 등의 창의 인성을 어떻게 키워 나가면 좋을지에 대한 방안을 선생님들과 토론하고 모색하는 의미있는 시간을 보냈다.

나는 아티스트 커뮤니티에서 오랫동안 교류하고 활동하며 아티스트들과 친밀한 관계를 맺어 왔다. 그러다보니 자연스럽게 인공지능뿐 아니라 가상현실Virtual Reality, 증강현실Augumented Reality, 확장현실Extended Reality 등 첨단 과학기술이 어떻게 미래 예술의 방향을 바꿔나갈 수 있을지에 관한 이야기를 수도 없이 나누었다. 이들은 표현하는 존재이다 보니 그러한 기술을 어떻게 자신의 창작 작업에 활용할 수 있으지에 대한 실제적인 방법을 고민하기도 했다.

그런데 이러한 연구를 하던 중 내가 뉴스를 비롯한 미디어 콘텐츠를 통해 과학기술에 관한 정보를 접하게 된다는 사실을 깨달았다. 무엇보다 과학기술에 사용되는 언어가 무슨 의미인지 다 이해하기 어려웠다. 그래서 과학기술 연구와 담론이 현실과 가깝게 이뤄지는 곳을 찾아 제대로 공부하고자 카이스트의 문을 두드렸다.

카이스트 입학 첫 학기, '첨단과학기술과 만난 예술의 미래'를 주제로 신문사 기자 분들과 팀 프로젝트 연구를 진행했다. 실제 미술, 무용, 음악 등 다양한 영역의 창작자들을 만나 인터뷰를 하면서 의견을 공유하며 연구 내용을 심화했다. 2019년에는 기자들과 '암호화폐에 대한 보도경향'을 분석하는 연구를 함께했다. 당시 암호화폐 투자 광풍이 불며 관련 언론 보도가 잇따르고 투기냐 자산이냐에 관한 논쟁이 과열된 상태였다. 우리는 국내 주요 일간지와 경제지에서 암호화폐를 투기 자본과 미래 자산 중 어떠한 관점으로 보도하는지 일일이 기사를 분석하며 보도 경향을 살펴보았다. 선행연구가 없는 사안이었기에 분석하는데 어려움이 있었지만 동기 기자 분들과 열띤 토론을 이어갔다. 연구를 통해 암호화폐의 미래가치에 대한 보도량이 상대적으로 적고 부정적인 논조의 기사가 많다는 것을 발견했다.

2021년 봄, 뮤지션 그라임스와 디지털 아티스트 비플의 NFT 아트 작품이 연달아 고액으로 판매되며 'NFT가 대체 뭐길래'라는 제목의 기사가 빗발쳤다. 도대체 NFT가 뭐길래 아티스트들의 작품이 국내외 언론 매체에 오르내리며 화제가 되는 것인지 궁금해서 이걸 파봐야겠다는 마음으로 'NFT 창작자 조직과 산업'을 연구하기로 했다. NFT에 대한 보도가 우리나라뿐 아니라 미국, 중국, 싱가포르, 캐나다 등 다수의 나라에서 동시다발적으로 진행된다는 점도 흥미로웠다. 누가 얼마에 팔았다는 가격 위주의 기사가 대부분이었는데, 나는 어떠한 미학적인 속성과 가치가 기술과 접목되어 발현된 작품인지가 더 궁금했다. 아티스트는 누구이며 왜 NFT로 만들었는지, 작품 주제는 무엇이며 예술사적 가치는 무엇인지 등에 대해 파고들었다. 미디어 보도를 통해 접하는 소식만으로는 현장의 이야기를 알 수 없다는 마음에 지인 예술가들에게 수소문해 한국에서 NFT 아티스트 커뮤니티가 있다는 소식을 알게 되었고 바로 합류했다. 아티스트들이 끊임없이 블록체인 NFT 기술에 대한 이야기를 나누고, 정보를 교환하고, 조건 없이 지식을 공유하는 모습은 놀라움을 넘어서 감동이었다. 세상에 이토록 스마트한 아티스트의 모습이라니! 각 체인의 차이점을 비교하며 민팅은 어떻게 해야 하는지 실제적인 방법들을 연구하고 시도하며 자주 시행착오를 겪으면서도 서로 격려하며 NFT로의 여정을 이어나가는 순간순간들이 소중하게 다가왔다.

2021년 4월 경 연구를 진행하던 중, 향후 NFT의 애매한 법적 지위와 불확실한 규제, 투자자 보호 정책 미흡 등으로 인해 저작권 침해, 해킹, 보안 문제 등이 대두될 거라 예상했다. 그렇다고 차근차근 이 모든 문제를 해결하고 산업을 진흥시키는 것이 아니라, 일단 NFT 산업의 파이를 키우면서 법제와 규제, 정책 마련이 잇따라 확립될 수 있는 방향으로 가야 한다는 쪽으로 결론이 났고, 이미 시장은 그러한 방향으로 형성되고 있었다. 기술이 먼저 빠르게 발전하며 관련 산업과 기업이 선도적으로 나아간 후에 법령과 규제, 제도가 차츰 확립되겠구나 싶었다. 또한 탈중앙화를 지향하는 블록체인 기술에 걸맞는 새로운 조직 형태인 분산화 커뮤니티가 필요하다는 생각이 들었다. NFT 창작자뿐 아니라, 블록체인 업계 종사자, IT 개발자, 저작권 및 세법 변호사, 연구자, 큐레이터 등 다양한 영역에 속한 사람들이 서로 경계를 넘나드는 토론과 학습을 이어가며 역동적으로 NFT 조직과 산업을 확장시켜 나가야 한다고 말이다.

당시만 해도 블록체인 업계라 하는 크립토씬에 대한 이해가 깊지 않았던 상황이었는데, 왜 이렇게 결론이 나는 걸까 약간의 의구심을 가지고 있었다. 그런데 이후 업계 사람들 이야기를 접하며 기술의 확산과 산업의 변화 속도가 마치 하루가 한달과 같이 느껴질 정도로 굉장히 빠른 반면, 관련 법규와 정책은 뒤이어 따라오는 형국이라는 걸 알게 되었다. 그 무렵 내가 느낀 크립토씬의 인상은 희망과 이상, 욕망이 뒤섞인 거대한 에너지의 신세계였다.

그렇게 6월, 여름이 되었다. NFT 신사업을 모색하는 업계 관계자들을 만나며 국내외 NFT 주요 산업 동향을 면밀히 살피며 몇몇 사업 자문을 하게 되었다. 그리고 NFT 아티스트들과의 인터뷰를 진행해 '민지의 NFT 아트피플'이라는 이름으로 블록체인 전문매체 코인데스크코리아에 기고하기 시작했다. 한국 NFT 아트 역사의 초창기인 2021년 2월 경부터 NFT를 시작한 창작자들은 어떠한 생각을 가지고 NFT 작업을 진행하게 되었는지 이들의 생생한 목소리를 들을 수 있었다. 그러나 전통예술시장은 NFT를 알아가기 시작한 단계라 깊이 있는 미학적 담론이 형성되지 않은 상태에서, 산업이 먼저 발빠르게 투자가치를 보고 치열한 NFT 시장 선점 경쟁에 뛰어든 상황이었다. 상대적으로 NFT 아티스트들의 목소리가 세상에 알려지지 않았다고 판단했다.

2021년 겨울 무렵부터는 '애틱 NFT 아티스트ATTIC NFT ARTIST' 커뮤니티에 합류해 NFT 아트의 미학과 작가정신을 세워나가는 다양한 활동을 이어갔다. 이 외에 다양한 NFT 커뮤니티에서 교류하며 역동적으로 성장해나가는 NFT 아트씬을 지지하는 마음으로 생생하게 관찰하고 있다. 2022년이 시작되면서부터는 '한국 NFT 아트 연구회'에서 저작권, 세법 전문 변호사 분들과 NFT 법적 쟁점을 연구하게 되었다. 또한 서울옥션 아카데미의 〈NFT ART & METAVERSE〉 특강에서 전통미술시장 최초로 NFT 아트를 중점적으로 다룬 강연과 실전 NFT 워크숍 교육 프로그램을 선도적으로 진행하며, 실물 미술 시장의 컬렉터들의 NFT 아트를 향한 배움의 열기를 체감했다.

처음부터 끝까지 NFT로 가득찬 시간이었다. 눈을 뜨면 어떠한 새로운 NFT 작업과 프로젝트, 산업이 생겨나고 있는지 면밀히 살펴보았고, 대부분의 시간을 NFT 작가들과 작업 이야기를 나누며, NFT 프로젝트 및 신사업 자문과 연구 활동을 했다. 그 과정에서 내가 느낀 NFT의 가치는 '연결'이었다. NFT로 인해 이토록 다양한 사람들과 연결되어 소통하며 때로는 꿈꾸고 때로는 고민하며 새로운 미래를 향한 창의와 혁신의 그림을 그려나갔다.

이 책은 그렇게 뜨겁고 황홀하게 NFT 아트에 매료된 순간들의 기록이자, 여전히 극초창기인 NFT 아트 씬의 현재와 미래를 향한 조망이기도 하다. 무엇보다 NFT를 들어는 봤지만 NFT 아트는 무엇인지 이해하는 것에 난해함을 느끼고 있는 창작자 및 예술 애호가, 예술 시장 관계자 들에게 NFT 아트의 개념과 역사, 작품, 시장, 법적 쟁점 등을 조곤조곤 풀어주길 원했다. NFT 아트는 이제 막 태어나 걸음마를 시작하려는 아기와도 같기에 그 아이의 미래를 지금부터 규정할 수 없다. 지금 내가 이해하고 있는 NFT 아트의 모습이 시간이 흘러 또 다른 형태로 변화할 수 있다. 다만, 지금까지 어떠한 흐름과 양상이 있는지 내가 목도하고 경험한 사례를 중심으로 기록하고자 했다. 중요한 가치는 시간이 흘러도 유효하며, 의미 있는 도전과 시도는 향후에도 유용한 레퍼런스가 될 수 있다는 점을 고려해 목차를 구성하였다.

아티스트 선별 인터뷰

이 책은 실제 NFT 아티스트들의 인터뷰를 담고 있으며, 인터뷰이 선정을 위해 몇 가지 기준을 산정하여 큐레이팅을 시도했다. 다는 아닐지라도 최소한 하나 이상의 기준에 부합하는 작가의 생생한 목소리를 담고자 했다.

첫번째 기준은 블록체인 NFT 기술에 대한 철학을 가지고 창작을 하는지이다. 블록체인의 탈중앙화 정신과 크립토 세계에 대한 이해를 바탕으로 NFT의 기술적 속성을 연구하는 작가들을 선정했다. 새로운 기술은 새로운 예술을 잉태할 수 있다. 굳이 블록체인이 어떠한 시대정신을 품고 탄생한 기술인지 철학적 요인까지 고려하지 않을지라도 NFT를 만들 수 있다. 그러나 나는 기술에 담긴 철학과 특성이 어떻게 예술 작품의 양상을 변화시키며 어떠한 새로운 장르로서 NFT 아트를 형성해나갈 수 있을지 고찰하길 원했다.

두번째 기준은 자생적 NFT 창작과 판매 경험을 통해 개척자 정신을 지니고 있는지이다. 아티스트가 직접 부딪쳐 가면서 NFT 민팅과 홍보, 판매를 시도해본 경험을 가지고 있는지를 보았다. 개별 아티스트가 NFT를 시작하는 것은 기술적 장벽과 언어적 장벽이 존재해 현실적으로 쉽지 않다. 그래서 인터뷰를 진행한 대다수의 작가들은 그러한 장벽을 뛰어넘을 수 있도록 서로 돕고 지지하며 정보를 공유하는 커뮤니티를 기반으로 NFT를 시작했다는 특징을 보인다. 집단 지성으로 기술적 장벽을 뛰어넘고자

이들은 지속적으로 NFT 플랫폼을 연구하고 가상자산 지갑의 기능을 탐구하며 새로운 메타버스 공간이 나올 때마다 먼저 경험해나가는 도전을 서슴치 않았다. 이러한 모습은 기업가정신을 지닌 창업가의 모습과 흡사하다고 느꼈다.

처음 NFT 작품을 구입하고자 거래소에서 이더를 사고 메타마스크를 설치해 오픈시와 연동하여 컬렉팅을 시도하는 과정을 거쳤을 때, 나도 안개 낀 길을 걸어가는 기분이었다. 다행인건 궁금하거나 막힌 부분들이 생겼을 때 물어볼 수 있는 커뮤니티가 있다는 것이었다. 때로는 카카오톡방에서 때로는 줌으로 서로 묻고 또 가르쳐주며 NFT 작가들은 배움을 이어나갔다. 이러한 어려움을 통과해 막상 NFT 마켓플레이스에 작품을 올렸는데 판매가 이뤄지지 않으면 어떻게 홍보해야 할지, 시장의 반응이 크지 않을 경우 어떠한 전략을 취해야 하는지 다시 고민하고, 또 연구하고, 끊임없이 시도했다. NFT 작가에게 커뮤니티는 지식공유 및 창작자간의 연결, 창작자와 컬렉터와의 연결 등의 이유로 매우 중요하다. 뿐만 아니라 PFP NFT 프로젝트의 경우도 해당 NFT의 자산 가치를 인정하고 함께 가치를 키워나가는 커뮤니티의 존재가 필요하다.

한국 NFT 아트 역사의 초창기를 여는 작가들은 뚜렷하게 보이지 않는 길을 성큼성큼 나아가는 개척자 정신을 지니고 있다. 블록체인이라는 생소한 기술적 장벽을 뛰어넘고 이 기술에 적응해나가며 작가들은 무수한 속도로 움직이는 크립토 시장에서 호흡을 맞춰 역동적으로 도전할 수 있는 존재로 거듭났다.

세번째 기준은 아티스트가 대체 불가능한 존재로서의 매력을 지니고 있는지이다. NFT 작가의 대체 불가능한 매력은 다양하다. NFT는 작품의 완성도나 희소성뿐 아니라, 그 작품을 창작한 사람이 어떠한 스토리텔링과 내러티브를 지니고 있는지가 작품 구매를 촉진시키는 주요 요인이 된다. 대체 불가능한 매력이라는 기준은 지극히 주관적 견해가 반영될 수 있는 지점임을 인정한다. 이 책에 담지 못한 한국 NFT 아트씬의 선구자와 같은 작가들이 있다는 걸 밝혀두고 싶다. NFT는 창작자와 컬렉터, 팬을 연결할 뿐만 아니라 국내외 아티스트들을 연결해주는 매개체이기도 하다. 나 역시 NFT로 인해 연결된 무수히 많은 사람들과 인연을 얻게 되었다. 본서에서 조명한 창작자들은 NFT 커뮤니티에서 나와 연결되어 공존의 경험을 지닌 사람들이다.

그렇다면 NFT 작가의 대체 불가능한 존재로서의 매력이란 무엇인가? 대표적인 것이 NFT 작가의 언어에서 풍겨져 나오는 사람 자체의 매력이다. 특정 기업이나 에이전시에 처음부터 소속되거나 협업하는 방식으로 NFT 씬에 들어온 작가군이 아닌, 자생적으로 NFT를 시도한 작가들은 잠재적 컬렉터층과 매번 직접 소통해야 한다. 이미 인지도가 있어 브랜드 파워를 지닌 스타이거나 마케팅 홍보 지원을 해줄 수 있는 기업의 도움을 받을 수 없을 경우 더욱 NFT 작가는 자신의 목소리로 소통해야 한다. 트위터에서 자신이 어떤 새로운 작품을 민팅했는지 작품 이야기를 영어로 수시로 올리고, 디스코드와 카카오톡으로 여러 커뮤니티에서 이야기를 나누며 자연스럽게 작품을 노출하며, 클럽하우스나 트위터 스페이스에서 NFT 작업 이야기를 말할 수 있어야 한다. 그렇지 않으면 하루에도 무수한 NFT 신작이 올라오는 글로벌 시장에서 나의 작업을 알릴 수 없다. 이 과정에서 NFT 작가는 자신의 작품에 대한 컬렉터의 목소리를 경청하는 기회를 경험한다. 나의 작업을 어떻게 언어화하여 전달하는 것이 효과적인지에 대해서도 하나둘 알아가게 된다. 이렇게 NFT 시장 현장에서 빚어진 작가의 목소리는 살아나 생동감을 발하게 된다.

2022년, NFT 아트의
새로운 물결을 마주하며 처음을 돌아보다

2022년은 거대 자본을 지닌 국내외 대기업, 대형 엔터테인먼트사, 브랜드, 금융권 등이 메타버스, 블록체인 NFT 신사업 선점을 위해 본격적으로 뛰어드는 해이다. NFT 시장은 개별 창작자나 에이전시가 아닌, 기업 주도 시장으로 급속하게 재편되고 있다. 기존 크립토 커뮤니티를 넘어 시장을 확장할 수 있는 NFT 대중화 방안에 관한 모색도 끊임없이 이뤄질 것이다. 또한 전문 NFT 에이전시의 도움을 받아 작품 세계를 확장하고자 하는 기성 작가들의 진입도 가속화되어 NFT 아트 작품 형태의 다변화를 이룰 것이다.

그러나 그 전에 아무 것도 없는 사막과 같은 땅에서 블록체인 NFT 기술에 매료된 예술가들의 이야기를 들려드리고 싶다. 한국 NFT 아트씬의 초창기인 2021년 봄날에 고군분투하며 새로운 창작의 여정을 떠난 사람들이 있다. 변화는 예정된 길이지만 나아만 가다 잊히기 전에 그 길의 시작점에서 벌어진 일들을 기록하고 싶다. 한국 NFT 아트씬의 최초의 이야기들과 그 길에 선 아티스트들의 이야기에서 어떠한 미학을 발견했는지 내가 느낀 감동과 감성을 전하고 싶다. 내 몸은 대부분 우리집 방 노트북 책상 앞에 있었지만 자기 전 눈을 감으면 메타버스와 블록체인과 연관한 플랫폼과 소셜미디어에서 만난 수많은 사람들이 떠올랐다. 사회적 거리두기가 일상의 미덕이 된 팬데믹 기간 동안 현실에서 대면으로 만난 사람들은 가족과 지인을 제외하고 많지 않았는데, 매일 시공간을 넘어 수많은 사람들을 만나 이야기를 나누었고, 그들의 대부분은 NFT 아티스트들이었다. 그렇게 NFT로만 뒤덮인 시간 속에서 경험한 이야기를 펼쳐보며 여러분을 NFT 아트의 세계로 초대하고자 한다.

PART 1

NFT 아트 이해하기

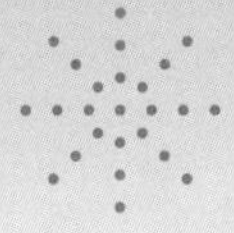

1장.

NFT 아트 열풍

2021년은 NFT의 해

2021년 11월 30일(현지시각), 영국의 권위 있는 현대미술잡지 「아트리뷰Art Review」가 예술 분야에서 가장 영향력있는 100인을 나타내는 '파워100Power 100' 랭킹에서 사람이 아닌 대상을 1위로 선정했다. 그 주인공은 바로 NFT 발행 표준안을 일컫는 'ERC-721'이다. 아트리뷰는 2001년부터 매년 작가와 큐레이터, 비평가로 심사위원단을 구성해 미술계에서 영향력 있는 인사 100명을 발표했다. 아트리뷰 측은 'ERC-721'로 대변되는 NFT가 장기적 혼란을 야기할 수 있고 이를 예측하는 건 어렵지만 기존 예술 시장과 문화의 장악력에 창조적인 불확실성을 던진 것은 분명하다고 언급했다. 이러한 아트리뷰의 표현은 전통예술시장이 NFT를 어떠한 시선으로 바라보고 있는지 그 단면을 보여준다. NFT와 만난 예술은 이전과는 다른 양상이라 기존의 예술 개념으로만 바라보았을 때 가치관의 혼란과 불확실성을 일으킬 수 있다.

2021년은 'NFT 인기의 원년'이다. 200년 전통으로 권위를 인정받는 영국 콜린스 사전Collins Dictionary도 그 인기를 입증하며 NFT를 '2021년 최고의 단어'로 선정했다. 콜린스 사전의 알렉스 비크로프트[Alex Beecroft]는 BBC와의 인터뷰에서 NFT 단어 사용량은 2021년 들어 1만 1000% 이상 증가했으며, 약어 사용량의 급진적 증가는 이례적인 일이라고 말했다. 콜린스 사전은 NFT를 '블록체인에 등록된 고유한 디지털 인증서[a unique digital certificate, registered in a blockchain]'라고 정의하며, NFT가 예술 작품이나 수집품 같은 자산의 소유권을 기록하는 데 사용된다고 표현했다. 콜린스 사전은 NFT가 디지털 아트 작업의 소유가 누구에게 있는지를 기록하는 '디지털 데이터 덩어리[a chunk of digital data]'이며, NFT의 적용 분야는 다양하지만 대중의 상상력을 사로잡은 것은 NFT 예술품 판매라고 기술했다. 콜린스가 꼽은 2021년을 상징하는 단어에는 암호화폐[cryptocurrency]의 줄임말인 '크립토[crypto]'와 '메타버스[metaverse]'도 있다. 전자는 NFT의 주요 결제수단이며, 후자는 NFT가 현실경제와 가상경제를 메타버스에서 연결하는 역할을 한다는 점에서 밀접한 관련이 있다. 메타버스에서의 디지털 자산과 창작물이 누구의 것인지 NFT를 통해 그 소유권을 증명할 수 있다. 메타버스 경제 시스템 운용에 있어 NFT는 타인과의 디지털 자산을 거래하고 유통할 수 있는 주요 수단으로 기능한다.

NFT에 대한 조명은 기술, 예술, 산업 등 다양한 영역에서 다각도로 이뤄지고 있다. 일례로, 한국전자통신연구원[ETRI]이 발간한 'ETRI가 바라본 2022년 10대 기술 전망' 보고서에서는 다중감각 AI, 디지털 휴먼, 양자 서비스 등의 주요 기술과 더불어 NFT를 2022년 주목해야 할 기술로 꼽았다. ETRI는 NFT가 인간의 공간과 경험을 확장시키는 기술이며, NFT 거래 규모가 커지고 글로벌 기업 투자가 증가하고 있는 상황에서 NFT를 일시적 유행이 아닌 장기 트렌드로 바라보며 그 활용 잠재력을 주목해야 한다고 말했다. 블록체인 및 가상자산 업계도 2022년 NFT의 중요성을 언급했다. NFT는 블록체인 업계가 꿈꿔온 '매스 어댑션[Mass Adaption: 대중 수용]'의 가능성을 극대화한다. 이제 NFT 대중화를 목표로 킬러 콘텐츠의 전쟁이 본격화될 것이다. 비단 예술 시장 뿐 아니라 IT, 게임, 엔터테인먼트, 방송사, 금융사, 거래소 등 다양한 영역에서 NFT의 시장성에 주목하고 있다.

이러한 상황을 주도면밀하게 인식한 상태에서 NFT 아트의 가치에 대해 말하고자 한다. NFT 아트는 경제, 기술, 산업, 시장, 예술 등 다양한 영역이 교차하는 지점에서 탄생하고 전개되는 새로운 예술 양상이라 다각도의 접근과 조명이 필요하다. NFT가 창작자 경제에 이바지하고 예술가들에게 지속 가능한 창작을 위한 수익 제공의 활로가 되긴 하지만 2021년과 2022년은 확연히 온도차가 크다. 이대로라면 NFT 아트는 특정 산업을 구성하는 하나의 비즈니스 요소에 그치고 말 수도 있다. 뉴스 보도의 대다수는 NFT 경매로 '억억'거리는 고액 낙찰을 받게 된 작품과 가격 위주이거나, 경제적으로 어려운 무명의 예술가가 NFT로 큰 돈을 얻게 되었다는 식의 내용이다. 2022년에는 NFT 신사업을 하는 대형 기업과 브랜드 등의 사업 관련 보도가 주를 이루고 있는 것 같다. 이 책은 NFT 시장과 산업에 대한 이야기도 함께 담아 균형을 이루고자 했다. 미술관 안에만 존재하는 그림이 아니라 이러한 신산업과 기술의 물결 한복판에 놓인 예술이 바로 NFT 아트이기에 매일 자세히 시장을 들여다보았다. 그러면서도 과연 NFT로 예술을 하기 원하는 창작자들은 도대체 누구이며, 이들은 왜 이 시장에 물밀듯이 들어온 것인지, 새롭게 탄생하는 예술의 가치의 방향, 그리고 향후 해결되어야 할 문제와 다뤄야 할 이슈들은 무엇인지 등에 대해 심도있게 다루고자 했다.

2021년은 3월부터 2022년 지금까지 줄곧 나는 매일 네이버와 구글 검색 창에 NFT를 적고 어떤 새로운 뉴스가 올라왔는지 살펴보곤 했다. 과연 NFT를 향한 열기는 거품인지, 그 거품이 사그라들고 나서도 인기는 지속될 것인지, 한국에는 NFT와 관련한 어떠한 구체적인 움직임들이 일어나고 있는지, 국내외 보도 자료와 논문, 보고서, 도서 등을 끊임없이 들여다보았다. 결론은, 거품은 꺼지고 근본은 남을 것이며, 아직 그 가치와 미래를 정의 내리기에 NFT 기술과 시장, 산업은 극초기 단계라는 점이다. 갓 태어난 아기처럼 자라나고 있는 NFT 아트 역시 마찬가지이다. 이제 NFT 아트가 세상에 빼꼼히 그 머리를 내밀며 자신의 존재를 자랑했던, 2021년의 초봄의 시간을 들여다보고자 한다.

2장.

NFT 아트가 촉발시킨 논쟁 : 거품 혹은 혁신

20분 만에 65억원, 그라임스 NFT

억대의 가격으로 NFT 아트가 판매되었다는 뉴스의 시작은 2021년 3월 한 주 간격으로 연이어 터진 그라임스와 비플의 NFT 판매 소식이었다. 당시 이더 가격을 기준으로 각각 한화 약 65억원과 785억원에 팔린 이 두 작품에 대한 보도 기사를 처음 접했을 때 도대체 어떤 작품인지, 이 아티스트들은 누구인지, 그리고 NFT가 도대체 무엇인지, 이 세 가지 궁금증이 가장 먼저 일었다. 그러나 대다수의 보도는 창작자와 작품의 이야기가 아닌 고액에 팔렸다는 가격 정보 위주의 내용이었고 덧붙여 NFT가 무엇인지에 관한 짧은 언급이 있었을 뿐이었다.

그래서 해당 아티스트의 소셜미디어와 NFT 플랫폼을 일일이 찾아서 살펴보며 왜 이 작품이 이렇게 화제가 된 것인지 따져보았다. 그리고 이내 깨달았다. 작가와 작품의 가치 자체보다 NFT라는 기술이 적용되었다는 사실이 디지털 아트의 판매 가격을 상승시킨 주 원인이라는 사실을 말이다. NFT가 어떤 기술인지 파악해야지만 지금의 상황을 제대로 판단할 수 있겠구나 싶었다. 하지만 학부에서 미학을 전공하며 예술을 사랑하는 사람으로서 나는 여전히 작가와 작품 자체에 관한 관심이 컸고, 그래서 기술과 예술 양 쪽을 다 파고들기 시작했다.

테슬라Tesla와 스페이스X CEO 일론 머스크Elon Musk의 전 연인이자 가수인 그라임스Grimes가 2021년 3월 3일 가상 이미지에 자신의 노래를 배경으로 한 〈전쟁의 정령War Nymph〉(2021)라는 디지털 그림 10점을 NFT로 만들어 경매에 부쳤는데, 20분 만에 580만 달러(약 65억 원)에 낙찰됐다. 〈뉴본 1~4Newborn 1-4〉, 〈전쟁의 정령의 전투Battle of the War Nymphs〉, 〈옛것의 죽음Death of the Old〉, 〈하이레스의 신들Gods in Hi-res〉, 〈로코코 모노리스Rokoko Monolith〉 등이 해당 작품이다. 캐나다 태생의 가수 그라임스(본명 클레어 부쉐어Claire Boucher)는 2021년 2월 26일 트위터에서 "클럽하우스에서 NFT 이야기를 할 거고 이틀 뒤에 NFT 작품을 NFT 마켓플레이스 '니프티게이트웨이Nifty gateway'에서 선보일 것"이라 말했다. 3월 3일(현지 시간) 그라임스의 NFT 디지털 컬렉션 작품 〈전쟁의 정령War Nymph Collection Vol. 1〉 총 10점이 경매 20분 만에 총 580만 달러(약 65억원)에 낙찰됐다. 컬렉션에는 〈구시대의 죽음Death of the Old〉, 〈지구Earth〉, 〈화성Mars〉, 〈전쟁의 전령의 전투Battle of the War Nymphs〉 등의 작품이 있다. NFT 작품에 등장하는 문신을 한 날개 달린 아기 천사는 우주를 떠다니고 있는데, 화성을 수호하는 신창세기의 여신을 상징한다. 그라임스는 캐나다 맥길대학교에서 신경과학과 러시아어를 복수 전공했는데, 음악 제작 소프트웨어를 배우다 아예 음악의 길로 접어들며 대학을 중퇴했다. 그녀는 인공지능과 미래사회, 사이버펑크등을 소재로 자신만의 철학이 담긴 세계관을 음악과 패션, 은유적 스토리텔링이 담긴 비디오 아트 등으로 선보여왔다. 그간 자신의 뮤직비디오 제작에 동참한 동생 맥 부셰Mac Boucher와 함께 NFT를 창작했고, 이중에는 디지털 아트 영상에 그라임스의 신곡이 흘러나오는 음악 NFT 작품도 포함되어 있다. 그라임스는 판매 수익의 일부를 환경보호 NGO '카본180Carbon 180'에 기부했다.

하지만 NFT가 단시간에 고액으로 판매된 이유에는 그녀가 일론 머스크의 연인이었다는 점이 영향을 미쳤다. 일론머스크는 미국 전기차 제조회사 '테슬라'와 우주탐사기업 '스페이스X'의 최고경영자이자, 관련 트윗을 남기면 해당 암호화폐 가격이 급등할 정도로 가상자산에서 막대한 영향력을 가진 사람이다. NFT 시장에 거품이 끼었고 지속가능하지 않다고 여기는 NFT 회의론자들은 그라임스의 디지털아트가 훌륭하거나 이것이 NFT 라서가 아니라, 셀럽이기에 가능했던 것이라 주장한다.

크리스티 경매로 785억원 낙찰, 비플 NFT

그라임스의 NFT 고액 판매 이후 '도대체 NFT가 뭐길래?'라는 헤드라인을 가진 국내외 보도가 등장하기 시작했다. 불과 열흘 남짓 후인 3월 11일 세계 최대 경매사 크리스티Christie's에서 디지털 아티스트 비플(Beeple : 본명 마이크 윈켈만Mike Winkelmann)의 NFT 작품이 무려 6,930만 달러가 넘는 가격에 팔렸다(정확한 판매가는 $69,346,250으로, 당시 환율로 계산하면 한화 약 785억원이다). 크리스티는 비플의 작품을 NFT 마켓플레이스 '메이커스플레이스Makersplace'에서 선보였으며, 경매사 최초로 NFT 디지털 아트 경매를 시도하고 기존 표준 결제와 가상 자산 결제가 동시에 가능한 결제 방식을 도입했다. 크리스티 온라인 경매에 올라온 비플의 NFT 작품명은 〈EVERYDAYS : THE FIRST 5000 DAYS매일: 최초의 5000일〉로, 비플이 작업한 5,000개의 이미지를 하나로 모은 디지털 콜라주이다. 비플은 2007년 5월 1일부터 새로운 예술 작품을 13년 반 동안 하루도 빠짐없이 자신의 온라인 사이트에 올리는 〈Everydays Project〉를 진행했다. 창작에는 고통이 따르는데 매일 멈추지 않고 하나씩 새로운 작품을 만들었다는 것 자체가 비플의 성실함과 작품에 대한 열정을 보여준다. 1981년생인 비플은 컴퓨터학과 출신의 모션그래픽 디자이너로 루이비통, 나이키 등과의 브랜드 협업, 유명 가수의 콘서트 VJ loops 영상 등의 작업으로 활발하게 활동했다. 비플은 크리스티와의 NFT 발행 이전에도 인스타그램 180만 팔로워를 보유한 유명인이었다. NFT 회의론자는 비플의 NFT가 고액에 팔린 것은 작품의 우수성이나 NFT 기술의 효용성 때문이 아니라, 크리스티와 비플이 지니고 있는 '인지도'에 기인한 면이 크다고 지적한다. 비플이 크리스티가 선택한 아티스트이며 유명세를 가진 사람이기에 막대한 홍보 효과로 NFT 역시 고액에 판매된 것이란 분석이다. 그렇다면 과연 비플의 NFT는 누가 산 것일까?

비플 NFT 컬렉터의 정체

비플의 NFT 작품, 〈EVERYDAYS: THE FIRST 5000 DAYS〉의 낙찰자는 처음에는 신분을 밝히지 않아 도대체 누가 이런 거액을 들여 NFT 작품을 구입했는지 전 세계 사람들의 궁금증을 자아냈다. 그러나 며칠 뒤 자신의 신분을 드러낸 익명의 구매자는 메타코반(MetaKovan : 본명 비네쉬 순다레산 Vignesh Sundaresan)이었다. 그는 2013년 대학생이었을 무렵부터 비트코인 투자를 시작해 30대에 가상자산 부호가 된 사람이다.

메타코반은 CNBC와의 인터뷰에서 NFT 구매 소감을 "수세기 동안 예술이 어떻게 인식되어 왔는지와 관련해 매우 중요한 변화의 일부가 될 기회를 가졌다"라고 말했다. 그는 비플의 작품이 현 세대의 가장 가치 있는 예술 작품이며 언젠가는 10억 달러 이상의 가치가 있을 것이라고 장담했다.

그런데 메타코반이 단지 순수한 예술애호가이자 컬렉터로서 비플 NFT를 구입한 것은 아니라고 생각한다. 그는 파트너 투바도어 Twobadour와 함께 2017년 싱가포르에서 세계 최대 NFT 펀드 운용 및 투자사인 메타퍼스 Metapurse를 설립한 사람이다. 메타퍼스는 자산 가치의 상당 부분을 예술 작품과 아티스트들에게 투자한 회사로, 크리스티 경매 이전인 2020년 12월에도 비플의 NFT 작품을 구매한 바 있다. 2021년 1월에는 비플의 작품 20개를 모아 B.20이라는 토큰을 발행했다. 비플 작품 20점을 하나의 번들bundle 형태로 모아 디지털 자산으로 토큰화한 것이다. 뿐만 아니라 메타코반은 메타버스 플랫폼 크립토복셀Cryptovoxels에 가상의 토지를 매입해 비플의 메타버스 미술관이라 할 수 있는 'B.20 Museum'을 건축했다. 그는 'B.20 미술관'을 메타버스 플랫폼 디센트럴랜드Decentraland와 솜니움 스페이스Somnium Space에도 세웠다. 'B.20 Museum' 입구에는 "예술은 모든 사람들의 것Art belongs to everyone"이란 글귀가 적혀 있다. 이 말은 단지 철학적인 표어가 아니다. 실제로 B.20 토큰의 소유자는 B.20 미술관과 NFT 작품의 지분을 공동소유한다. 이처럼 노련하게 메타버스 미술관에서의 NFT 작품 전시와 판매, 투자 사업을 실행해온 메타퍼스의 메타코반이 크리스티 경매에서 비플의 NFT 작품을 구입한 것에는 충분히 사업적인 의도가 있다. 그는 메타퍼스라는 세계 최대 NFT 펀드의 글로벌 PR을 위해 비플의 NFT를 구매한 것으로 보인다.

이후에도 NFT 고액 판매에 관한 소식은 연이어 터져나왔고, 과연 NFT가 거품인지 아니면 미래 혁신 가치를 지닌 유용한 기술인지에 관한 논쟁은 끊임없이 이어졌다. 나 역시 NFT가 거품이냐 혁신이냐는 판단을 저울질하면서 잠정적으로 내린 결론은 현재 NFT 시장에 거품이 낀 것은 사실이나, 결코 사라질 기술은 아니라는 점이다. 오히려 2022년에는 NFT 시장의 거품이 꺼지며 거래량이 급감했다. 심지어 고액으로 판매된 NFT 가격이 반토막나기도 했다. 거품이 사라지고 난 후에도 존재하는 실체와 본질이 무엇인지를 눈을 똑똑히 뜨고 살펴봐야 할 시점이다. 오히려 이러한 상황 속에서 국내외 기업들의 NFT 시장 진출은 가속화되었고 이 중 NFT 아트 형태로 가시화된 사업 모델이 빈번하게 출연하고 있다. NFT 아트는 개별 작가의 손에서만 탄생하는 차원이 아니라, 유수의 브랜드 IPIntellectual Property 지식재산를 보유한 기업과의 협업으로도 나타나고 있기에 그 창의적인 기획의 양상을 살펴보는 것도 중요하다. 또한 점차 NFT 대중화와 제도화가 이뤄지는 단계에서는 제대로 된 비즈니스 모델을 갖추고 생태계 조성을 해나가는 NFT 프로젝트들이 지속가능성을 가지며 근본으로 자리매김하게 될 것이다.

그 전에 먼저 기본기를 다져보자. 그래서 대체 NFT는 무엇이며, NFT 아트는 어떤 것일까?

3장.

NFT를 이해하기 위해 알아야 할 블록체인 기술

NFT는 블록체인 기술 중 하나이다. 블록체인 기술에 대해 잘 몰라도 NFT를 만들어 판매할 수 있다. 하지만 2021년 2월부터 국내에서 NFT를 시도한 초창기 시장 진입 작가들의 경우, 블록체인을 비롯해 NFT에 접목할 수 있는 VR, AR, XR, MR 등 다양한 활용 기술에 대해 연구할 뿐더러, 가상자산 시장의 흐름을 살피며 NFT 작품을 어떻게 만들어갈 것인지에 대해 상당한 고민을 하고 있다. 상이한 분야의 만남은 새로운 가치를 창출할 수 있다. 기술을 말하는 예술가의 모습은 그 자체로 대체 불가능한 매력을 자아낸다. 허나 처음 기술을 알아가는 여정은 딱딱한 포장도로를 맨발로 거니는 것과 같은 기분을 자아낸다. 하지만 천천히 그 의미를 하나하나 곱씹다 보면 예술적 영감과 철학적 통찰을 얻을 수 있는 신비한 순간을 경험할 수도 있다. 예술가들은 기술을 접할 때 영감을 얻고자 하는 성향이 있고 나 역시 그러한 미학적 접근이 체화된 인간이라, 이 책 전반에 담긴 기술에 대한 이야기에는 비유와 심상, 감상과 상상이 녹아들었음을 미리 밝힌다.

블록체인

'블록체인'이라는 단어를 처음 들었을 때 여러 개의 블록이 체인으로 연결된 이미지를 떠올렸다. 상상한 바는 원래 뜻과 크게 다르지 않았다. '블록'은 거래 정보 관련 데이터들이 개인 간 거래 P2P^Peer to Peer^ 네트워크를 통해 관리되는 데이터베이스이다. 즉, 블록체인은 데이터를 블록으로 묶어서 여러 컴퓨터에 복제하고 저장하는 분산형 데이터 저장 기술이다. 중앙 서버를 쓰지 않고 데이터를 여러 컴퓨터에 분산하여 저장하기에 블록체인을 분산원장기술^DLT: Distributeded Ledger Technology^이라고 부른다. 블록체인에서는 하나의 주체가 네트워크를 소유하지 않고 여러 블록들을 연결시키기 위해 복잡한 수학 연산의 하나인 암호화 기술을 사용한다. 이러한 신묘막측한 기술인 블록체인이 언제 등장한 것인지 그 역사를 따라가다보면 글로벌 금융위기 사태에 관한 이야기를 하지 않을 수 없다.

2007년 미국의 서브프라임 모기지^subprime mortgage^(비우량주택담보대출) 부실 사태로 2008년 9월 투자은행인 리먼 브라더스^Lehman Brothers^가 파산하며 세계적인 금융위기가 촉발되었다. 이 무렵 2002년부터 2007년까지의 미술시장 호황 열기가 빠르게 사그라들기도 했다. 당시 금융위기는 주류 중앙화된 금융기관이 지닌 문제에서 비롯되었다. 경제위기가 발생하자 미국은 유동성 확보를 위해 많은 달러를 발행하는 양적 완화 정책을 펼쳤으며 이로 인해 달러가치가 하락하고 환율이 상승했다. 세상은 큰 혼동에 빠졌다. 직장을 잃은 서민들은 길바닥에 주저 앉아 눈물을 흘리고 해결할 길 없는 막막한 상황에서 시위에 동참하는 사람들도 있었다. 기존 금융 시스템에 대한 회의와 반성이 심도있게 이뤄졌다.

실은 주류 금융권을 위시한 중앙 권력에 대한 불신으로 정부와 금융기관을 배제한 화폐제도에 관한 논의는 역사를 더 거슬러올라가 1980년대 말부터 시작되었다. 이와 관련한 대표적인 인물로 '암호화폐의 아버지'

라 불리는 미국 출신의 컴퓨터 공학자이자 암호학자 데이비드 차움David Chaum이 있다. 그는 '디지캐시DigiCash'라는 회사를 설립해 1994년 세계 최초의 암호화폐인 '이캐시Ecash'를 발행했다. 이후 2008년 10월 사토시 나카모토Satoshi Nakamoto는 「비트코인 : A Peer 2 Peer Electronic Cash System」이란 제목을 지닌 9페이지의 논문을 발표했다. 사토시 나카모토가 누구인지 실체를 아는 사람은 아무도 없다. 그는 익명의 존재이다. 난세에 등장한 소설 속 영웅처럼 그가 누구인지 혹은 그들이라는 특정 집단의 대명사인지 등 여러 추측이 나왔지만 확정된 바는 없다. 이름처럼 일본인인지 아닌지도 알 수가 없다. 다만 사토시 나카모토는 최초로 비트코인 프로그램 소스를 공개했고 자신의 컴퓨터에 첫 번째 노드node를 만들었다. 이 때, 노드란 블록체인 네트워크 참여자를 뜻한다. 이렇게 최초의 비트코인 블록인 제네시스 블록이 2009년 1월 3일 18시 15분 05초에 탄생했다. 이어 사토시 나카모토와 관계를 맺고 있었던 암호전문가 할 피니Hal Finney가 두 번째 노드를 만들었다. 그리고 바로 사토시 나카모토에게 10개의 비트코인을 전송하며 최초의 비트코인 거래를 성사시켰다. 암호화폐 거래에 블록체인 기술이 사용된 것이다. 사토시 나카모토가 말하는 비트코인은 순수 P2PPeer To Peer:개인 간 거래 기반의 전자화폐이다. 사토시 나카모토는 비트코인 총 발행량을 2100만 개로 제한하며 희소성에 가치를 두었다. 이러한 비트코인의 발행은 기존 주류 금융권에 대한 반발이자 저항을 상징한다. 크립토아트에서 비트코인을 나타내는 이미지를 그려넣는 이유 중 하나도 이러한 시대적 맥락에 담긴 혁신과 저항 정신을 표현하고자 함이다.

사토시 나카모토는 컴퓨터 프로그램의 노드 참여자에게 거래 장부를 공유하고, 참여자들은 상호 거래 검증을 해나가는 방식을 취했다. 블록체인 기술은 공개 장부에서 자금의 흐름을 기록하고, 열람할 수 있도록 한다. 데이터 저장의 분산화와 참여 주체의 익명성 그리고 거래 장부의 투명성은 블록체인의 핵심 가치이다. 그런데 이러한 시스템은 단지 인간의 선의에 기대서는 지속적으로 돌아갈 수 없다. 사람은 본디 이기적이기에 자신에게 이로운 방향으로 행동하기 마련이다. 그래서 노드 참여자 중 상호 감시와 거래 검증에 가담한 노드에 비트코인을 지불하는 보상 체계를 만들었다. 채굴mining은 거래내역을 기록한 블록이 블록체인에 추가되어 암호화폐를 보상으로 받는 과정을 말하는 것으로, 광산에서 광부가 어려움을 거쳐 금을 캐는 것에 비유한 말이다. 즉, 암호화폐 거래기록을 담은 블록을 생성한 대가로 암호화폐를 받는다는 뜻이다. 비트코인의 경우 새 블록이 채굴될 때마다 대략 6개의 비트코인이 생성된다. 중앙 서버가 모든 것을 통제하는 체제는 데이터 관리가 쉽고 빠를 수 있지만 모든 데이터를 저장하고 있는 중앙 컴퓨터가 해킹되면 데이터 위변조 문제가 발생할 수 있다. 심지어 중앙 서버가 손상되면 모든 데이터가 삭제되는 끔찍한 상황이 초래될 수 있다. 이러한 위험성을 블록체인은 동일 데이터를 여러 컴퓨터에 분산해 기록하여 방지한다. 아직 속도가 느리기는 하다. 그러나 데이터가 저장된 모든 컴퓨터를 일일이 해킹하는 것이 현실적으로 불가능하기에 데이터를 안전하게 기록할 수 있다. 또한 무엇이 원본인지에 관한 여러 정보를 담은 메타데이터를 블록에 저장해 보증할 수 있고, 누가 누구에게 거래되었는지 그 이력이 투명하게 기록에 남아 추적 가능하다. 블록체인은 누구나 열람 가능한 레저ledger라고 불리는 장부에 거래 내역을 투명하게 기록한다. 그리고 블록체인 네트워크의 사용자user들은 각자의 프라이빗 키private key로 서명한다. 이때 NFT 기술은 진품 보증 디지털 인증서digital certificate of authenticity의 역할을 하며 NFT를 보유한 자의 소유권을 증명한다. NFT는 디지털 자산 원본 인증서이자 디지털 영수증이다.

스마트 컨트랙트

블록체인의 속성을 분산화 내지는 탈중앙화decentralization라는 단어로 표현한다. 탈중앙화란 특정 기업·기관이 사용자의 데이터를 독점하는 중앙화를 벗어난다는 뜻이다. 중앙집권적으로 하나의 커다란 조직이 전체 데이터를 관리하고 활용한다면 정작 데이터를 제공한 개인은 데이터 주권을 행사하기 어렵다. 데이터를 소유한 IT 플랫폼을 비롯한 거대 기업이 수익을 독점하는 반면, 데이터를 제공한 개별 주체들에게 정당한 수익 공유가 이루어지지 못하는 것이다. 또한 특정 중앙 서버에 저장된 데이터는 무한 복제 및 활용, 변형, 훼손될 수 있다는 위험성을 지닌다.

블록체인 기반의 탈중앙화 경제 체제에서는 거래당사자들이 금융기관이 개입하지 않아도 온라인으로 거래할 수 있다. 기존의 전자상거래와 블록체인 기반 거래는 차이를 지닌다. 중앙화된 서버에 거래 기록이 저장되고 관리되는 것이 아니라, 참여자인 각 노드의 컴퓨터에 데이터가 분산되어 저장된다. 블록체인의 P2P는 네트워크 참여자들이 스마트 컨트랙트Smart Contract를 통해 자산을 거래하는 형태이며, 데이터는 거래 블록에 저장되고 공유된다. 그런데 이러한 스마트 컨트랙트는 비트코인 블록체인이 아닌, 이더리움 플랫폼 블록체인에서 가능한 기능이다. 비트코인은 가상자산의 분산형 공유장부이며 이더리움은 여기에 전자계약 기능이 추가된 것이다. 일명 똑똑한 계약인 스마트 컨트랙트는 코드로 구성되어 알고리즘에 의해 실행되는 계약이다. 계약 조건을 블록체인에 기록하고 조건이 충족됐을 경우 자동으로 계약이 실행되는 프로그램이라 할 수 있다. NFT를 알게 되면서 연관된 여러 기술 용어들을 익혀나갈 때 나는 도대체 누가 왜 이러한 기술을 발명해 세상에 소개한 것인지가 궁금해 찾아보고는 했다. 스마트 컨트랙트는 1994년 닉 자보Nick Szabo라는 사람이 논문에서 처음 제안한 개념이다. 그는 컴퓨터 공학과 법을 전공했는데 서로 다른 영역에 대한 배경 지식을 지닌 전문가였기에 스마트 컨트랙트라는 개념을 고안할 수 있었던 것 같다. 스마트 컨트랙트는 서면 계약 보다 용이한 디지털 계약 방법을 제시한다. 닉 자보는 계약 과정의 단계를 손쉽게 하는 프로토콜 내지는 사용자 인터페이스의 사용이라는 측면에서 스마트 컨트랙트를 설명했다. 이처럼 스마트 컨트랙트는 비트코인 이전에 등장했다. 하지만 계약은 신뢰가 중요하기에 스마트 컨트랙트의 상용화는 블록체인과 접목되면서부터이다.

2013년 비탈릭 부테린Vitalik Buterin이 공개한 백서「The ultimate smart contract and decentralized application platform」에서는 스마트 컨트랙트를 블록체인 기술과 결합해 다양한 계약을 이행하기 위한 방안으로 제시한다. 프로그램 코딩으로 계약 내용과 실행 조건을 설정한 후 조건이 충족되면 컴퓨터는 자동으로 계약을 체결한다. 이더리움이라고 말하면 우선 이더로 불리는 암호화폐를 먼저 떠올릴 것이다. 뿐만 아니라 이더리움이 블록체인 네트워크이자 자체 독립적인 플랫폼으로서 메인넷의 기능을 한다는 것을 떠올리는 사람도 있을 것이다. 비탈릭 부테린이 발표한 백서에서 이더리움은 스마트 컨트랙트를 성사시키는 일종의 컴퓨터이자 온라인 거래 플랫폼과도 같다. 이 때 중개자는 필요 없다. 오직 컴퓨터 코드만으로 계약이 성사된다. 블록체인에 적용된 스마트 컨트랙트는 저장된 기록을 보존할 수 있고 지속가능한 네트워크를 구축할 수 있다.

디지털자산

2017년 코인 광풍 이후 가상자산, 암호화폐, 암호자산, 가상통화, 가상화폐 등 여러 용어들을 혼용해 사용해왔다. 이는 정부 및 공공기관의 가상자산에 대한 혼란을 고스란히 반영하며 NFT에 관해서도 한동안 개념 정착을 위한 시간이 필요할 것으로 보인다.

비트코인이 처음 등장할 당시 실물을 가지고 있지 않아 '디지털화폐Digital Currency' 또는 '가상화폐Virtual Currency' 라고 불렀다. 하지만 학계에서 기술적 측면을 강조해 '블록체인 기반의 암호화 기술을 활용한 화폐'라는 의미에서 '암호화폐Cryptocurrency'라는 용어를 사용하고자 했고, 영어권에서도 암호화폐라는 명칭을 일반화했다. '가상'은 암호보다 포괄적인 의미라 볼 수 있는데, 은행 거래 현금이 아니라 디지털 환경에서 사용하는 화폐나 자산을 통칭해 전자화폐나 게임머니도 포함한다. 하지만 '크립토crypto'라는 단어를 붙이면 블록체인의 데이터 분산 저장 시스템의 암호화 기술을 사용한다는 뜻으로, 블록체인과의 연관성을 강조하게 된다. 국내에서는 '가상통화Virtual Currency'라는 용어도 함께 사용했다. 통화通貨란 국가에서 인정하고 발행하는 지폐 또는 주화를 뜻한다. 나 역시 종이돈이나 동전은 가지고 있기도 불편하고 번거로워서 사용하지 않게 된 지 꽤 되었고 주로 카드나 모바일 페이로 결제한다. 실물화폐의 존재감이 희미해지고 있는 시점에서 디지털화폐로의 전환이 가속화되고 있다. 실제로 세계 각국이 중앙은행디지털화폐 CBDCCentral Bank Digital Currency를 발행하고 있어 통화라는 용어도 혼용한 것으로 보인다. 2018년 자금세탁방지기구FATF에서 가상자산Virtual Asset으로 명칭을 통일하면서 국내에서는 동일하게 가상자산을 공식적으로 사용했다. 2021년 3월 25일 시행된 '특정 금융거래정보의 보고 및 이용 등에 관한 법률(특금법)' 개정안에서는 암호화폐의 여러 용어를 가상자산으로 통일한다고 명시했다. 가상자산은 지폐와 동전 같이 실물을 가지고 있지는 않지만 디지털 상에서 실제로 거래되는 자산이다.

이처럼 다양한 용어가 쓰이게 된 배경에는 정부와 한국은행에서 '화폐'라는 단어를 사용하는 것을 경계하기 때문이다. 화폐는 가치의 저장과 척도, 교환의 매개 기능이 포함되어야 하는데 가상자산은 디지털 정보일 뿐 화폐로서 내재가치가 없다고 판단하는 것이다. 자산이란 유형 또는 무형의 형태로 경제적 가치를 지니고 있는 모든 것을 말한다. 시세 변동으로 차익을 남기는 코인 투자를 자산으로는 인정할 수 있지만 결코 기존 화폐를 대체할 수 없다는 시각이다.

2022년에는 '디지털자산Digital Asset'이라는 용어가 자주 등장하고 있다. 이는 지난 3월 미국 바이든 대통령이 서명한 "디지털자산의 책임 있는 발전의 보장에 관한 행정명령Executive Order on Ensuring Responsible Development of Digital Assets"에서 기인한 것으로 보인다. 그간 뚜렷한 입장을 공표하지 않았던 미국 행정부가 가상자산에 대한 첫 행정명령을 내렸다는 것은 시사하는 바가 크다. 무엇보다 디지털자산의 폭발적 증가세라는 현실을 직시하여 정부 차원의 접근법을 마련하고자 한 것이다. 이에 따라 CBDC의 도입에 관한 검토가 이뤄지고, 미 재무부와 상무부, 기타 정부 주요 기관은 디지털자산 관련 규정에 대한 보고서를 마련해야 한다.

우리나라 역시 디지털자산 친화 정책을 공약으로 내세운 윤석열 정부에서 가상자산이란 용어 대신 디지털자산이란 용어를 사용하기 시작했다. 새 정부는 디지털자산기본법 제정 및 디지털자산 전담기구 설치를 염두에 두고 있다.

이 책에서는 가상자산, 암호화폐,디지털자산 등과 같은 용어를 맥락에 맞게 적절히 혼용할 것이다.

NFT 개념과 구조

NFT는 '대체 불가능 토큰Non-Fungible Token'의 약자로, 디지털자산이 누구의 소유인지 나타내는 인증서이자 디지털 등기부등본이다. NFT라고 하면 흔히 디지털 아트 콘텐츠 자체를 연상하기 쉬우나 실상 NFT의 큰 구조는 3가지이다.

첫째, NFT 미디어 데이터Media Data이다. 이는 NFT 원본 디지털 콘텐츠로서 대다수 블록체인 외부 저장 매체인 오프체인off-chain에 저장된다. 블록체인 상에 모두 다 올리면 완전한 탈중앙화를 실현하는 것에 부합하겠지만 NFT 플랫폼이 너무 느리고 무거워진다. NFT 거래가 원활하게 이뤄지기 어려운 환경이 조성되어 사용자의 불편함이 커진다. 이 때 분산형 저장매체인

IPFSInter Planetary File System를 사용하거나 중앙집중형 저장매체를 쓰기도 한다.

IPFS는 분산형 파일 시스템에 데이터를 저장하고 인터넷으로 공유하는 프로토콜이다. 기존의 HTTP 저장 방식은 데이터가 특정 주소에 위치하며 이곳에 모든 콘텐츠가 저장된다. 반면 IPFS는 데이터 내용을 해시값(디지털데이터를 해시 함수로 계산해 고정된 문자열로 나타내는 것)으로 변환한 후 다수의 노드인 여러 컴퓨터에 분산하여 저장하고, 빠른 속도로 분산화된 저장 파일 조각들을 다시 가져와 보여준다. 결국 대다수의 NFT는 IPFS에 탑재된 디지털 저작물에 대한 토큰이다. IPFS에 탑재된 저작물은 공중의 접근 및 다운로드가 가능하다.

둘째, NFT 메타데이터Metadata이다. 메타데이터는 다른 데이터를 설명해 주는 데이터를 말한다. 구체적으로 작품 제목, 설명, 창작자 정보, 속성, 로열티 비율, 실제 NFT 미디어 데이터 저장 장소의 인터넷 주소 등이다. 이는 창작자가 NFT를 민팅할 때 기입하는 내용들이기도 하다. NFT 메타데이터도 NFT 미디어 데이터처럼 분산형 저장매체인 IPFS에 저장되거나 중앙 집중형 저장매체인 별도 서버에 저장된다. 오픈시는 NFT 창작자가 소정의 가스피를 내고 따로 '프리즈 메타데이터Freeze Metadata' 기능을 실행해야 IPFS에 NFT 메타데이터가 저장된다. 그렇지 않을 경우에는 오픈시의 중앙집중형 저장매체에 보관된다. 중앙집중형 저장매체는 해킹과 데이터 원본 훼손 및 삭제 위험성이 존재한다. 그럼에도 오픈시에서 창작자들이 NFT를 민팅할 때 바로 메타데이터 프리징을 실행하지 않는 이유는 NFT 거래 상황을 지켜보면서 가격 및 수량을 수정해나가길 원하기 때문이다. 반면 또 다른 NFT 마켓플레이스 '파운데이션'의 경우 NFT를 민팅하자마자 IPFS에 자동 저장된다. 그래서 파운데이션에서 뭐 하나 수정하려면 매번 창작자가 가스피를 지불해야 한다.

셋째, NFT 스마트 컨트랙트Smart Contract이다. 이는 해당 NFT의 소유권을 확인하고 NFT 메타데이터 보관 장소의 인터넷 주소가 코딩되어 있는 일종의 컴퓨터 프로그램으로 블록체인 상에 직접 저장된다. 블록체인의 특징이 투명하게 거래 내역이 공개된 장부를 보유하고 있다는 점인데 실제 이더스캔Etherscan이나 클레이튼스코프Klaytnscope를 들여다보면 NFT 스마트 컨트랙트의 구체적인 거래 내역을 눈으로 확인할 수 있다.

이제 한 걸음 더 나아가 NFT의 구체적인 의미를 파악하기 위해서 생소한 용어를 하나씩 쪼개어 곱씹어 보자.

대체 가능 Vs. 대체 불가능

일단 아리송하게 다가오는 용어가 '대체 불가능'이다. 영어로 'Non-fungible'이라고 하는데, 이를 이해하기 위해서는 먼저 반대의 뜻인 '대체 가능'이란 의미를 알아야 한다. 대체 가능하다는 건 동일한 가치를 지니고 있는 것을 서로 교환할 수 있다는 뜻이다. 비트코인과 같은 암호화폐는 FTFungible Token이다. A가 가지고 있는 비트코인 1개와 B가 가지고 있는 비트코인 1개는 상호 교환이 가능하여 화폐로서의 가치를 지닌다.

그러나 NFT에는 1+1=2라는 계산이 통하지 않는다. NFT는 각각의 가치가 달라 서로 동일한 가치를 지닌다고 측정하여 교환할 수 없다. NFT는 서로 다른 고유한 개개의 가치를 블록체인 상에 기록하는 기술이기 때문이다. NFT는 블록체인 암호화 기술을 활용한 토큰의 한 종류로, 각 토큰마다 고유 값을 가지고 있어 다른 토큰으로 대체 불가능하다.

일차적으로 대체 불가능하다는 것은 NFT의 기술적 정의이나, 미학적 의미도 사유해보았으면 한다. NFT 아트는 블록체인 기술과 만난 예술이기에 기술과 예술 양쪽에서 접근해야 한다.

'대체 불가능Non-fungible'하다는 것은 예술의 가치를 논할 때도 적용할 수 있는 개념이다. 반 고흐의 '별이 빛나는 밤에'라는 작품은 세상에 유일한 가치를 지니며 또 다른 그 무엇으로도 대체할 수 없다. 예술작품 각각은 고유한 가치를 지니며 이를 '희소성(稀少性, scarcity)'이라고 부른다.

물론 고흐 작품의 이미지는 구글에서 검색해 마우스 우클릭으로 몇 초 만에 다운받을 수 있다. 그러나 복사본이 원작과 동일한 가치를 지니지 않는다는 것은 누구나 알고 있는 상식이다. 하지만 디지털 아트의 경우 동일 작품의 무한 복제와 불특정 배포가 가능하다. 그러한 상황에서는 원작자가 따로 있음에도 어떤 작품이 원본인지 분간하는 것이 현실적으로 어렵다. 그런데 NFT라는 기술은 고유한 표식을 부여해 어떠한 디지털 아트 작품이 원본이고 진품인지 누구의 소유인지를 입증해줄 수 있다. NFT 등록 시 생성한 스마트 컨트랙트smart contract에 날짜와 시간 등이 기록되어 원본성을 증명하기 때문이다. NFT의 대체 불가능이란 특성은 각각의 고유한 예술적 표현이 서로 다른 독특한 희소한 가치를 지니고 있다는 것을 의미한다. NFT 아트는 NFT의 본질적 속성을 미학적으로 작품에 구현할 수 있는 예술이어야 한다. 판매가 잘 되는 특정 트렌드를 그대로 따르거나 인지도를 지닌 누군가의 작품을 오마주하는 차원이 아니라, 아티스트만의 구별되는 세계관을 반영한 NFT 아트는 무엇이어야 할지에 대한 깊은 성찰이 필요하다. 또한 그 작품을 창작하는 '나 자신'이 대체 불가능한 존재가 되어야 한다. NFT는 작품뿐 아니라 창작자가 어떻게 세상을 바라보며 표현할 수 있는지, 즉 '얼마나 독특한 고유의 예술관을 가지고 있는지'가 그 작품의 가치를 결정하는 주요한 요인이 된다. 존재의 매력은 NFT의 미학적 가치를 배가시킨다.

다시 원론적인 NFT의 정의로 돌아와서 단어 하나하나를 곱씹어보자. NFT가 토큰마다 별도의 고유한 인식 값을 부여해 상호 대체가 불가능한 자산을 만드는 기술임을 어렴풋이는 알겠는데 막히는 단어가 있다. 토큰이라니. 토큰이 대체 무엇일까?

토큰과 코인

토큰token의 사전적 의미는 동전이다. 우리나라에도 가운데 동그란 구멍이 뚫린 동전 모양의 버스 토큰이 교통카드 기능을 했던 때가 있었다. 그런데 그러한 토큰으로 마트에서 물건을 살 수 있을까? 그렇지 않다. 즉, 토큰은 화폐와 직결되는 개념이라기보다는 버스를 탈 수 있도록 승인해주는 등 특정 목적을 위해 사용할 수 있는 권리를 부여한 것이다.

예전에 초등학생 아이들에게 NFT 아트 이야기를 들려준 적이 있는데, 한 학생이 어디서 들은 것인지 'NFT가 코인인가요?'라는 질문을 던진 적이 있다. '아니 도대체 초등학생이 코인이란 단어를 어디서 들었을까?' 궁금했지만 순간 나도 헷갈려서 의미를 되새기느라 차마 아이에게 되물어보진 못했다. 그래서 바로 찾아본 코인과 토큰의 뜻은 이러한 차이를 지니고 있었다.

코인은 블록체인 프로젝트를 실제 출시하여 운영하는 네트워크를 지칭하는 메인넷mainnet을 보유하고 있어 자신의 메인넷에서 발행된 암호화폐이다. 코인의 종류는 비트코인BTC, 이더리움ETH, 퀀텀QTUM, 스팀STEEM 등 무수하게 많다. 메인넷이 있으면 블록체인 네트워크 시스템 운영을 통해 지갑 생성 및 가상 자산 거래가 가능하다. 코인은 플랫폼 블록체인의 기축통화이다. 토큰은 독립된 블록체인 네트워크인 메인넷을 소유하지 않고 기존 플랫폼 블록체인 위에서 생성된다. 토큰이 코인이 될 수도 있다. 이오스EOS와 트론TRX은 초기에 이더리움 네트워크에서 ERC-20 형태인 토큰으로 발행되었다가, 이후 자체 메인넷을 개발하고 난 뒤로 코인이 되었다. 독자적인 메인넷 플랫폼에서 개발자들이 여러 앱과 토큰 등을 개발할 수 있다. 비유하자면 이더리움 네트워크 블록체인은 구글 플레이스토어처럼 여러 앱들이 설치될 수 있는 플랫폼의 기능을 한다. 메인넷은 탈중앙화 분산 애플리케이션을 뜻하는 디앱 또는 댑(Dapp: Decentralized Application)을 활용할 수 있는 생태계를 조성한다. 댑(DApp)은 구글 플레이스토어에서 다운 받을 수 있는 앱(App)과 같다. 이러한 앱에서 사용할 수 있는 것이 토큰이다. 토큰은 해당 메인넷에서 다른 앱을 만들었을 경우에 사용된다. 메인넷이 없는 토큰으로 시작해 메인넷을 보유한 코인으로 발전할 수도 있다.

ERC-20 토큰 Vs. ERC-721 토큰 Vs. ERC-1155 토큰

ERC(Ethereum Request for Comment)는 2015년 파비안 보겔스텔러(Fabian Vogelsteller)가 제안한 개념으로, 이더리움 블록체인 네트워크에서 발행되는 토큰의 표준을 말한다. 이 중 Request for Comment는 블록체인 상에서 기술을 구현할 때 필요한 상세 절차와 기본 틀을 제공하는 표준 문서를 뜻한다. 쉽게 말해, ERC는 이더리움 토큰이 따라야 하는 규칙이다. 즉, ERC는 이더리움 네트워크에서 토큰을 만들 때 따라야 하는 프로토콜이자, 토큰의 호환성을 보장하기 위한 표준 사양이다.

수많은 프로토콜 중에서 20번째 프로토콜이 ERC-20이며, ERC-20 프로토콜의 규칙에 따라 만들어진 것이 ERC-20 토큰이다. ERC-20 토큰의 경우 이더리움 네트워크 블록체인을 기반으로 하는 댑에서 사용할 수 있다. ERC-20 토큰은 각 토큰들이 모두 동등한 가치를 가지고 동일 단위로 교환, 판매, 대체될 수 있으며 결제에도 사용할 수 있다. 반면 NFT는 2018년 6월 21일 최종 채택된 ERC-721 토큰 표준을 따른다. ERC-721은 토큰에 고유한 정체성을 토큰 ID(tokenId)로 부여하고 소유자(owner)를 강조한다. 이러한 기술적 속성으로 인해 ERC-721인 NFT는 대체 불가능하다. 대체 가능토큰인 ERC-20과 대체 불가능 토큰인 ERC-721은 토큰을 생성할 때마다 각기 다른 스마트 컨트랙트가 필요하다. 그래서 이 둘을 혼합 거래할 수 있도록 ERC-1155가 생겼다. ERC-1155는 2018년 06월 블록체인 게임 개발 플랫폼인 엔진Enjin의 최고기술책임자CTO인 비텍 라돔스키Witek Radomski가 제안한 새로운 이더리움 토큰 아이템 표준안이다. ERC-1155 토큰은 ERC-20과 ERC-721 토큰을 하나의 스마트 컨트랙트로 결합해 이 둘이 서로 거래 가능하도록 만든 것이다. ERC-1155는 단 하나의 스마트 컨트랙트로 여러 토큰을 생성하고 관리할 수 있어 가스피를 줄이고 거래 효율성을 높일 수 있다.

창작자 경제의 혁신

최근에 가장 인상적으로 본 전시는 바로 국립현대미술관에서 열린 세계적인 미디어 아티스트 히토 슈타이얼Hito Steyerl의 아시아 최초 대규모 개인전《히토 슈타이얼-데이터의 바다》이다. 독일과 유럽을 기반으로 활동하는 히토 슈타이얼은 데이터, 인공지능, 알고리듬, 메타버스 등 디지털 기술 기반 네트워크 사회라는 시대상을 조명하며 동시대 미술관의 역할을 제시한다. 관람 당시 블록체인과 NFT, 메타버스에 관한 심층적 통찰을 담은 대규모 전시는 어떠한 형태여야 할까에 대한 고민을 이어가고 있었기에 커다란 디스플레이에서 역동적으로 뿜어져나온 작품의 내러티브에 빠져들며 매혹을 넘어 충격을 받았다.

다만 암호화폐와 NFT에 관해서 야생적 자본주의 시장이라는 비판적 관점에서만 접근한 점은 일말의 아쉬움을 남겼다. 전시 관련 기자간담회에서도 "NFT가 혁신이란 얘기도 이제 듣기 지겹다. 극소수 작가들과 대형 갤러리·옥션만 이익을 볼 것"이라고 직언한 면에 대해서는 진정 그러한가에 관한 질문을 이어가게 했다.

어찌보면 굉장히 정확한 발언이기도 하다. 기존의 브랜드 인지도를 지닌 극소수의 스타 작가들과 대형 브랜드, 주요 갤러리와 옥션에게 NFT로 인한 수혜가 돌아갈 가능성이 높은 것이 냉정한 현실이다. 그런데 과연 그것만이 다인가, 몇 날 며칠을 질문을 이어갔다. 초기 시장인 NFT의 혁신 요소는 무엇인가에 대해서는 향후에도 지속적으로 고찰하고 발견하며 연구해나갈 부분이 많다고 생각한다. 우선 현 단계에서 NFT가 무엇보다 창작자 경제의 혁신으로서 어떠한 가능성을 내포하고 있는지 정리해보고자 한다.

디지털 경제는 무한 복제가 가능하고 시공간을 초월해 무한 전송이 가능해 사용자 입장에서는 정당한 가치 지불을 하기가 어려운 속성을 가진다. 또한 저작권 침해 문제를 비롯하여 창작자가 정당한 작품의 가치를 경제적으로 보상받기 어렵다. 그런데 디지털 아트 작품에 NFT 기술을 적용하면 그 유일성과 원본성을 블록체인 상에 기록하여 보장받을 수 있다. NFT는 원본 증명과 이력 추적의 기능을 지니기 때문이다.

NFT는 디지털 아트에 고유성을 부여해 거래 가능한 형태로 만들어준다. 디지털에 존재하는 실체를 현실경제와 연결하여 예술가가 지속 가능한 창작을 위한 합당한 가치를 지급받을 수 있게 해준다는 뜻이다.

NFT는 디지털 콘텐츠의 이해권리관계를 명확히 추정하고 원본과 소유권을 증명할 수 있어 디지털에서 가치를 가질 수 있는 모든 아이템은 NFT로 만들어 거래할 수 있다. 동일 정보가 담긴 NFT는 오직 하나씩만 발행될 수 있다는 면에서 NFT는 대체 불가능한 자산이다. NFT를 구매하면 소유권을 증명하는 토큰이 이전된다. 누가 작품을 창작했고 또 얼마에 구매했는지 판매 이력과 관련하여 전 거래과정의 기록화가 가능하다. 기존 미술 시장은 작품의 고유성을 나타내기 위해 증명서가 필요했고, 희귀성을 나타내기 위해 리미티드 에디션을 출시했다. 그런데 NFT라는 혁신 기술을 통해 복제가 용이하고 만연한 디지털 아트 시장에서 세상에 오직 하나뿐인 원본의 고유성과 희귀성을 보존할 수 있게 되었다. 위·변조가 불가능한 블록체인 기술은 데이터에 원본의 가치를 부여한다.

그런데 한 발 더 깊게 들어가 살펴보면 아직 NFT가 디지털 아트의 저작권 보호에 기술적인 해법은 될 수 있음에도 해결해야 할 문제들이 상당하다. 일례로, NFT 마켓플레이스에 특정 NFT를 그대로 베낀 스캠 NFT 계정이 빈번하게 생기고 있고, 이를 일일이 검수해 삭제하지 못하고 있다. 무엇이 원본인지 아닌지를 피해자가 오픈시 리포팅 기능을 통해 제보를 해야 스캠 계정 삭제 조치가 이뤄진다. 이 역시 원작자가 저작권 침해 사실을 '발견'했을 때에만 해결되는 상황이다. 그러나 기술적인 면에서 블록체인에 원본 작품이 무엇인지를 투명하게 기록하고 공유할 수 있기에 NFT에 관한 법적, 제도적 정비가 이뤄질 경우 NFT는 디지털 아트의 저작권 보호에 기여하는 유용한 기술로 자리잡게 될 것이다.

또한 NFT는 개별 창작자가 국경을 넘어 전 세계 컬렉터에게 자신의 작품을 알리고 판매할 수 있는 글로벌 직거래 시장을 열어주었다. 예술을 주업으로 하여 전업작가로 살아가기란 현실적으로 쉬운 일이 아니다. 그래서 경제적 소득을 얻을 수 있는 본업이 따로 있는 상태에서 창작 작업을 이어가는 예술가들이 많다. 예술을 업으로 삼고 사는 사람들 중 상당 수가 단지 돈을 벌기 위해서 예술을 하고 있지는 않다. 예술사를 살펴보아도 적지 않은 예술가들이 가난과 고난을 견뎌오면서도 '작가 정신'만으로 그 시간을 뛰어넘은 경우가 상당하다. 창작과 전시는 모든 작가에게 주어지는 기회가 아니다. 무엇보다 코로나 19로 수많은 미술관과 공연장이 전시와 공연을 취소하거나 연기하면서 예술가들은 자신의 작품을 선보일 기회 자체를 잃게 되었다. 그런데 NFT는 작품을 NFT로 만들어 올릴 수만 있다면 전세계 구매자와 직거래가 가능한 새로운 시장을 열어주었다. 중개기관 없이 작가가 직접 자신의 작품을 전 세계에 소개하고 판매할 수 있게 된 것이다.

작품이 판매되면 대개 갤러리와 작가가 5:5의 비율로 수익을 분배한다. 그런데 오픈시의 경우 작품 판매 시 2.5%의 수수료만 가져간다. 물론 갤러리에서 하는 큐레이팅, 마케팅, 컬렉터층의 확보 등은 NFT 작가가 직접 해야 한다. 독립적으로 활동하는 창작자는 자신이 직접 커뮤니티 활동을 하며 NFT를 홍보해야 한다. 그러나 이러한 점을 감안하고서 결과적인 수익 부분만 놓고 보면 창작자의 소득이 올라가는 구조이다. NFT는 자신의 작품을 작가가 주도해 선보이며 지속 가능한 창작을 위한 경제적인 수익을 얻을 수 있는 새로운 시장을 열어주었다. NFT는 수익 정산 과정도 투명하고 판매 즉시 창작자의 가상자산 지갑에 수익이 들어온다. 갤러리에서 작품이 판매되면 정산 후에야 작가에게 수익을 지급한다. 그리고 실물 미술 시장에서는 대한민국의 경우 2차 판매 시 원작자에게 지급되는 로열티, 즉 추급권이 적용되지 않는다. 그런데 NFT는 작품이 재판매될 때마다 최대 10퍼센트의 로열티가 원작자에게 지급된다. 컬렉터 중에는 자신이 구입한 NFT를 재판매할 경우를 가정하고 비교적 로열티가 낮은 작품을 선호하기도 한다. 가령 오픈시에서 원화 추산 100만원 가치의 NFT를 구입한 컬렉터가 재판매할 때 로열티가 7.5%인 경우, 오픈시에서 플랫폼 이용 수수료로 2.5%를 합해 총 10%를 제외한 90만원을 수령하게 된다. 반면, 로열티가 10%인 경우, 컬렉터의 재판매 수익은 오픈시 수수료 2.5%를 합해 총 12.5%를 제외한 87만 5천원이다. 다만 로열티는 매 판매 시마다 들어오지 않고 오픈시의 경우 60불 이상 축적되면 추후 입금된다. NFT 에이전시나 갤러리를 통해 작품을 민팅했을 시 재판매되었을 때 작가가 아닌 에이전시나 갤러리의 가상자산 지갑에 로열티가 지급될 수 있으므로, 로열티 분배 비율 등에 관한 별도 계약서를 사전에 작성하는 것이 필요하다.

원작가는 내 작품이 누구에게 판매되고 있는지 블록체인의 투명한 거래 기록 데이터로 파악할 수 있다. 자신의 작품을 선호하고 소유하는 이들은 어떠한 사람들인지도 찾아볼 수 있다. NFT 마켓플레이스 플랫폼의 컬렉터 계정에서 그간 어떠한 작품들을 컬렉팅하였는지 알 수 있고, 연결된 트위터 계정에 들어가 컬렉터의 성향을 파악할 뿐 아니라 서로 소통할 수도 있다. 실물 미술 작품을 구입한다고 해서 그 작가와 컬렉터가 직접 소통을 할 수 있는 것은 아니다. 작가가 작품을 창작하면 컬렉터는 갤러리나 옥션 등의 중개기관을 통해 작품의 판매 정보를 전달받는다. 그런데 NFT는 컬렉터와 창작자가 서로 연결되고 소통할 수 있는 가능성이 훨씬 높다. 소셜미디어를 통해 NFT 작가가 작품을 구입한 컬렉터에게 감사 인사를 남길 때 컬렉터 계정을 태그하기도 한다. 그걸 계기로 작가는 감사 인사를 전하고, 컬렉터는 작품을 구입한 이유와 감상평, 작가를 지지하는 이야기 등을 나누기도 한다. 내 작품을 알아봐 주는 전 세계에 있는 그 단 한명을 만났다는 기쁨과 감동으로 힘을 받아 더 열심히 창작 작업에 매진하는 NFT 작가들의 고백을 수도 없이 들었다. NFT 컬렉터들도 작가와 소통하는 즐거움을 진하게 경험할 수 있다. NFT가 주는 연결성은 대체 불가능한 매력이다. 그렇기에 NFT 작가는 작품에 담긴 이야기를 자신의 목소리로 말할 수 있어야 한다. 그 목소리를 듣고 어떤 생각을 지니고 살아왔으며 어떠한 창작을 해나가는 사람인지가 진정성 있게 드러날 때 NFT 작품의 매력은 배가된다.

또한 NFT에는 '분할 소유'라는 개념이 적용될 수 있다. 즉, 토큰에 대한 소유권을 나눌 수 있다. NFT 발행자인 아티스트가 구매자와 토큰을 1/n과 같이 나눠 소유권을 부분으로 인정할 수도 있다. 부분 소유권을 허용할 수 있을뿐더러 서로 교환할 수 있다. 최근 MZ 세대를 중심으로 예술작품의 '조각투자'가 인기인데 피카소 작품의 소유권을 수십 심지어 수백 명, 수천 명이 소액 투자를 해 나눠서 가지는 것이다. 또한 특정 작품의 소유권을 투자 금액 대비 20퍼센트, 30퍼센트, 50퍼센트로 나눠서 가질 수도 있다. 분산된 소유권은 해당 작품의 가치가 올라가거나 2차 판매되어 수익이 발생했을 시, 소유권 비율에 따라 해당 수익을 분할해 배당 받을 수 있다.

그러나 현재 독자적으로 활동하는 NFT 창작자의 상당수는 분할 소유 방식으로 작품 판매를 진행하고 있지는 않고 주로 조각투자의 방식을 사업 모델로 삼고 있는 관련 기업에서 NFT 분할 소유 방식을 취하고 있다.

NFT 창작자 필수용어

민팅Minting, 리스팅Listing, 드랍Drop

민팅은 NFT 작가들이 자신의 작품을 블록체인 기술이 적용된 NFT 마켓플레이스에 올려서 토큰화하는 것을 말한다. NFT를 민팅했다고 바로 판매 가능한 상태가 되는 것은 아니다. 자신이 팔기 원하는 가격을 설정하는 것을 '리스팅Listing'이라고 한다. 리스팅은 작가가 원하는 가격을 설정하여 판매 가능 상태를 만드는 것을 말한다. 민팅과 리스팅을 합쳐 '드랍Drop'이라 표현한다.

또한 PFP NFT 프로젝트의 경우 통상 처음 NFT 구매를 프로젝트 개발자가 만든 사이트에서 'Buy Now' 버튼을 눌러서 하게 되는데 이러한 경우에도 '민팅'이라는 표현을 사용한다. NFT 커뮤니티에서 "오늘 민팅 성공했어요!" 혹은 "민팅 실패했어요"라고 말한다. 한정 수량 NFT인데 수요자가 많을 경우 1초만에 완판되는 경우도 있다. 나도 열심히 'Buy Now' 버튼을 판매 가능 시간이 열리자마자 눌렀으나 구매를 못한 적이 있다. 그래서 프리세일, 메인세일 기간에 NFT를 구매해 그것이 나의 소유가 되었을 때 '민팅 성공했다'고 표현하는 것이다.

가스피Gas Fee

플랫폼 블록체인은 수많은 컴퓨터가 연결된 거대한 슈퍼컴퓨터와도 같다. 블록체인은 탈중앙화를 실현하기 위한 방법으로 수많은 컴퓨터에 데이터를 분산 저장한다. 가스는 이더리움 블록체인에서의 작업량을 뜻한다. 가스는 한도가 있다. 거대한 컴퓨터의 총 가스 한도Gas Limit가 정해져 있고, 이 안에서 사용자들은 자신이 이용한만큼 일종의 수수료 개념으로 가스 값Gas Price를 지불하게 된다. 일반적으로 NFT 작가들은 이를 블록체인 사용 수수료 개념으로 이해하며 가스피라고 부른다.

드랍파티Drop Party

드랍파티는 NFT 아티스트들의 창조적이고 독특한 홍보 문화이다. NFT 작가들은 NFT 마켓플레이스에 작품 민팅과 리스팅을 한 당일이나 근시일에 클럽하우스나 트위터 스페이스에서 드랍파티를 연다. 작가가 주최해서 여는 경우도 있고, 비딩이 들어와야 경매가 시작되는 파운데이션의 경우 드랍일시와 드랍파티 날짜가 일치하지 않기도 한다. 비딩이 당장 들어오지 않아도 드랍파티를 열고 사람들을 초청했을 때 작품에 담긴 이야기를 듣고 현장에서 누군가 비딩을 걸기도 한다.
하루에도 무수한 NFT가 쏟아져나오는 글로벌 마켓플레이스에서 특정 작가의 작품에 주목하기란 쉬운 일이 아니다. 그래서 스스로 기회를 만드는 것인데, 실제로 드랍파티를 청취하면 굉장히 재미있다.

드랍파티에서 작가는 작품 세계관, 최근 작업 소식 등 다양한 이야기를 두루두루 나누는 아티스트 토크를 한 두 시간 정도 진행한다. 시간도 정하기 나름이다. 30분 정도로 짧게 하는 사람도 있고 두 시간 넘게 그간 못다한 작품 이야기를 다 풀어내면서 파티처럼 동료 작가들과 즐기는 시간으로 삼기도 한다. 그런데 중요한 건 드랍파티 때 비로소 작가의 목소리를 듣고 NFT 작품의 가치를 이해하게 된 국내외 컬렉터를 만나게 된다는 점이다. 때로는 작품을 대하는 작가의 생각과 그 생각을 표현하는 목소리가 매력적이어서 NFT를 구입하는 사람들이 생기기도 하다.
이처럼 '드랍파티'는 음성 소셜미디어를 기반으로 NFT 아티스트들이 자신의 NFT 작품을 동료 작가 및 국내외 잠재적 컬렉터에게 알리는 창조적인 홍보 문화이다.

에디션Edition

마치 판화처럼 동일 작품을 여러 개 NFT로 만드는 것을 말한다. 작가는 단 한 작품만 NFT로 판매할 것인지 아니면 5개 등 여러 수량으로 발행할 것인지 결정할 수 있다. 에디션 설정 기능은 모든 NFT 마켓플레이스에 있지는 않다. 가령 오픈시의 경우 에디션을 발행할 수 있으나, 파운데이션이나 슈퍼레어는 오직 한 작품만 NFT로 판매할 수 있다.

4장.

NFT 아트의 역사

NFT의 역사와 NFT 아트의 역사는 같지 않다

2011년 '네임코인Namecoin'이 등장했다. 네임코인은 도메인 소유주 정보를 블록체인에 저장하여 누가 이 도메인 네임의 주인인지 확인할 수 있도록 했다. 왜 블록체인에 도메인 소유주 정보를 기록하는 것이 필요할까? 만약 중앙 서버에 도메인 네임이 저장되어 있으면 해킹과 정보 변경 및 훼손의 위험이 있기 때문이다. 2011년은 NFT라는 용어가 생기기도 전이지만 의미상으로는 네임코인이 NFT의 시작이라 볼 수 있다.

그러나 이것이 NFT 아트의 시작이라 보기는 어렵다. 예술은 인간의 사상과 감정을 표현한 창작물인 저작물의 성격을 지녀야 하는데 도메인 네임의 소유주 정보에는 예술로서의 기본적인 속성이 담기지 않았기 때문이다.

그런데 같은 해인 2011년 인터넷 보안 전문가 댄 카민스키Dan Kaminsky가 창작한 〈랜 새서맨을 추모하는 아스키 아트〉는 블록체인 기술을 적용한 최초의 크립토 아트라 볼 수도 있다. 이는 비트코인의 코드로 그린 초상화로 댄 카민 스키의 친구인 프로그래머 랜 새서 맨Len Sassama이 2011년에 세상을 떠난 후 친구를 추모하기 위해 그린 것이다. 이러한 내용은 크립토 아트의 연대기적 역사를 정리해둔 '뮤지엄 오브 크립토 아트museum ofcryptoart.com' 에 기록되어 있다. 다만 댄 카민스키의 핵심 정체성은 아티스트가 아니고 해커이다. 누구나 아티스트가 될 수 있는 크립토아트 세계에서 그 사람의 배경 이력을 따지는 것은 예술의 개념을 한정 지을 수 있는 판단이다. 하지만 일시적인 단회성 창작이 아니라 지속성을 가지고 자신의 예술 세계를 구축해나가는 작가인가를 기준으로 삼았을 경우 댄 카민스키를 최초의 크립토 아티스트라 칭하는 것은 적절하지 않다.

2012년에는 '컬러드 코인Colored Coins'이 등장했다. 이는 비트코인에 고유한 속성의 색깔 값을 부여해 각각이 구별할 수 있는 코인을 만드는 프로젝트이다. 이더리움이 출시되기 전이라 비트코인 체인을 사용했고, 블록체인 기술을 통해 실물 자산을 디지털 형태로 나타내려는 최초의 시도였다. 이더리움의 창시자이자 2013년 당시 19살 청소년이었던 비탈릭 부테린도 컬러드 코인 프로젝트에 합류했다. 이후 그는 팀을 나가 2014년 이더리움을 만들었다. 컬러드 코인도 아트라 보기는 어렵다.

2014년에는 '카운터파티Counterpart'가 등장했다. 카운터파티는 비트코인 블록체인 P2P 금융 플랫폼으로, 수많은 밈Meme 트레이딩 카드를 토큰화하려고 시도했다. 카운터파티에서 모바일 게임은 디지털자산이 되었다. 이때 카운터파티에서 발행한 밈 트레이딩 카드 중 여전히 유명세를 지니고 있는 것이 바로 2016년 10월 시도한 초록색 개구리 일러스트레이션 형태의 레어 페페Rare Pepe 밈이다. 레어 페페 밈은 매트 퓨리Matt Furie 작가의 만화 캐릭터 페페 더 프로그Pepe the Frog의 밈이다. 2021년 소더비에서 레어 페페 NFT가 365만 달러에 판매되기도 했다. 카운터파티 자체는 일종의 플랫폼이자 프로토콜이라 아트라 보기 어렵지만 연계해 진행한 프로젝트 중

레어 페페 밈의 가치에 대해서는 따져볼 필요가 있다. 많은 사람이 자발적으로 참여하는 밈 놀이 문화가 확산되었고 심지어 비트코인으로 레어 페페 밈 거래가 이뤄졌다. 그러나 레어 페페 밈을 크립토아트의 시작이라 보는 시각도 존재한다. 하지만 이는 특정 작가 주도의 작품 철학과 감성을 보여주는 작품이 아니라, 불특정 다수의 산발적 집단의 패러디 놀이 문화로서의 '밈' 현상을 카운터파티에서 토큰화한 것이라는 차이를 지닌다.

2014년 케빈 맥코이Kevin McCoy가 네임코인 블록체인에 민팅한 디지털 아트 작품 〈퀀텀 Quantum〉은 미학적 관점에서 세계 최초의 크립토 아트라 말할 수 있다. 맥코이의 트위터에 가보면 "2014년 5월 나는 시대를 앞서갔지만 내가 옳았다"라는 작가의 글이 올라와 있다. 그는 엔지니어이자 폐기 존슨 소프트웨어 대표인 애닐 대시Anil Dash와의 협업으로 디지털 아트의 원작자와 소유권자가 누구인지를 블록체인상에 처음으로 기록한 현대미술가이다. 〈퀀텀〉은 뉴욕 현대미술관에서 처음 선보였다. 당시에도 NFT라는 용어를 사용하지는 않았다. 대신 '금전화된 그래픽 Monotized Graphics or Monograph' 또는 '모노그래프Monegraphs'라 불렀다.

기술적 한계로 인해 〈퀀텀〉을 2014년에 거래할 수는 없었는데, 이러한 기념비적인 사실을 세계적인 경매사들이 놓칠 리가 없다. 2021년 6월 소더비Sotheby's가 진행한 경매에서 작품은 147만 달러 한화 약 16억 원에 낙찰되었다. 소더비는 "퀀텀은 2014년 5월 3일 오전 9시 27분 34초에 발행됐다는 타임 스탬프가 찍힌 사상 첫 NFT"라고 강조했다.

이 경매 이후 최초의 크립토 아트가 무엇인지에 관한 논쟁이 트위터에서 펼쳐지기도 했으나 블록체인 기술을 적용했다고 모든 것을 예술로 분류할 수 없다. 작가는 자신만의 철학과 작품 세계관을 지닌 존재이다. 케빈 맥코이는 트위터와 인스타그램 프로필에 "내가 사고하고 기술이 행한다I think and the machines do"라고 적었다. 그는 자신의 정체성을 철저히 예술가로 정의 한다. 코딩으로 직접 작품을 창작하는 등 기술과 예술의 결합을 적극적으로 시도하지만 예술가로서의 철학을 기반으로 이 모든 활동을 진행한다.

2022년 1월 맥코이는 2022 선댄스 영화제에서 〈인사이드 월드〉라는 내러티브 NFT 프로젝트를 처음 공개하기도 했다. 작품의 세계관은 14개의 인공지능 캐릭터가 운영하는 라스베이거스에서 펼쳐지며 이 중 누구인지는 모르지만 단 한 명만 인간이다. 캐릭터 카드 NFT를 수집하면 관객이 다양한 스토리 전개에 참여하며 공유 스토리를 창작할 수 있다.

NFT 아트의 탄생 지점

만약 이 책을 읽는 당신이 NFT '아트'에 관심을 가진 창작자나 예술 시장 관계자라면 이 점을 기억했으면 좋겠다. NFT 아트는 전통 미술 시장에서 탄생하지 않았다. NFT 아트는 기존 현대미술의 연장선에 놓여있지 않다. 자신이 기존 현대예술계에서 주로 활동해온 작가, 큐레이터, 비평가, 미술관 관계자라면 NFT 아트를 대면하면서 가치관의 충돌을 겪는 순간들을 맞이하게 될 것이다. 그 충돌을 즐기는 사람이 있지만 자신의 이해로 납득되지 않는 새로운 예술 현상에 대해 불편해하거나 심지어 불쾌해하는 이들도 보았다. 나는 불편함을 느끼는 심정에 공감한다. 한발 더 나아가 그 불편함의 지점을 열거하면서 그 이유를 파고드는 대담을 진행해보면 NFT 아트에 관한 굉장히 흥미로운 미학적 담론을 끌어낼 수 있을 거라고도 생각한다.

예술사를 살펴보면 그 시대의 산업, 기술, 경제, 환경 등 여러 요인이 하나의 사조를 탄생시키는 데 영향을 미쳤다. 시간이 흘러 NFT 아트의 정체성이 무르익어 이 장르의 본질을 명확히 규명할 수 있는 시점에 이르면 현대미술 혹은 더 넓게 현대 예술의 범주로 바라볼 수 있을 것이다. 그러나 아직은 때가 아니다. NFT 아트는 갓 태어난 예술이다. 앞으로 무한한 성장의 시기가 필요하다. 벌써부터 여기까지는 NFT 아트이고 이거는 아니라고 단칼로 구분짓는다면 앞으로 무한히 확장할 수 있는 NFT 아트의 잠재성을 오히려 한계 짓는 것이다. 물론 자신의 예술세계를 구축해나가는 작가의 입장에서는 무수한 디지털 콘텐츠가 쏟아져 나오는 NFT 시장에서 본인의 가치관을 세워나가는 과정에서 충분히 그렇게 사고할 수 있다. 하지만 내가 애정을 지니고 자주 소통하는 작가들에게 종종 하는 이야기가 있다. 나의 마음에 당장 부합하지 않는다 하더라도 NFT 시장 전체를 둘러보며 어떻게 산업의 흐름이 펼쳐지고 있는지 눈을 감지 말고 고개를 들어 휘이 둘러보길 바란다. 수많은 국내외 PFP NFT 프로젝트 중에서 예술적 속성을 담고 있는 프로젝트는 무엇일지 혹은 예술은 예쁜 포장지의 역할을 하는 수단에 그치고 만 것인지도 살펴보았으면 한다. 이미 PFP NFT 프로젝트 중에도 작가의 기존 작업의 세계관을 확장하며 NFT 아트의 경계를 넓히는 좋은 프로젝트들이 있다. 혹은 그 반대도 있다. 깊이 알아야만 제대로 비판적일 수 있다.

NFT 아트는 과학기술과 경제, 산업과 시장이 예술과 만나는 지점에 위치한다. NFT 아트의 본질을 찾아가기 위해서는 블록체인과 암호화폐 및 관련 시장에 대한 이해가 필요하다. NFT 아트는 단지 예술 영역에서만 담론을 만들 수 있는 장르가 아니라 기술과 경제가 예술과 만나며 새로운 충돌과 파괴적 혁신을 일으키는 지점에 있다.

그래서 벌어진 몇 가지 현상들을 살펴보자면, 먼저 NFT 아트 작가군에는 예술 전공자뿐 아니라 IT, 게임, 그래픽 디자인, 인공지능 등 다양한 분야를 배경으로 지닌 사람들이 활동하고 있다. 디지털 아트를 NFT 마켓플레이스에 NFT로 만들어 올려 한 건이라도 판매가 이뤄졌다면 혹은 이뤄지지 않았어도 그 사람은 NFT 작가라고 불린다. 이 지점에서 불편해하는 사람들이 있다. 작품 판매는 엘리트 예술교육 코스를 착실히 밟아온 사람들이 예술계에서 자기 경력을 쌓아오며 미술관과 큐레이터의 선별을 거쳐 아트 페어 등에 진출하는 식으로 이뤄져야 한다고 생각하는 이들도 있을 것이다. 취미로서의 예술 창작을 하는 것은 자유이지만 그것이 판매로 이어지며 심지어 전업 작가로 활동하기까지 한다면 예술과 예술가가 지닌 숭고한 지위와 가치에 반하는 현상이라고 볼 수도 있다. 그런데 NFT 아트는 창작자가 되고자 하는 이들에게 큰 장벽이 없다. 어디 어디 대학을 나와야 하는 것도 아니다. 미술 전공자가 아니어도 된다. 나이도 성별도 상관없다. 그저 작품이 잘 팔리면 그 사람은 NFT 전업 작가로 충분히 경제적 활동을 하면서 창작 활동을 지속할 수 있다. 그런데 나는 이러한 현상에 대해서 많이 불편하지는 않다. 그 사람의 배경이 어떠하건 간에 진지한 태도로 꾸준하고 성실하게 창작을 지속해나가고 있고 예술을 사랑한다면 무엇이 문제일까 싶다. 막상 시도해보면 NFT 작품 판매가 쉬운 일이 아니다. 지속적인 창작과 판매가 이어지기 위해서는 부단한 노력을 동반해야한다.

다만 아쉬운 점은 있다. 기존 미술교육의 배경을 경험하지 않은 작가 중 작품의 세계관을 만들어가는 과정에서 이론적 토대가 약한 경우를 자주 마주쳤다. 작가로서 지녀야 할 태도와 자세라는 것은 책으로 배울 수는 없는 노릇이다. 그것은 삶으로 예술로 실천하고 살아가면서 스스로 깨달으며 도자기처럼 빚어지는 것이라 생각한다. 그러나 예술사의 흐름을 파악하며 수많은 작가와 작품, 사조를 이해하고 또 감동하며 자신의 작업의 대체 불가능한 미학과 가치를 만들어가는 과정은 필요하다. 실질적인 공부와 연구는 실기와 이론, 양쪽에서 유용하며 중요하다.

NFT 아트라고 해서 혹은 NFT 작가라고 해서 남다른 존재는 아니다. NFT 아트는 장차 동시대의 다채로운 예술 현상과 양상 중 하나로 자리잡게 될 것이다. 아티스트들이 NFT 아트 작업을 하든 실물 미술 작업을 하든 그 구분조차 큰 의미가 사라지는 지점에서 동시대에서 중요한 예술과 예술가의 본질적인 가치는 무엇인가에 대해 성찰해나가길 기대한다. 결국 작가는 작가로서의 정체성을 만들어가야 하며, 예술작품은 작품으로서의 가치를 깊이있게 형성해나가야 한다.

NFT 아트는 예술 인구의 확대를 일으키는 것이라 보고 지구상에 예술을 좋아하고 표현할 수 있는 사람들이 늘어나면, 예술을 향한 관심도 커질 것이기에 기존 예술계와도 선순환을 이룰 수 있다고 생각한다. 한 번이라도 창작을 해보고 그 맛을 알아야 전시도 보러 다니고 작품도 구입하는 것이다. NFT 컬렉터들 역시 기존 미술작품을 구입하던 사람들도 있지만 그렇지 않은 이들이 더 많다. 이들은 블록체인 기술과 함께 부상한 새로운 형태의 예술 애호가이다. NFT 아트에 대한 관심이 실물 예술 작품으로 확대되는 경우도 나타나고 있다. 이 얼마나 기쁜 일인가. 지구상에 예술 인구가 늘어나는 것이다. 넓게 바라보자. 누구나 어릴 때는 자유롭게 춤추고 놀이처럼 그림을 그릴 수 있지만 점차 세상의 평가하는 시선을 인식하며 예술과 거리가 멀어져 간다. 하지만 그 내면의 가능성을 꺼낼 수만 있다면 누구나 예술을 즐기고 누리고 표현할 수 있다. 취미로서의 예술과 직업으로서의 예술을 가르는 경계는 누가 만들었는가. 물론 정련된 형태와 완성된 미감을 지닌 예술작품은 분명 가치가 있고 이는 대다수 숙련된 작가들이 창작한다. 나는 그러한 정돈되고 세련된 작품들을 만나기 위해 실제 미술관에 가는 것을 선호한다. 눈이 호강하는 기분이다. 그러나 직시해야 할 사항은 여전히 현대예술은 일반 대중이 다가가기 어렵고 낯선 대상이라는 것이다. 이러한 현대예술계의 벽은 누가 만들었는가. 예술은 어린아이의 자연스러운 본능의 표현처럼 우리 모두의 것이어야 한다. NFT 아트는 그 작은 가능성의 실현이다.

그러나 NFT를 한다고 해서 자동으로 작가가 되는 것에 대해서는 한번 생각해보자. 사람이 창작했다고 그것이 다 예술적 가치가 있는가. 따져볼 일이다. 나는 NFT로 표현한 작업물이 다 예술은 아니라고 생각한다. 자신만의 세계관을 가지고 치열하고 꾸준하게 작업에 정진하는 작가정신은 장르와 상관없는 숭고한 가치이다.

아주 신기한 현상은 NFT 아트 컬렉터 중에 그간 예술에 대해 잘 모르거나 혹은 관심은 있었으되 실물 작품은 한 점도 구입하지 않은 사람들이 많다는 점이다. NFT 아트를 주로 사는 사람들은 블록체인이나 IT 업계 관계자나 크립토 부호, 암호화폐에 친숙한 크립토 네이티브, 그리고 자신이 직접 NFT 작업을 해보았기에 그 가치를 깊이 경험한 NFT 작가들이 대다수이다. NFT는 창작자와 컬렉터가 트위터와 같은 소셜미디어로 자신이 선보인 NFT 작품과 컬렉팅 작품에 관한 소식을 올리고 서로 소통하는 문화가 있다. 작가는 누가 나의 작업을 선호하는지 파악하며 감상자 입장에서 바라보는 작품의 좋은 지점은 무엇인지 발견할 수 있다. 컬렉터는 그간 실물 미술작품을 구입했어도 작가와 마음을 나누며 직접 소통하는 것은 어려운 일이었는데, NFT를 사면 창작자에게 트위터 메시지로 자신의 감상을 전할 수 있고, 또 창작자의 작품 의도와 컬렉팅에 대한 감사 표현을 전해 들으며, 그 과정에서 더 창작자를 지지하고 응원하는 마음이 생기게 된다. 그래서 NFT는 창작자 경제인 크리에이터 이코노미를 활성화할 수 있는 강력한 장점을 지니고 있다. 나 역시 내가 구입한 NFT 아트는 작품뿐 아니라 그 창작자를 좋아하고 지지하는 마음에서 소장한 것이 대부분이다. 물론 향후 내가 소유한 NFT 작품을 창작한 작가가 꾸준하게 활동해서 이 작품의 가치가 올랐을 때 차익을 실현하고자 하는 마음도 일부 가지고 있다. 그러나 성장에는 시간이 필요한 만큼 NFT 아트 작품을 컬렉팅할 때는 단타보다는 장기 투자의 마음을 가지는 것이 좋다. 무엇보다 투자가치 실현 이전에 좋아하는 창작자의 작품과 활동을 지속해서 지켜보고 응원하며 소통하는 과정이 굉장히 의미있고 재미있다.

NFT 아트는 처음에 디지털 환경에서 직관적으로 매력을 느낄 수 있고 이게 무슨 작품인지 이해하기 쉬운 일러스트레이션 작품이나 단순한 픽셀 아바타 이미지가 많았다. 초기 NFT 아트는 형식적 실험이 약하다는 비판을 받았다. 그러나 점점 다양한 아티스트들이 NFT 아트를 시도하면서 형태의 다양화가 이뤄지고 있다. 깊이의 형성은 앞으로 수많은 시간을 요할 것이나 NFT 아트가 사라지지 않는 한 점차 이뤄질 것이다.

NFT 아트가 NFT의 전부는 아니다. NFT 기술이 적용될 수 있는 영역은 수집품, 게임, 부동산, 금융 등 다양하며 NFT 아트는 메타버스에서 다채로운 양상으로 펼쳐질 것이다. NFT 아트를 이해해나가는 여정에 있어 기억해야 할 사항은 아직 NFT 아트가 극초기 시장이며 또렷한 언어로 단칼로 자르듯 규정할 수 없는 상태라는 점이다. 섣부른 단정은 미래로 나아갈 무한한 가능성과 상상을 제한한다. 그래서 최대한 여러 사례들을 직접 경험하고 현장에서 활동하는 NFT 아티스트들의 목소리를 경청하며 사례 연구를 통해 NFT 아트의 윤곽과 인상을 전달하고자 한다.

PART 2

지금, NFT 트렌드

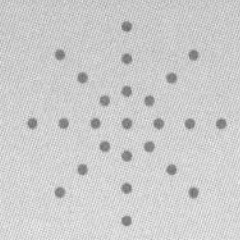

1장.

NFT 시장 규모와 특징

롤러코스터를 타는 크립토아트 거래액

크립토아트 데이터 분석 플랫폼 크립토아트CryptoArt.io는 주요 NFT 마켓플레이스의 거래 데이터를 기반으로 어떤 작품이 고가에 팔렸는지, 어떤 작가의 거래량이 높은지를 순서대로 보여준다. PFP NFT 프로젝트가 NFT 시장을 주도하고 있는 상황에서 크립토아트 작가와 작품 위주의 데이터를 파악하고 싶다면 살펴볼 만한 플랫폼이다. 다만 아트 블록스Art Blocks, 니프티 게이트웨이Nifty Gateway, 슈퍼레어SuperRare, 파운데이션Foundation, 힉엣눈크Hic et Nunc, 메이커스플레이스MakersPlace, 노운오리진KnownOrigin, 에이싱크아트Async Art에서 발생한 거래 데이터를 기준으로 삼은 결과라는 점은 인지해야 한다.

이 중 비교적 소수의 한국 작가들이 하이엔드 플랫폼인 니프티 게이트웨이와 슈퍼레어, 메이커스플레이스에 진출해 있다. 파운데이션은 상대적으로 활발히 이용하는 편이며, 노운오리진과 라리블에서 활동하는 작가들의 소식은 간간히 전해 듣고 있다. 힉엣눈크는 테조스 기반으로 한국 작가들이 한 때 많이 활동했다가 해킹 사태를 겪은 이후로 많이 빠져나온 상태이다. 결국 크립토아트는 한국 작가들과 프로젝트 다수가 활동하는 오픈시의 데이터는 제외한 것으로 주로 미국이 주도하는 NFT 시장에서 어떤 작가와 작품이 인기인지를 파악하는 데 도움이 된다.

크립토아트 월간 거래액을 보여주는 데이터에서 눈에 띄는 점은, 2021년 8월 치솟았던 거래액이 9월에 반토막이 난 후 점차 줄었다가 2021년 12월에 증가한 후 2022년 1월이 되자 다시 급감했다는 사실이다. 미국발 금리인상 소식과 정부규제 등으로 가상자산 가격이 하락하며 크립토아트 거래량에도 영향을 미친 것이 아닐까 싶다. 이더 가격이 상승할 때 손에 쥔 이더가 많은 자산가들이 NFT 아트 작품의 구매를 늘리는 경향이 있기 때문이다. 체이널리시스Chainalysis가 2022년 6월 발표한 「The Chainalysis State of Web3 Report」에 따르면, 주간 NFT 거래량은 2월 중순 39억달러(4조9639억원)에서 3월 중순 9억6400만달러(1조2272억원)으로 감소했다. 또한 급감했던 NFT 거래량이 4월 중순 이후에는 회복세를 보이고 있으며 "NFT 시장은 극초기단계 시장이라 변동성은 있지만 붕괴되지는 않을 것"이라고 전망했다. NFT 거래는 글로벌 거시 경제 상황과 가상자산 시장, 규제 정책, 국제 정세의 영향을 받는다. 그런데 2022년 1월에는 가상자산 폭락장에도 NFT 거래액은 상승가를 달리며 암호화폐와 NFT 디커플링decoupling 현상이 벌어지기도 했다. 이렇게 NFT는 여전히 변동성이 큰 자산이지만 NFT 작가들에게 희망적인 소식은 크리스티의 비플 NFT 경매가 진행된 2021년 3월 크립토아트 월간 거래액이 2020년의 미미한 액수에 비해 훨씬 늘었고, 중간에 들쭉날쭉하긴 해도 하락장 다음에 상승장이 보인다는 것이다. 겨울이 있으면 여름이 있는 것처럼 크립토 써머와 크립토 윈터를 넘나들고 있다.

미국 가상자산 데이터 분석기관인 '메사리Messari'의 가상자산업계 전망을 담은 리포트 「Crypto Theses for 2022」에 따르면, 2022년은 웹 3.0 트렌드 강화에 따른 NFT, 디파이의 성장이 가속화될 것이다. 2021년 전 세계 NFT 아트의 시가총액은 140억달러 규모(2021년 3분기 데이터 기준)로 전 세계 아날로그 미술품 시가총액(약 1조7000억달러) 규모의 1% 수준에 그친다. 아직은 아날로그 미술품 거래가 대세인 것이다. 그러나 미래를 내다보는 메사리의 보고서는 향후 10년간 NFT 아트의 시가총액이 100배 이상 성장할 것이라 말했다. 이는 10년 뒤인 2030년 경에는 실제 미술품 못지 않게 NFT 미술품을 창작, 판매, 소유하는 사람들이 늘어나 대중화가 이뤄진다는 뜻이기도 하다.

다만 메사리는 투자자들에게는 개별 작품보다는 NFT 거래소 투자를 권유했다. 미래에 높은 수익률을 보일 수 있는 개별 NFT 작품을 선별하는 것이 아무래도 어려운 일이기 때문이다. 투자가치를 염두에 둔다면 NFT 거래소와 같은 인프라 자산 투자가 성공 확률이 높다. 만약 개별 NFT 작품의 투자 가치를 미래에도 보장하기 위해서는 크립토아트 데이터 분석 플랫폼이 국내에도 등장해야 할 것이나, 단지 거래액만으로 예술품의 가치를 평가한다는 점이 무리가 되기도 하고, 예술품의 가치 평가에는 객관적 수치 뿐 아니라 다분히 주관적 요소가 있기에 변동가능성이 존재한다. 미래에도 작품의 가치가 동일한 맥락에서 평가받을 수 있을 것인지에 대해서는 확신할 수 없는 것이다.

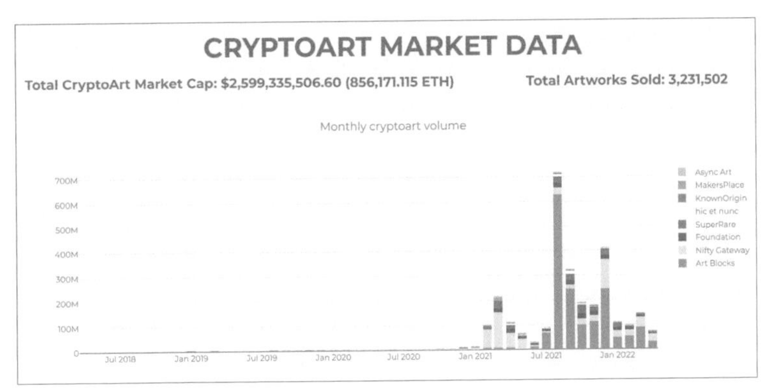

크립토아트 마켓 데이터
(2018.04~2022.04)

하지만 메시라의 보고서는 미래에 NFT 아트 시장이 성장할 것이며 아날로그 작품 못지 않는 주요한 비중을 차지하게 될 것임을 암시하고 있다. 비단 이 보고서에 기대서만이 아니라, AR 글래스와 홀로그램 등 메타버스에서 현실 감각을 확장하는 경험이 스마트폰을 사용하는 것처럼 자연스러워진다면, NFT는 가상 공간에 존재하는 창작물에 자신의 소유권을 부여해 거래할 수 있게 해주는 주요 기술로 안착하게 될 것이다.

NFT 아트는 전체 그림의 일부일 뿐이다

그럼에도 NFT 관련 데이터를 볼 때 전체 시장에서 아트가 차지하는 비중이 전부가 아니라는 사실을 인지하는 것이 중요하다. NFT 시장의 성장 가능성과 주요 기업의 NFT 신사업 진출에 대한 보도자료를 접할 때 그것이 NFT 아트 시장의 장밋빛 미래를 약속하는 것이 아님을 기억해야 한다.

왜냐하면 NFT라는 큰 그림을 구성하는 일부분으로 NFT 아트가 자리하고 있기 때문이다. 퍼즐로 치면 NFT 아트는 다 맞춘 퍼즐 전체 그림이 아니라, 몇몇 퍼즐 조각이라 할 수 있다. 물론 이 퍼즐은 유동적이고 변화 가능성을 지니고 있어 NFT 아트를 상징하는 여러 퍼즐 조각들이 전체 그림의 곳곳에 중요한 상징과 의미를 지니며 그 영역을 확대할 수도 있을 것이다. 다만, NFT는 NFT 아트보다 훨씬 큰 그림이라는 점만을 인지했으면 한다.

가상자산 데이터 분석업체 듄애널리틱스Dune Analytics는 2022년 1월 NFT 거래 대금이 35억달러(4조1639억달러)를 넘길 것으로 예상했다. 가상자산 시장 분석업체 댑레이더DappRadar에 따르면 2021년 4·4분기 글로벌 NFT 거래량은 119억달러에 달했다. 3·4분기 NFT 거래량 106억7000만달러(12조7000억원) 대비 11.2% 증가해 분기 거래량 기준 역대 최고치다.

NFT 시장의 상승세는 P2E, 디파이DeFi, 소셜파이SocialFi, 게임파이GameFi 등과 관련한 거래 및 투자 증가와 관련이 있다. 또한 2022년이 되어 대두되는 Web 3.0과 DAO에 대한 관심, 무엇보다 부동산, 게임, 유통 등 다양한 실물 경제와 연결된 다채로운 NFT의 출시 등이 NFT 거래량 증가에 영향을 미쳤다.

그런데 2022년 3월 무렵 NFT 거래량이 급감하기 시작했다. 영국 파이낸셜타임스Financial Times에 따르면, 오픈시의 3월 일일 거래량은 약 5000만달러(약 612억원)로 지난달 2억4800만달러(약 3000억원)에서 80%나 급감했다. NFT 데이터 조사업체 논펀저블NonFungible을 살펴보면, NFT 평균 거래가격이 3월 초 기준 2,000달러로 전전월 6,800달러 대비 70% 감소했다. NFT 평균 판매 가격도 2021년 11월에 비해 48% 넘게 하락했다. 원인은 가상 자산 시세 하락과 미 증권거래위원회SEC의 NFT 규제 예고, 국내 트래블룰 시행 등 다양하다. 2021년 하반기부터 커뮤니티 기반의 개별 NFT 작가가 주체가 되는 아트 시장은 향후 거대 자본을 가진 기업들의 NFT 사업 진출과 미국발 금리 조정으로 인한 가상자산의 가격변동 등으로 인해 영향을 받게 될 거라 직감하고 있었다. 나 외에도 이 시장을 주목하고 있는 NFT 작가들은 예술가의 직감으로 시장의 변화를 이미 알고 몸으로도 미리 느끼고 있었을 것이다. 장기적으로는 작가 위주의 NFT 아트 시장도 다시 상승세에 오를 것이라 기대하고 있지만, 2022년 상반기는 작년과 다르게 정체되어 있다는 느낌을 받고 있다. 초기 시장 진입으로 NFT 작가로서의 입지를 다지는 시기는 이미 지났다. 이제는 NFT를 했다는 것 자체가 희소성을 가져다주지 못한다. 하지만 오히려 근본으로 돌아가 작가는 좋은 작품을 이어나가면 되는 것이기에 깊이 혼란스러워할 필요는 없다고 생각한다. 예술가는 그 시대의 정신을 간파하고 사람들의 마음을 파고들 수 있는 통찰력을 지닌 존재이다. NFT 아티스트 역시 마찬가지다. 근본적인 가치는 변하지 않는다.

다만 작업 자체에만 몰두하기보다 고개를 들어 내가 서 있는 땅을 두루두루 넓게 바라보았으면 한다. 이 시장의 큰 흐름을 완전히는 아니더라도 바라보고 이해할 수 있기를 바란다. NFT 아트는 전체 큰 그림의 한 부분일 뿐이다. NFT뿐 아니라 다양한 장르의 아티스트들을 만날 때 지속적으로 나누었던 이야기가 있다. 내가 속한 무대에 몰입하여 작품의 완성도를 높이는 것도 중요하지만 동시에 전체 사회와 산업이 어떠한 방향으로 흘러가는지 깊이 바라보았으면 좋겠다는 말이다. 게임과 결합한 NFT는 아트에 속하지 않는다던가 PFP 방식을 적용해서 대량 생산한 NFT는 예술이 아니라든가 라는 식의 단편적인 생각은 지금 단계에서는 성급한 판단이다. 물론 자신의 예술관을 정립해가는 시기에서 그렇게 판단할 수도 있다. 판단은 개인의 자유이다. 다만 그 판단의 근거가 무엇인지 설명할 수 있는 언어를 갖추기 위해서는 우선 자세히 들여다보아야 한다.

NFT 아트는 현 단계의 양상이 전부가 아니다. 예술은 미술관과 공연장에만 존재하지 않는다. 산업과 시장, 경제와 기술 등 사회 곳곳에서 다양한 형태로 예술은 스며들고 발현될 수 있다. 성장 초기 단계인 NFT 아트는 무궁무진한 성장 가능성과 다채로운 변화 가능성을 지니고 있다. NFT 작가는 이렇게 유동적인 상황에서 지금의 판단이 내일 달라질 수 있다는 것을 전제한 상태에서 유연하게 사고해야 한다.

2022년에 주목할만한 양상은 아트가 이러한 다채로운 NFT 시장의 급속한 변화 속에서 각 사업체나 프로젝트의 구성 요소로 접목되고 있다는 점이다. 일례로, 이탈리아 슈퍼카 브랜드 람보르기니는 '더 스페이스 키 The Space Key'라는 이름의 5개 한정판 NFT를 출시하는데, NFT에 등록된 QR 코드를 통해 아티스트의 디지털 예술 작품으로 연결되는 방식을 취한다.

NFT에 새겨진 5개의 QR 코드를 통해서 한 아티스트의 5가지의 디지털 예술 작품을 감상할 수 있는 것이다.

NFT 아트는 재료인 진흙의 물기가 말라 딱딱하게 굳어 완성된 형체를 지닌 조각품이 아니다. 오히려 뭉글뭉글하고 투명하기까지 한 가변성을 지닌 신기하고 재미있는 재료가 예술가들의 손에 쥐어진 것이다. 뇌를 유연하게 하고 발상을 전환해 예술이 사회 곳곳의 영역에 스며들고 접목될 수 있는 가능성을 발견할 수 있다면 그보다 멋진 일이 또 있을까. NFT 시장의 흐름을 이해하는 과정이 예술가 본연의 작품 세계를 대체 불가능한 것으로 만들어 나가는 작업에 영감을 주었으면 좋겠다. 이미 급속한 크립토씬에서 사계절을 보내온 NFT 작가들은 자신이 두 발을 딛고 선 땅이 어떠한 곳인지 촉감을 느끼고 고개를 들어 휘이 둘러보고 있다. 예술이라 부르며 선 지금 이 땅 주변에 어떠한 건물들이 속속들이 들어서고 있는지, 저 멀리 바라본 하늘은 어떠한 빛깔인지, 계속 꿈꿔나가도 되는 것인지 기민하고 영리하게 살피며 오늘의 예술을 만들어가고 있다.

2장.

주요 NFT 마켓플레이스

오픈시[OpenSea] opensea.io

초창기부터 활동한 한국 NFT 작가들은 'NFT 아티스트의 기본기를 다질 수 있는 정석 플랫폼'은 오픈시라는 이야기를 자주 한다. 2017년 12월 미국 샌프란시스코를 거점으로 설립된 오픈시는 세계 최대 규모의 NFT 마켓플레이스로 핀터레스트 출신 데빈 핀저[Devin Finzer]가 알렉스 아탈라[Alex Atallah]와 공동창업했다. 2017년은 블록체인 게임 크립토키티가 시장에 NFT 열풍을 일으킨 해였다. 그러한 흐름 속에 오픈시는 설립 두 달 만에 50만 달러 거래량을 기록하며 최근에는 3억달러(약 3591억원) 규모의 시리즈C 투자를 유치했다. 오픈시의 기업 가치는 2021년 6월에 1억달러(1150억원) 규모의 시리즈B 투자를 유치하며 인정받은 15억달러(약 1조 7000억원)보다 10배 이상 치솟은 133억달러(약 15조 9201억원)로 평가됐다.

오픈시의 초기 이름은 '이더리움'과 '이베이'의 합성어인 이더베이[etherbay]였다. 이후 확장성을 강조하고자 OPEN이라는 단어를 사용해 '열린 바다'라는 뜻의 오픈시가 되었다. 이름을 참 잘 지었다. 오픈시는 열린 바다와 같다. 오픈시에서는 파운데이션[Foundation]이나 슈퍼레어[SuperRare] 등 다른 NFT 마켓플레이스에 민팅한 NFT를 한데 모아서 볼 수 있을 뿐만 아니라 거래도 할 수 있다. 누구나 이 바다에 뛰어들 수 있다. 단, 거래소를 거쳐 암호화폐를 구입하고 메타마스크를 설치하고 오픈시와 연동시키는 일련의 준비 과정을 마쳐야 한다. 아직까지 국내에서는 NFT 카드 결제가 보편화되어 있지 않다. 하지만 일종의 매뉴얼과도 같은 오픈시 사용방법을 한 번 익혀서 익숙해지면 누구나 이 곳에서 NFT를 만들어 팔고 전시하고 또 살 수 있다.

무엇이든 이 바다에 가져올 수 있다. 오픈시에서는 디지털 아트뿐 아니라 가상 부동산의 땅 형태인 랜드LAND, 음악, 도메인 네임Domain Names, 트레이딩 카드Trading Cards, 수집품 형태의 컬렉터블Collectibles, 스포츠 테마의 디지털 아트Sports, 유틸리티Utility, 게임아이템 등 다양한 형태의 NFT를 판매한다.

오픈시에서는 3가지 형태로 작품을 거래할 수 있다.

1) 고정 가격 리스팅Fixed-price listings

리스팅은 나의 NFT 작품을 얼마로 팔기를 원하는지 가격을 설정해 올려두는 행위를 말한다. 상당수의 작가들은 고정가로 NFT 작품을 리스팅한다.
가격 설정은 한 작품만 판매하는 원 오브 원1 of 1 의 경우 처음 리스팅한 가격으로 판매를 진행하다가 시장의 반응을 보고 리스팅 가격을 수정하기도 한다. 그리고 동일 작품의 복사본 형태인 에디션edition으로 NFT를 판매하고자 하는 경우, 대부분 5개 정도의 에디션을 발행해 희소성을 유지하는데, 모든 작품의 가격을 한 번에 동일 가격으로 리스팅하지 않고 동일 형태의 작품임에도 시차를 두고 시장의 반응을 살피면서 가격을 조절하기도 한다. 이럴 경우 처음 리스팅한 작품의 가격을 낮게 설정해서 빨리 구입하는 컬렉터가 보다 저렴한 가격으로 NFT를 구입할 수 있는 전략을 구사하기도 한다.

2) 감소 가격 리스팅Declining-price listings

NFT 작가가 무조건 판매하기로 결정해서 거래 종료 기간을 설정하여 종료 기간에 가까워질수록 가격이 점차 하락하는 방식이다. 구매자 입장에서는 종료 기간에 가까운 시점에 구입해야 더 저렴한 가격으로 NFT를 살 수 있다.

3) 최고가 경매Highest-bid auctions

가장 높은 가격을 제시한 사람이 NFT를 낙찰 받는 일반적인 경매 방식과 유사하다. 처음 NFT 시장에 진입한 개별 작가들은 경매 방식으로 오픈시에서 판매를 진행하지 않고, 대부분 고가에 NFT를 판매할 가능성이 있는 브랜드 인지도가 있는 기업에서 화제성과 수익성을 추구하기 위한 목적으로 오픈시 경매를 진행한다. 게다가 오픈시에서 경매를 하려면 이더를 WETHWrapped EHT로 스왑swap, 변환해야 하는데 가스피가 들고 번거로워 대부분의 작가들은 오픈시 경매 시스템을 활용하지 않는 편이다.

오픈시에서는 작가가 첫 작품 리스팅 시에만 가스피에 해당하는 일정 비용을 지불한다. 에디션 설정과 발행도 가이드를 따르면 그리 어렵지 않다. 작품 1점만 판매하는 원 오브 원1 of 1과 동일 작품의 복사본인 에디션도 발행할 수 있다.

오픈시는 이더리움ETH 기반 NFT에서 출발해 폴리곤MATIC, 클레이튼KLAY 기반 NFT를 지원하고 있다. 2022년 4월부터는 솔라나SOL 기반 NFT 거래를 지원한다. 솔라나 기반 가상자산 지갑은 팬텀Phantom이다. NFT 데이터 제공업체 크립토슬램Cryptoslam에 따르면 솔라나 기반 NFT 누적 판매액은 18억달러(약 2조2257억원, 2022년 4월 8일 기준)에 달한다. 1위는 이더리움으로 누적 판매액 221억7060만달러(약 27조4050억원)이며 2위는 로닌 네트워크로 40억5000만달러(약 5조62억원)이다. 솔라나는 최대 5만TPSTransactions Per Second로 빠른 거래 처리 속도와 저렴한 수수료가 장점이다.

오픈시에서는 다양한 토큰을 사용할 수 있다. 예를 들어 카카오의 퍼블릭 블록체인 '클레이튼Klaytn'을 기반으로 발행한 NFT를 구매하고 싶다면 카카오의 암호화폐인 클레이Klay를 '카이카스Kaikas'로 연결해 거래 수단으로 사용할 수 있다. 같은 맥락에서 메타버스 부동산인 디센트럴랜드에서 만든 NFT를 디센틀럴랜드의 암호화폐인 마나MANA 토큰으로 구매할 수 있다. 오픈시의 거래 수수료는 2.5%이다. NFT 작품이 판매되면 오픈시가 자동으로 해당 수수료를 공제한다.

오픈시에서는 컬렉터가 매번 NFT를 구입할 때마다 가스피를 지불한다. 가스피는 고정가가 아니라 가격 변동성을 가지고 있어서 NFT를 처음 오픈시에 올리는 창작자와 작품을 구입하기 원하는 컬렉터들은 시간대별 가스피를 살필 수 있는 사이트를 참고로 해서 가장 저렴한 시간대에 작품 거래를 진행한다.

중앙화와 탈중앙화의 가치 충돌

블록체인의 핵심 가치는 탈중앙화이긴 하지만 이상을 현실로 실현하는 것은 쉽지 않다. 일례로, NFT 디지털 아트 데이터 원본까지 다 블록체인 상인 온체인에 올라가 있으면 트랜잭션 속도가 느려지고 거래가 불편해진다. 그래서 완전한 탈중앙화를 실현하지 않은 NFT 마켓플레이스들이 상당하다. 오픈시의 경우, 메타데이터 프리징을 실현해야만 NFT 메타데이터가 IPFSInterplanetary File System, 분산형 파일 시스템에 저장된다. 이를 오픈시는 레이지 민팅lazy minting이라고 부른다. 따로 작가가 메타데이터 프리징을 실행하지 않을 경우 NFT 메타데이터는 오픈시의 중앙화된 서버의 오프 체인off-chain storage에 저장된다. IPFS는 전세계 PC에 데이터를 분산 저장하는 것으로, NFT 블록상의 원본 데이터 파일 위치 정보에 IPFS 상의 파일 위치 정보 형식를 표시해두는 방식이다. 비유하자면 블록체인 상에 NFT 영수증 데이터가 올라와 있고, 그 블록에는 원본의 위치를 나타내는 지문이 찍혀 있는 것이다.

NFT 대중화로 신규 유입자를 늘려야 하는 현 시장 상황에서 탈중앙화의 기준을 엄격하게 적용하는 것이 과연 적합한 것인가에 대한 질문도 던질 필요가 있다. 탈중앙화만 내세우다가 정작 해당 콘텐츠가 재미없거나 거래가 느리거나 비용이 더 들거나 사용자가 번거롭거나 등의 문제가 지속된다면, 비즈니스 관점으로 재고해봐야 한다. 중앙화가 지닌 장점도 분명히 있을 것이다. 해킹을 당할 경우 빠르게 대처할 수 있는 것은 현재까지는 중앙화된 기관이 유리할 수도 있다.

2022년 1월 말, 오픈시는 트위터에서 작가가 직접 올리는 컬렉션은 최대 5개를 생성할 수 있으며, 각 컬렉션 당 50작품까지만 민팅할 수 있다고 발표했다. 만약 개인이 직접 스마트 컨트랙트를 짜서 올릴 수 있다면 그 이상도 가능하겠지만 모든 NFT 작가가 코딩에 능숙한 것은 아니다. 오픈시는 모든 사람이 무한정 NFT를 만들어 민팅할 수 있게 되자 스캠과 해킹 문제가 기승을 부리게 되어 이러한 대안을 제시한 것이라 말했다. 그러나 이는 오픈시를 애용한 성실한 NFT 작가들에게까지 불편함을 가져온 처사였고, 막바로 트위터에 강력한 반발 댓들들이 달렸다. 생각보다 사람들의 거부감이 크자, 오픈시는 이 결정을 철수하기로 했다.

룩스레어 LooksRare **looksrare.org**

그간 오픈시의 중앙화에 대한 반감을 지닌 사람들은 오픈시의 대안으로 완전한 탈중앙화의 가치를 실현하려는 NFT 마켓플레이스 '룩스레어'의 미래를 기대하는 목소리를 내기 시작했다. 룩스레어는 'community-first NFT marketplace'라는 슬로건을 내세우며 출시 첫날부터 1억 1000만달러(한화 약 1308억원)의 거래액을 기록해 화제를 모았다. 룩스레어는 다른 사람이 가지고 있는 NFT가 희소해서 비싸 보인다는 뜻이다. 룩스레어는 오픈시 사용자들을 집중 공략하는 공격적인 마케팅 전략을 펼쳤다. 2021년 6월 16일부터 12월 16일까지 오픈시에서 최소 3 ETH 이상 거래한 사람들에게 룩스레어가 만든 토큰 '룩스LOOKS'를 무료로 나눠주는 에어드랍을 실행한 것이다. 토큰을 준 이유는 여러 가지인데, 우선 오픈시가 플랫폼에서 발생한 수익을 이용자에게 공유하지 않는다는 점을 공격하기 위함이다.

룩스레어는 탈중앙화 금융인 디파이와 결합해 NFT 거래 시 발생하는 수수료를 사용자에게 전액 돌려주는 정책을 제안했다. 즉, 룩스 토큰을 일정 기간 스테이킹staking,예치 하면 NFT 거래를 할 때 룩스레어에 지급하는 수수료를 스테이킹 홀더들에게 100% 돌려준다는 것이다. 게다가 룩스레어의 거래 수수료율은 오픈시(2.5%)보다 낮은 2.0%이다. 룩스레어는 수수료 전부를 스테이킹 홀더들에게 분배한다는 계획이다.

그러나 룩스레어의 초기 거래액이 높은 이유에 자전거래가 있었다는 의혹이 일었다. 아직 사용성이 검증된 플랫폼이 아니라 한국 NFT 작가들이 룩스레어에 선뜻 진입해 활동하고 있지는 않다. 그리고 무엇보다 룩스레어의 사용자 인터페이스UI·사용자 경험UX이 아직은 오픈시와 비교해 편하지가 않다. 탈중앙화 가치 실현도 중요하지만 일단 이용자의 사용 경험이 편안해야 한다. 오픈시는 최신 프로젝트의 통계를 살피며 트렌드를 파악하기도 손쉽고 플랫폼 디자인도 룩스레어에 비해 깔끔하다. 그러나 그간 거버넌스의 중앙화와 잦은 트랜잭션 장애를 경험한 창작자들은 더 좋은 곳을 향해 떠날 준비가 되어 있다. 이 때 완전 이주를 한다기보다는 오픈시에 한 발을 걸친 상황에서 여러 국내외 플랫폼을 경험하는 쪽을 선택할 것이다.

파운데이션Foundation foundation.app

파운데이션은 기술 선문가인 케이본 테흐라니인Kayvon tehranian이 창업했다. 테흐라니안은 자신의 트위터에서 '블록체인은 컴퓨터이고, NFT는 파일이며, 컬렉션은 폴더, 옥션은 프로그램, 파운데이션은 작동 시스템'이라고 표현했다. 그는 웹3 흐름을 타고 NFT 창작물이 하나의 플랫폼에 한정되는 것이 아니라 자유로이 퍼지는 것을 지지한다. 실제 파운데이션은 최근 슈퍼레어에 민팅한 NFT를 파운데이션에서 판매할 수 있도록 업데이트를 실행했다. 파운데이션은 초대장을 받아야 들어갈 수 있었다. 초대장은 이미 파운데이션에서 판매를 한 작가에게 3장씩 주어졌다. 그 초대장을 파운데이션에 진입하면 좋겠다고 생각되는 동료 작가에게 전달하거나, 역으로 파운데이션에서 작품 판매가 된 작가에게 직접 요청을 해서 받기도 했다.

2022년 상반기에 파운데이션은 Web3의 가치를 부각시키는 방향으로 플랫폼 사이트 디자인부터 개편했다. 파운데이션이 말하는 Web3는 '무한한 가능성을 지닌 다음 세대의 인터넷the next generation of the internet full of limitless possibilities'이다. 그러한 Web3는 크리에이터, 컬렉터, 큐레이터 등 모든 사람을 위해 열려 있다. 이러한 가치를 지향하는 파운데이션은 5월 18일부터 초대장 없이 누구나 자유롭게 NFT를 민팅할 수 있도록 정책을 변경하였다.

파운데이션은 플랫폼 이용 수수료가 15%로 오픈시 2.5%에 비해 월등히 높다. 창작자는 NFT 초기 판매 시 파운데이션에 15% 수수료를 지급한 나머지 금액을 받으며, 이 때 로열티 지급은 없다. NFT가 2차 판매되면 파운데이션에 5% 수수료를 지급하고, 원작자에게 로열티 10%를 지급하며 판매자는 판매가의 85% 수익을 얻는다. 즉, 판매자는 매번 총 판매 가격의

85%를 수령한다. 파운데이션은 오픈시와 같은 레이지 민팅lazy minting 방식이 아니라 모든 데이터가 IPFS에 저장되므로 작품을 매번 민팅하고 리스팅할 때마다 작가가 가스피를 내야 한다.

내가 매력적이라고 느낀 점은 파운데이션에서 ARAugmented Reality: 증강현실 구현이 된다는 것이다. AR이 가능한 NFT는 현실 공간에 작품을 위치시켜 두고 손가락으로 움직이기도 하면서 재미있게 감상할 수 있다. 파운데이션에서 동일 작품을 여러 개 에디션 형태로 발행할 수 없다. 오직 한 점의 작품만 원 오브 원one of one 형태로 판매할 있으며 경매시스템이라 비딩이 들어와야 판매가 가능하다. 간혹 바로 비딩이 들어오는 경우도 있지만 수 개월이 지나도 감감무소식일 경우도 많다. 당장의 판매가 목적이 아니라면 오픈시에서 꾸준하게 작품을 선보이며 자신의 세계관과 색깔이 담긴 컬렉션을 구성하는 작업을 먼저 해나가는 것이 낫다. 오픈시에서 자신만의 NFT 컬렉션을 만들어 판매량도 늘고 작가를 좋아하는 팬도 생겨났다면 이들이 파운데이션에서 선보일 NFT의 컬렉터가 되는 경우도 많다. 큐레이션이 약한 오픈시보다 예술 작품으로서의 느낌을 살린 작품들로 구성된 듯한 파운데이션이 자신의 작품 색깔과 더 맞다고 생각할 수도 있다. 그럴 경우 자신이 현재 무엇을 목적으로 하고 있으며 어떠한 단계에 있는지 생각해보고 결국에는 원하는대로 선택하면 된다. 기다림이 길어질지라도 상관 없고, 당장 판매가 이뤄지지 않아도 마음이 힘들 것 같지 않다면 그리고 비용부담을 작가가 더 감당해도 괜찮은 상황이라고 생각한다면 그냥 파운데이션에 과감하게 민팅해도 상관없다. 일반적이지는 않지만 가스피도 높고 첫 NFT였음에도 파운데이션에서 해외 컬렉터에게 며칠 만에 비딩이 들어와 판매가 이뤄진 경우도 있다.

파운데이션은 24시간 한정 시간을 두고 경매를 진행하는 시스템이다. 즉, 컬렉터는 비딩을 건 시점부터 24시간이 지나야 작품을 구매할 수 있다. 오픈시처럼 'Buy Now'를 누르고 바로 구매할 수 없는 것이다. 24시간이라는 제한 시간 동안 또 다른 컬렉터가 더 높은 가격으로 비딩을 걸 수 있도록 열어두어서 막상 비딩 전쟁이 펼쳐지면 작가 본인은 손에 땀을 쥐게 된다. 때로는 클럽하우스에서 비딩이 종료되기 전에 축하 드랍파티를 하려고 작가들이 모여서 경매 진행 상황을 방송하기도 한다. 일단 무한대의 기다림의 시간 속에서 내 작품을 마음에 들어하는 컬렉터가 직접 비딩을 걸었다는 것 자체가 작가 입장에서는 굉장히 기쁜 소식이다. 파운데이션은 비딩이 시작되면 메인 페이지에 먼저 보이도록 작품을 올려준다. 비딩이 한 번 더 들어오면 아예 첫 페이지에 작품을 노출해 비딩을 활성화한다. 최종 낙찰은 가장 높은 가격을 제시한 컬렉터에게 이뤄진다.

NFT 판매에 있어 플랫폼에 작품이 노출되는 것은 정말 중요하다. 파운데이션 역시 사이트 메인 화면에 작가의 NFT가 노출되어야 판매 확률을 높일 수 있다. 그래서 전략상 처음에 자신의 기준에서 낮은 가격으로 설정한 후 경매를 유도하여 메인 화면에 작품을 노출시킬 확률을 높히기도 한다. 그럼에도 자신이 생각하는 작품의 가치에 맞게 높은 가격으로 책정하고 싶다면 판매 확률이 낮아질 수도 있다는 것을 감안해야 한다. 처음 NFT 마켓플레이스에 선보이는 작품은 '제네시스 드랍'이라는 상징성을 가진다. 현재 NFT 판매량이 높지 않아도 나중에 NFT 작가로서의 인지도가 커지고 입지를 다지게 되었을 때 첫 작품의 상징성을 주목해 구입하는 컬렉터들이 나타나기도 한다. 그래서 첫 민팅 작품은 높은 가격으로 책정하고, 두 번째 민팅 작품부터 가격을 확 낮춰서 판매 확률을 높이고 그 작품이 판매가 되면 점차 가격을 올리는 전략을 취할 수도 있다. 작품의 가격 변동성이 오락가락해지지 않도록 초반에 판매 전략에 대한 고민이 필요하다. 오랫동안 팔리지 않은 작품이라고 해서 소각[burn]해버리고자 할 경우에도 가스피를 지불해야 한다. 그래서 최근에 높은 판매량을 보인 작가는 누구인지 나와 비슷한 유형의 작품들은 어느 정도의 가격에 거래되고 있는지, 그 작가들의 작품을 사는 컬렉터들은 누구인지 찾아보며 연구하는 시간이 필요하다. 컬렉터의 마켓플레이스 계정 및 트위터 계정에 들어가면 어떤 유형의 작품들을 컬렉팅하고 있는지도 살펴볼 수 있다.

노운오리진Known Origin knownorigin.io

노운오리진은 작가 등록을 받는 기간이 따로 있어 그 기간에 신청을 해서 통과해야 한다. NFT는 에디션으로 발행할 수 있다. 노운오리진 사이트에 들어가면 1차 마켓Primary marketplace과 재판매가 가능한 2차 마켓Secondary Marketplace을 구분해서 쉽게 살펴볼 수 있다. 세로로 긴 화면으로 된 NFT 작품을 한 줄에 세 점씩 배치하여 화실에서 본 캔버스 느낌을 주어 인상적이었다. 최근 마이애미에서 열린 아트 바젤 위크에서의 NFT 실물 전시에서도 동일하게 새로로 긴 디스플레이를 사용해 작품을 선보였다. 한국 작가들이 노운오리진에 아직까지는 활발하게 참여하지 않는 이유는 다양한데 일단 거래량이 오픈시를 비롯한 여타 플랫폼에 비해 많지 않다. 또한 작가 신청을 받아 통과되어야 활동할 수 있는 큐레이션 시스템이지만 슈퍼레어처럼 하이엔드 플랫폼은 아니라 NFT 거래액도 높지 않다. 하지만 다양한 글로벌 NFT 마켓플레이스에서 활동하게 되면 해외 컬렉터를 만날 수 있는 기회가 늘어나는 것이기도 해서 경험 삼아 도전해보는 작가들도 있다.

니프티 게이트웨이 niftygateway.com

니프티 게이트웨이Nifty Gateway를 처음 알게 된 것은 2021년 3월이었다. 그라임스의 디지털 아트 NFT 경매가 이뤄진 곳이 바로 니프티 게이트웨이였기 때문이다.

니프티 게이트웨이는 쌍둥이 형제인 던컨·그리핀 콕 포스터Duncan Grif-

Ain Cock Foster가 공동 창업했다. 이후 미국 뉴욕주 금융서비스국NYSDFS 감독 하에 있는 가상자산 거래소 제미니Gemini가 2019년 11월 인수해 운영하고 있다. 제미니의 최고경영자CEO 겸 공동 창업주인 타일러 윙클보스Tyler Winklevoss와 캐머런 윙클보스Cameron Winklevoss 쌍둥이 형제이다. 이들 윙클보스 형제의 일화는 영화 '소셜네트워크'에도 등장하는데 최근 '메타'로 사명을 바꾼 마크 주커버그 페이스북 창업자 겸 최고경영자CEO와 소송전을 겪었다. 이유인즉슨, 윙클보스 형제가 개발한 하버드대 커뮤니티 웹사이트 '커넥트유ConnectU'를 2008년 마크 주커버그가 베껴서 페이스북을 만들었다는 것이다. 소송 합의금으로 6500만달러를 받았는데 이 중 1100만달러를 비트코인에 투자했다. 당시 비트코인 시세가 120달러였는데 이후 급격하게 가격이 상승하고 나서 윙클보스 형제도 비트코인 억만장자가 되었다.

니프티 게이트웨이는 주로 유명 작가나 연예인만 NFT를 발행할 수 있는 하이엔드 플랫폼이고 동양인의 진입이 어렵다고 들었다. 그런데 7월에는 한국 작가 '미스터 미상Mr.Misang'이 니프티 게이트웨이에서 특별 한정판 영상과 캐릭터 작품을 판매한다는 소식을 듣게 되었다. 미스터 미상은 NFT 작가들이 꿈꾸는 최고의 큐레이션 마켓플레이스 '슈퍼레어'에 2021년 2월부터 진출해 글로벌 시장에 알려진 유명 NFT 작가이다. 그는 슈퍼레어에서 NFT 작품 〈#08. Packed subway〉을 120 ETH(한화 약 3억740만원) 상당에 판매하기도 했다. 트위터 팔로워가 164만명에 달하는 디자이너이자 애니메이터인 한국 작가 DeeKay Kwon도 니프티 게이트웨이에서 계정을 찾아볼 수 있다. 이렇게 NFT 작가로 글로벌 명성을 지니고 있니고 왕성한 활동을 하며 소셜미디어 팔로워가 많지 않는 이상 니프티게이트웨이에 진입하는 것은 여전히 한국 작가들에게는 먼 이야기이다. 아직 다가가기 먼 그대라 해도 니프티 게이트웨이를 주목하는 이유는 '큐레이팅'에 중점을 둔 NFT '아트' 마켓플레이스로 브랜딩했다는 점이다. NFT가 아우르는 분야는 스포츠, 게임, 컬렉터블 등 다양한데 니프티 게이트웨이는 이 중 '아트'를 전문으로 다루는 곳이다. 아트라 함은 전통미술시장이 선호하는 회화나 조각의 형태만이 아니라, 애니메이션, 일러스트레이션, 모션그래픽 등 다양한 장르의 디지털 아트를 포함한다. 음악도 뮤지션의 음원을 독립적으로 선보인다기보다는 영상 형태의 디지털 아트의 한 요소로 들어가 있다. 니프티 게이트웨이는 사업의 범주를 시각예술인 미술 분야의 디지털 아트 NFT로 한정했다. 니프티 게이트웨이의 특장점은 엄격한 큐레이션과 높은 진입장벽으로 작품의 질을 보장한다는 점이다. 이때 진입장벽은 작가에게 높고 컬렉터에게는 낮다. 그래서 NFT 작가와 작품의 공급이 NFT 구매를 희망하는 잠재적 컬렉터이자 투자자의 수요보다 적다. 사려는 사람이 팔려는 작품보다 많을 경우 NFT 작품 가격은 뛸 수 밖에 없다. 니프티 게이트웨이는 진입이 어려워도 일단 들어가기만 하면 작가의 작품을 집중 노출해준다. 무려 하루에 한두명 작가의 작품만 민팅이 가능해 그 날 니프티 게이트웨이에 접속하는 잠재적 컬렉터들에게는 무조건 작품이 노출된다. 일단 니프티 게이트웨이에서 NFT를 판매한 작가는 후속작 거래에 일종의 화이트리스트 개념을 도입한다. 자신의 NFT를 구입한 컬렉터들에게 후속 민팅작품을 할인가에 구매할 수 있는 기회를 제공하는 식으로 팬층을 견고하게 만들 수 있다.

2022년 1월에 니프티 게이트웨이 플랫폼에 들어가 살펴보니 새로운 기능이 생겼는데 그것이 바로 Verified Drops이다. 이전까지는 니프티 게이트웨이 자체 팀이 큐레이팅한 NFT 아트를 Curated Drops이라는 이름으로 선보이며 매일 한두 점의 NFT를 민팅했다. 신기능 Verified Drops은 니프티 자체 스마트 컨트랙트에서 인증한 작품들이며 그 때 그 때 민팅된다. 니프티는 자체 NFT 마켓을 가지고 있어 구매한 사람이 가격을 올려 2차 판매를 할 수 있다.

NFT 신규 진입자에게 가장 불편한 점 중 하나가 암호화폐를 구입하는 과정이다. 디지털 아트에 관심이 생겨 NFT를 구매해볼까 시도하다가 가상자산 지갑을 설치하고 거래소에서 암호화폐를 구입하는 과정이 복잡해서 결국 포기하고마는 사태가 발생하기도 한다. 이러한 NFT 진입을 향한 기술적 장벽을 해소하는 방법으로 니프티 게이트웨이는 암호화폐 뿐 아니라 신용카드나 직불카드로 NFT를 결제하는 시스템을 도입했다.

그리고 디스플레이Display 기능이 생겨 NFT를 디지털액자나 태블릿, 심지어 TV와 연결해서 감상할 수 있는데, 니프티 게이트웨이 앱을 다운받고 이 때 생성되는 코드를 디스플레이에 입력하면 된다. NFT는 삼성전자의 TV를 통해서도 감상할 수 있고, 마음에 드는 작품이 있다면 TV를 보다가 구입할 수 있다. 삼성전자는 세계 최대 가전·정보기술IT 전시회 'CES 2022'에서 마이크로 발광다이오드LED·네오 양자점발광다이오드QLED·더 프레임 등의 TV에 NFT 예술 작품을 제공한다고 소개했다. 삼성전자 TV에 NFT 거래 플랫폼을 통합하면 리모콘으로 TV에서 NFT를 편리하게 구매할 수 있게 될 것이다. NFT 플랫폼이 탑재되지 않은 기존 제품도 전용 앱을 설치하면 NFT 구매를 할 수 있다.

라리블rarible rarible.com

2020년 설립된 라리블은 코인베이스에 상장된 이더리움 기반의 NFT 마켓플레이스이다. 2021년 12월 라리블Rarible은 암호화폐 테조스Tezos를 통합했다.라리블에서 테조스 기반의 NFT 작품을 발행하고 또 테조스 NFT 의 2차 판매도 지원할 수 있게 된 것이다.

알렉세이 팰린Alexei Falin 라리블 최고경영자는CEO는 향후 솔라나Solana와 폴리곤Polygon을 추가할 것을 암시했다. 그는 NFT의 미래를 블록체인 상호 운용성을 높이는 '크로스체인'에서 찾았다.

라리블은 탈중앙화조직DAO 형태로 운영된다. NFT 창작자와 구매자는 라리블 커뮤니티 조직의 주요 구성원이 된다. 라리블에는 플랫폼 거버넌스 토큰인 '라리RARI'가 통용되며 이를 활용하여 NFT 커뮤니티 조직이 플랫폼 운영 권한을 행사할 수 있다. 라리 토큰을 받으려면 일단 라리블 플랫폼에서 거래를 활발하게 해야 한다. 그러한 구매자와 판매자 및 NFT 창작자에게 거래에 대한 보상으로 라리 토큰이 지급된다.

아직 국내에서 개별 창작자가 라리블을 이용하는 경우는 많이 보지 못했다. 라리블은 작가가 등록을 신청해서 확인verified메일을 받으면 활동할 수 있는데 오픈시처럼 오픈마켓이라 큐레이션이 약하다. 또한 동일하게 이더리움 체인이라 오픈시처럼 가스피가 높고, 라리 토큰이 발행되어 거래소에서 현금화할 수 있다고는 해도 충성도 있게 라리블을 사용하는 분위기는 아니다. 라리블의 NFT를 국내 NFT 마켓플레이스에서 살펴보고 구입할 수도 있다. 국내 가상자산 거래소 코빗이 라리블과 제휴를 맺어 NFT 마켓 운영을 시작했기 때문이다. 코빗은 라리블 API 연동을 통해 라리블에 올라오는 NFT 작품을 선별하여 전시하고 판매 가능하도록 지원하고 있다.

슈퍼레어superRare superrare.com

슈퍼레어의 공동설립자이자 최고경영책임자CEO는 존 크레인John Crain이다. 구조공학 및 건축학 전공자인 그는 디지털 아트 애호가로서 그래픽 디자인이나 애니메이션과 같은 디지털 아트가 현대 미술계에서는 중요한 가치를 지니지 못하고 있다는 점에 주목했다. 그래서 고안한 디지털 아트 수집 및 거래 플랫폼이 바로 슈퍼레어이다.

무수히 쏟아져나오는 NFT 중 어떤 작가와 작품이 가치있는 것인지 검증하고 선별하는 큐레이터의 역할은 상당히 중요하다. 슈퍼레어는 바로 이 점을 부각하여 큐레이티드 NFT 아트마켓플레이스Curated NFT artwork marketplace로 브랜딩했다.

슈퍼레어는 만인에게 열려 있는 오픈시와는 달리, 아티스트가 자신의 자품을 소개하는 1분 남짓의 영상을 찍어 작품 등록 신청을 한 뒤 심사를 받아서 통과해야 진입할 수 있다. 슈퍼레어 진입을 시도한 작가들의 후문을 들어보면 통과되었는지 아닌지 별도로 이메일을 주지도 않는다고 한다. 그럼에도 슈퍼레어에 도전하고자 하는 마음이 드는 이유는 몇천만원 단위인 고가로 NFT 작품을 판매할 수 있다는 점과 그러한 금액을 감수할 수 있는 메가 컬렉터층이 몰려있다는 점, 큐레이션이 강한 하이엔드 플랫폼에서 판매 경력을 보유한 작가라는 브랜딩 효과를 얻을 수 있다는 점 등에 있다.

흥미로운 점은 NFT 마켓으로 시작한 슈퍼레어가 최근 뉴욕 소호에 실물 작품을 전시할 수 있는 큐레이티드 NFT 갤러리 공간a Curated NFT Gallery Space을 열었다는 것이다. 온라인과 오프라인이 융합하는 이러한 추세는 향후 가속화될 것이다. NFT 작품의 사려깊은 감상 및 소유 경험은 현실과 가상의 경계를 넘나들며 메타버스 갤러리와 실물 갤러리에서 역동적으로 펼쳐질 것이다.

클립 드롭스 klipdrops.com

클레이튼Klaytn은 카카오의 퍼블릭 블록체인 플랫폼이자 메인넷이다. 2021년 7월 카카오에서 한정판 디지털 작품 유통 서비스를 표방하는 '클립 드롭스Klip Drops' 베타 버전이 출시되었던 무렵이 떠오른다. 누구나 진입가능한 오픈 플랫폼이 아닌, 사전 큐레이션을 거친 디지털 아트 작품만 선보일 수 있는 '클립 드롭스'가 발빠르게 NFT 씬에 등장했다. 카카오에서 NFT 아트를 유통하는 사업을 한다는 소식에 NFT 아티스트들이 클립 드롭스에 관심을 가지고 그 곳에 입성한 작가들에게 아낌 없는 축하 인사를 건내곤 했다. 클립 드롭스는 출시 5개월 채 되지 않아 총 680만KLAY (약 100억원) 규모의 판매액을 기록하며 화제를 모았다. 클립 드롭스 역시 클레이튼 체인을 사용하기에 카카오의 가상자산 클레이KLAY로 거래할 수 있다. 작가의 NFT 작품이 판매될 경우에도 수익금은 클레이로 지급된다.

클립 드롭스 출시 당시만 해도 그라운드X에서 NFT를 강조하진 않았고 디지털 아트 유통을 위한 기술적 장치로 NFT를 도입하고 있다는 인상을 받았다. 그런데 2021년 12월 클립 드롭스는 NFT를 전면에 내세운 'NFT 거래 플랫폼'이라는 이름으로 정식 출시되었다. 또한 카카오톡의 가상자산 지갑 '클립Klip'에 클립 드롭스가 추가되었다. 국민 메신저라 할 수 있는 카카오톡을 들어가 좌측 하단의 점 3개가 있는 란을 누르면 카카오톡에 탑재된 다양한 서비스를 확인할 수 있다. 그 중 우측 하단의 '전체 서비스' 를 클릭하면 '클립'을 발견할 수 있다. 바로 그 클립이 '내 손 안의 디지털 지갑'을 표방하는 카카오의 디지털 자산 지갑이다. 클립을 클릭해보면 다가오는 주에 클립드롭스에서 선보일 마켓, 디팩토리, 1D1D가 어떤 것인지에 대한 정보가 상단 배너 형태로 걸려 있다. 클립의 '나의 토큰' 내역을 살펴보면 클레이KLAY와 클레이튼 이더리움KETH을 발견할 수 있다. 이처럼 클립은 클레이튼 기반의 토큰뿐 아니라 이더리움 기반 토큰을 보관하고 전송할 수 있는 '멀티체인 지갑'으로 고도화된다. 또한 그라운드 X는 LG전자와 협업하여 클립에 구매 보관 중인 NFT 작품을 TV에서 감상할 수 있는 드롭스 갤러리Drops Gallery 서비스를 준비하고 있다.

클립 드롭스 정식 버전의 주요 기능은 크게 3가지로 1D1DOne Day One Drop, 디팩토리dFactory, 마켓Market이 있다.

우선 '1D1D'는 하루에 한 명의 아티스트만 집중 조명하여 알리고 NFT 작품을 판매한다는 뜻으로 장르를 살펴보면 전통미술시장이 주로 다루는 회화와 조각을 비롯해 미디어 아트와 서브컬처까지 포함한다. 베타 버전에서와 동일하게 큐레이션을 강조하며 각 분야의 대표 작가를 소개한다. 그래서 대개는 갤러리나 소속사, 협회 등에 소속된 작가들의 작품이 대부분이다. 일례로, 그라운드 X는 한국화랑협회와 업무협약MOU을 체결하여 협회 소속 갤러리들의 검증된 작가들을 클립 드롭스에서 소개하기로 했다.

클립 드롭스에 개별 독립 활동을 하는 작가들의 NFT도 올라오곤 하는데, 이들은 이미 NFT 커뮤니티 활동으로 인지도가 있고 무엇보다 꾸준하게 NFT 창작을 하여 오픈시 등의 마켓에서 누적 거래량이 높으며 팬덤이 구축되어 있는 작가들이 대다수이다. 1D1D는 매주 수요일부터 일요일까지 오전 9시부터 최대 12시간동안 옥션이나 선착순 에디션 판매로 진행한다.

그리고 정식 버전에 추가된 것이 '디팩토리dFactory'이다. NFT 전체 시장에서 디지털 아트보다 수집품의 비중이 더 크다. 이를 반영한 것으로 보이는 디팩토리에서는 컬렉터블collectibles · 수집품 NFT를 다루며 미술 이외에 다양한 장르에서의 창작자들의 굿즈goods · 기획 상품와 영화, 패션, 브랜드 등 다양한 영역을 지원한다. 디팩토리는 이용자들의 목소리를 반영하려는 공간을 마련 중이다. 내가 추천하고 싶은 창작자나 브랜드를 디팩토리에 말하면 그라운드 X에서 실제로 접촉해 구매 기회를 제공하는 식이다.

이렇게 클립드롭스에서 구매한 NFT를 사고 팔 수 있는 기능이 바로 '마켓Market'이다. 판매자가 자신이 팔고싶은 가격을 등록해서 NFT를 마켓에 올려 두면 구매 희망자가 입금해 거래를 체결하는 방식이며 판매액 중 일부는 일종의 로열티 개념으로 창작자 보상 차원으로 지급된다.

클립 드롭스는 2022년 5월 11일부터 1D1D의 NFT 작품 결제 방법에 '계좌이체로 결제' 기능을 추가했다. 이용자들은 클레이 뿐 아니라 농협은행, 국민은행, 우리은행, 신한은행, 기업은행, 토스뱅크 등 20개의 국내은행 계정과 삼성증권, 한화증권 등 5개의 증권사 계정으로 NFT를 구매할 수 있게 되었다.

업비트 NFT upbit.com/nft

업비트 NFT는 국내 최대 가상자산 거래소 업비트가 2021년 11월 베타서비스를 시작한 NFT 마켓플레이스이다. 업비트 NFT는 큐레이션 마켓을 표방한다.

2017년 10월 설립한 업비트의 회원은 900만 명을 넘어선다. 2021년 국내 4대 거래소 전체 거래대금 중 업비트 점유율은 77.9%에 달한다. 2등인 빗썸(17.1%)과의 점유율 차이가 크다. 뒤이은 코인원(4.5%)과 코빗(0.4%)의 점유율까지 합친다고 해도 독보적인 1등인 업비트를 따라가기는 어려운 실정이다. 심지어 트래블룰 시행으로 업비트 독점화가 더 가속화되었다는 평가다. 가상자산 공시플랫폼 코인힐스에 따르면 2022년 3월 말 기준 업비트의 국내 시장 점유율은 85.9%로 이전보다 상승했다. 업비트를 이용할 때 국내 1호 인터넷전문은행 케이뱅크를 사용해야 하는데 비대면 계좌 개설이 가능하다. 업비트는 이처럼 모바일 거래의 편의성을 강화해 신규 투자자의 접근성을 높혔다.

업비트의 행보를 지켜보면 업비트가 신성장 동력 중 하나로 NFT를 선택했다는 생각이 든다. 그런데 업비트 NFT가 등장하게 된 맥락과 사업상의 위치를 파악하기 위해서는 먼저 전체 기업 구조를 살펴야 한다. 나는 NFT 작가들도 자신의 작품을 선보이게 되는 곳이 어떠한 사업을 주력하고 있는 기업인지 전체 사업구조 속에서 NFT는 어떠한 사업 목적으로 추진하는 것인지 살펴볼 필요가 있다고 생각한다. 전체 산업 생태계가 조성되는 큰 판을 보며 주관과 견해를 가진다면 생태계의 구성원으로서 주체적으로 활동해나가는 데 도움이 될 것이다. 그리고 NFT 아트를 둘러싼 커다란 국내외 산업 구조와 주요 기업 등을 이해해나가는 과정은 생각보다 재미있다.

국내 1위 가상자산 거래소 업비트를 운영하는 곳은 블록체인 및 핀테크 전문 기업 두나무다. 두나무는 업비트 NFT뿐 아니라 메타버스 플랫폼 '세컨블록[2ndblock]'을 선보였다. 세컨블록은 두나무가 NFT 사업에 있어 커뮤니티의 중요성을 인지하고 있다는 사실을 드러낸다. 두나무는 세컨블록에서 관심, 취향 기반 커뮤니티의 장을 조성하기를 목표로 한다. 세컨블록은 언뜻 보면 픽셀 형태 디자인의 게더타운과 유사하다. 게더타운처럼 아바타 간 거리가 가까워지면 화상 채팅창이 생성되어 소통할 수 있는 기능도 갖췄다. 사전에 영역을 지정해두면 실시간 회의와 토론, 밋업도 진행할 수 있다. 확성기 기능이 있어 세컨블록에서 실시간 공연을 할 수 있다. 또한 세컨블록은 조작법이 쉬워 다양한 연령층이 용이하게 메타버스 플랫폼에서 활동할 수 있도록 접근성을 높이고자 했다. 무엇보다 세컨블록이 지니는 명백한 차이점은 업비트 NFT와 연계되는 메타버스 공간이라는 점이다. 세컨블록에서 자신이 소유한 NFT를 전시하고 관람할 수 있고 해당 NFT를 업비트 NFT에서 구매할 수도 있다. 이처럼 세컨블록의 주요 목적은 NFT 창작자와 회원의 연결을 돕는 플랫폼 조성과 NFT 커뮤니티 빌딩에 있다. 두나무는 산림청과 업무협약을 체결해 식목일을 앞두고 세컨블록에서 '세컨포레스트와 함께하는 내 나무 갖기 캠페인'을 선보이기도 했다. 세컨블록 안에 조성된 가상의 숲 세컨포레스트에 나무를 심으면 실제 나무를 심어주는 방식이다.

두나무 블록체인 계열사 람다 256[Lambda 256]은 지난 2019년 3월 두나무에서 분사하여 클라우드 기반의 블록체인 서비스 플랫폼 '루니버스'를 상용화한 곳이다. 기업이 블록체인을 활용한 서비스를 개발하고 싶은데 전문 기술을 보유하고 있지 않을 경우 루니버스와 같은 서비스형 블록체인[Blockchain as a Service, BaaS] 기술이 도움이 될 수 있다. 루니버스는 고성능 레이어2 사이드체인과 각종 개발 툴을 제공하고 있으며, 업비트 NFT 개발 시에도 루니버스 NFT 기술을 적용했다. 2022년 6월 말, 람다256은 루니버스 기반의 3D 기술을 접목한 글로벌 NFT 마켓플레이스 '사이펄리CYPHR.LY'를 출시한다. 사이펄리는 팬덤을 확보한 IP 회사들과의 협력을 통해 프리미엄 콘텐츠 NFT를 발행하며 관련 굿즈도 생산하는 사업 모델을 고려 중이다. 루니버스의 특장점은 NFT가 원본인지 확인할 수 있는 해시데이터를 NFT의 메타데이터로 제공한다는 것이다. 루니버스의 '베리파이 NFT' 서비스로 토큰의 위변조 여부를 점검하여 NFT 콘텐츠 저작권 침해문제에 대응하고자 하는 것이다. 또한 루니버스는 전력 소모량을 줄일 수 있는 합의 알고리즘 권한증명PoA을 채택하여 친환경 '그린 NFT'라는 점을 강조한다.

람다256은 최근 '루니버스 멀티체인 NFT 브릿지' 서비스를 출시했다. 이 서비스는 루니버스와 이더리움에서 NFT를 상호 교환할 수 있는 NFT 브릿지 서비스, IPFS와 연동, 다양한 기능을 갖춘 NFT 전용 API 등을 포함한다. 루니버스 기반으로 발행한 NFT를 업비트 NFT와 오픈시에서 모두 판매할 수 있게 된 것이다.

업비트 NFT는 베타 서비스 기간에 2가지 구성으로 선보였다. 첫째, 검증된 NFT를 경매하는 '드롭스Drops'와 둘째, 회원이 소장한 NFT를 회원 간 상호 거래하는 '마켓플레이스Marketplace'이다. 드롭스는 잉글리시 옥션English Auction과 더치 옥션Dutch Auction이라는 두 가지 NFT 경매 방식을 도입했다. 잉글리시 옥션은 호가를 올리며 가장 높은 가격을 제시한 사람에게 최종 낙찰하는 방식이고, 더치 옥션은 역으로 최고 호가에서 시작해 가격을 점차 낮추면서 매수 희망자가 나오면 매도하는 방식으로 준비된 수량이 모두 소진되었을 때의 가격이 최종 낙찰가로 책정된다. 만약 더치 옥션에서 경매 종료 시점까지 준비된 수량이 남아버리면 모든 거래는 취소된다. 또한 선착순 입찰이라 가격이 낮아지길 기다리다가 수량이 먼저 소진되면 아예 경매 기회를 잃게 된다.

이러한 흥미로운 방식의 경매 형태가 발생한 역사를 살펴보는 것도 재미있다. 먼서, 잉글리쉬 옥션이라는 용어는 1744년 영국 런던의 서점 주인이자 이후 세계적인 경매사 소더비를 창업한 사무엘 베이커Samuel Baker가 가장 높은 가격을 부른 사람에게 책을 판매한 것에서 유래했다. 더치 옥션은 네덜란드 화훼시장에서 시간이 지날수록 꽃이 시들어 가격은 낮아지나 싱싱한 꽃을 구매하기 위해 경쟁을 했던 것에서 비롯되었다. 업비트의 첫 번째 드롭스 경매 대상 작품은 장콸 작가의 미술 작품 '미라지 캣3'Mirage cat3으로 잉글리시 옥션 방식으로 진행되어 시작가 0.0416 BTC에서 최종가 3.5098 BTC(당시 기준 약 2억4000만원)에 낙찰됐다. 장콸의 또 다른 작품 〈You are not alone 1〉은 더치 옥션 방식으로 진행했으며, 에디션 900개를 발행했고 한 작품당 0.00139990 BTC(약 10만원)로 168명에게 최종 낙찰됐다.

3장.

NFT 시장을 이해하기 위해 기억해야 할 단어

웹 3.0(Web 3.0)

가상자산 리서치 업체 메사리가 2022년 가상자산 투자 전망을 담은 「Crypto Theses for 2022」라는 보고서를 발행했다. 국내 가상자산 거래소 코빗이 메사리와 파트너십을 맺어 한글로 번역된 요약본 보고서도 살펴볼 수 있다. 이 보고서는 메사리 창업자이자 대표이사인 라이언 셀키스Ryan Selkis가 직접 집필하였고 1인칭 구어체로 자신의 견해를 말하는 형식으로 구성되어 있어 전통적인 증권사 보고서와 다른 논조를 지녔다. 보고서에서는 2022년 웹 3.0 트렌드가 일반화되면서 가상자산 업계에 긍정적으로 작용할 것이라 전망했다. 또한 2022년은 DAO다오의 해가 될 것이라고 말했다.

먼저 웹 3.0의 개념을 이해하려면 웹 1.0과 웹 2.0이 무엇인지 살펴보아야 한다. 단어만 보면 본디 거미줄을 뜻하는 'web'이 차츰 진화해 데이터와 사람 간의 연결성이 긴밀해질 것 같다는 인상을 받게 된다.

월드 와이드 웹World Wide Web · 이하 WWW은 1989년 12월 개발되어 1990년 12월부터 보급되기 시작한 세계적인 인터넷 망을 말한다. WWW

의 창시자이자 영국 컴퓨터 과학자인 팀 버너스 리Tim Berners-Lee은 유럽입자물리연구소CERN: European Organization for Nuclear Research에서 얻은 방대한 양의 연구 데이터를 효율적으로 공유하고 관리하기 위해 WWW의 개념을 제안했다.

그러고 보니 WWW의 최초 소스코드도 NFT가 되어 540만 달러(약 61억원)에 팔렸다. 2021년 7월 소더비는 WWW의 첫 소스코드를 NFT 콘텐츠로 만들어 경매에 부쳤다. 'WWW NFT'에는 팀 버너스 리가 작성한 소스코드 원본 파일, 코드를 시각화한 30분 가량의 애니메이션, WWW 개발 과정을 담은 팀 버너스 리의 편지, 전체 코드를 담은 디지털 포스터 등이 포함되어 있다. 각 파일에는 팀 버너스 리의 디지털 서명이 들어가 있는데 그는 이것이 마치 저자의 사인본을 판매하는 것과 같다고 표현했다. 누구에게나 무료로 보급 가능한 WWW를 어떻게 NFT로 팔 수 있느냐는 반박에 대해 그는 NFT는 WWW 자체가 아니며 파이선 프로그램으로 작성한 '그림'이라고 말했다.

웹 1.0은 1990년대 중반부터 2005년 무렵까지의 웹 생태계를 의미한다. 초창기 웹은 웹 브라우저가 있고 전자상거래 사이트가 중심이며, 사용자는 제공되는 콘텐츠를 일방적으로 읽고 소비하는 위치에 놓인다. 웹은 하이퍼텍스트Hyper Text로 구성되어 사용자는 하나의 정보와 연결된 다른 상세 정보를 읽을 수 있다(Read).

그런데 아이폰이 등장하며 PC에서 모바일로의 혁신이 이뤄지자, 웹 2.0이라는 개념이 등장하게 되었다. 메타의 페이스북과 유튜브는 웹 2.0에 속한다. 웹 2.0에서 사용자는 플랫폼에서 정보를 읽을 뿐 아니라 콘텐츠를 직접 창작할 수 있다(Read-Write). 이와 같은 상황에서 페이스북의 경우, 사용자가 생산한 콘텐츠로 광고 수익을 창출하나 이것이 사용자의 이익으로 직결되지 않고 개인정보 침해 등 개개인의 데이터 주권을 보호하지 못하고 있다는 비판을 받기도 했다. 웹 2.0에서는 웹 생태계에 개인의 참여가 늘어나 P2P(Peer to Peer, 개인 간 거래) 서비스가 성장하고, 온라인과 오프라인이 연결되는 O2O[Online to Offline] 비즈니스가 부상했다.

웹 3.0은 WWW의 창시자 팀 버너스 리가 처음 사용한 용어로, 데이터를 분산화된 탈중앙화 공간에 저장하여 관리한다. 웹 2.0은 특정 서버와 같은 중앙화 인프라를 이용해 데이터 소유권이 플랫폼에 종속되게 된다. 그러나 웹 3.0은 데이터 소유권이 플랫폼에 종속된 형태에서 개인의 권리로 돌아간다. 웹 3.0에서는 개인이 웹 생태계의 정보를 소비하고 콘텐츠를 창작할 뿐 아니라 직접 소유할 수 있다(Read-Write-Own). 이를 가능하게 하는 것은 블록체인이다. 블록체인은 데이터를 분산화된 탈중앙화 공간에 저장한다. 블록체인 기술 중 하나인 NFT도 디지털 창작물에 IP를 부여하고 소유권을 입증한다는 점에서 웹 3.0에서 중요한 위치를 차지한다. 소유권을 가진다는 것은 정서적 만족감을 자아낼 뿐 아니라 실제적인 경제적 가치를 지닌다.

아직 웹 3.0의 개념은 고정된 것이 아니며 그 의미가 확장되고 변화하고 있다. 최근에는 웹 3.0를 메타버스 웹 환경으로 바라보는 견해들이 부상하고 있다. 메타버스를 구축하기 위해 블록체인을 비롯해 인공지능, VR, AR, MR, XR 기술 등 현실과 가상을 연결하는 기술들을 웹 3.0의 주요 구성 요소로 간주하는 것이다.

다오[DAO]

2016년 이더리움의 창시자 비탈릭 부테린은 탈중앙화 구조에 적합한 거버넌스 유형으로 이더리움 네트워크에서 이뤄지는 자율 조직 체계인 다오의 필요성을 말했다. 다오는 탈중앙화 자율조직[Decentralized Autonomous Organization] 또는 '분산자율조직'을 뜻한다. 웹 3.0에서 개인은 플랫폼 운영에도 관여할 수 있으며 이것을 가능하게 하는 것이 바로 DAO이다. 전통 기업의 조직도에는 대표와 각 부서를 관리하는 장들이 있으나, 다오에서는 그 조직이 지니는 가치와 목적에 지지하는 개인들이 자율적으로 모여 활동한다. 이는 상하 권위관계가 있는 수직적 구조가 아닌 민주적이고 수평적인 구조이다.

다오는 메타버스와 블록체인 기술이 확산되는 상황에서 새로운 조직 형태로 부상하고 있다. 다오는 단순한 커뮤니티 개념과는 다르다. 왜냐하면 블록체인에서 짜여진 코드인 스마트 계약에 따라 의사를 결정하고 조직을 운영하기 때문이다. 그래서 다오를 사람이 아닌 코드에 신뢰의 기반을 두는 무신뢰의 조직이라고도 한다. 결정된 목표를 코드가 자동으로 실행한다. 사리사욕을 채우기 위한 특정인의 개입이나 비리와 부패를 방지할 수 있다. 스마트 컨트랙트는 오픈 소스로 소스코드 공유 플랫폼인 깃허브 Github 에 올라온다. 다오에서는 암호화폐로 재정을 충당하며 모든 자금의 흐름은 투명하게 블록체인에 기록되어 개인이 열람 가능하다.

컨스티튜션 다오 DAO

2021년 11월 19일 미국 뉴욕 소더비 경매에서 미국 헌법의 초판이 4,320만 달러(약 514억 원)에 낙찰됐다. 최종 낙찰자는 헤지펀드 시타델 Citadel 을 만든 켄 그리핀 Ken Griffin 이었는데, 컨스티튜션 다오 Constitution DAO 라는 곳이 막판까지 경합을 벌였다. 이름하여 헌법다오이다. 컨스티튜션 다오는 1만7,437명에게 이더리움만으로 평균 206달러씩 모금하여 총 4,000만 달러를 보유하고 경매에 임했지만 낙찰에는 실패했다. 이후 컨스티튜션 다오 참여자들은 PEOPLE 토큰으로 기부금을 환불받았다. PEOPLE는 거버넌스 권한과 유틸리티를 가지고 있지 않으나 다오의 가능성을 보여준 컨스티튜션 DAO의 상징성으로 인해 시가총액이 8억3900만달러까지 치솟기도 했다.

국보 다오DAO

국보 다오는 간송미술관이 미술품 경매업체 케이옥션에 내놓은 국보 제72호 '계미명금동삼존불입상'와 국보 제73호 '금동삼존불감' 경매에 참여해 이를 낙찰받는 것을 목표로 조직되었다.

나도 국보 DAO에 참여했다. 2개를 민팅하면 프랑스를 기반으로 활동하는 샤이니타이거, 그리다 작가가 국보 DAO와 함께 한 이들에게 감사를 표하기 위해 픽셀 아트 형태로 창작한 NFT 작품 〈Bohosin〉을 선물로 받을 수 있다는 소식을 클럽하우스를 통해 접하고 순간 포모가 와서 마감 30분 전에 구매 버튼을 눌렀다. 물론 그 전에 국보 DAO의 취지가 좋고, 무엇보다 국내에서 DAO를 큰 규모로 처음 시도해보는 것에 의미가 크다고 느껴 참여할 의향이 있었다. 그런데 민팅 마감 몇 시간 전에 클럽하우스에서 '국보DAO민팅가자! PFP에어드랍 보호신 이야기'라는 방이 개설되어 두런두런 이야기를 나누다보니 점점 이 프로젝트의 가치가 더 이해되고 나도 동참하고 싶다는 마음이 올라오기 시작했다.

그런데 현행법상 DAO는 법적 지위를 인정받지 못하는 조직이다. DAO와 가장 유사한 조직 형태가 조합이라서 국보 DAO 측은 조합을 설립하고, 클레이를 입금한 NFT 구매자는 자동으로 조합원이 되도록 구조를 짰다. 조합은 문화재를 직접 소유할 수가 없다. 그래서 별도 재단도 설립하기로 계획했다. 국보 DAO 조합원이 되려면 최소 1개(350클레이)의 민팅에 참여해야 한다. 목표 금액이 다 모여도 최종 문화재 경매 낙찰에 실패하면 클레이는 모두 환불된다. 이 때에도 〈National Treasure DAO NFT〉는 기념품처럼 나의 지갑에 고이 남게 된다. 만약 낙찰에 성공하면 국보를 위탁할 미술관을 결정해야 하는데 DAO에서 투표로 결정하게 된다. 이 때 각자 투자한 클레이 수량만큼 투표권을 갖게 된다.

하지만 국보 DAO는 2021년 1월 26일 오후 12시까지 목표 모금액인 50억원에 미치지 못해 결국 해체하게 되었다. 다시 국보 DAO 사이트에 들어가 카이카스 지갑을 연결하고 환불 버튼 하나를 누르니 금세 환불 처리가 되었다. 수수료는 0.005309KLAY이 나와 거의 돈이 들지 않았다. 이렇게 깔끔하고 간편한 환불 절차라니! 순간이었지만 의미 있는 조직에 소속되어 동참한다는 즐거움이 있었다. 트위터와 페이스북에 소감을 공유하면서 무엇을 배우고 어떠한 걸 느꼈는지 여러 사람들과 나누는 기쁨도 있었다. DAO의 가능성을 처음 경험한 순간이었다. 이후 국보 '금동삼존불감'은 블록체인 커뮤니티 '헤리티지 다오Heritage DAO'가 구매하여 지분 51%를 간송미술문화재단에 기부했다.

디파이Defi

DeFi는 탈중앙화금융Decentralized Finance의 약자로 대부분 블록체인 디앱DApp의 스마트 컨트랙트라는 프로그래밍으로 금융 거래가 이뤄진다. 현실의 은행과 카드사와 같은 금융기관의 역할을 블록체인 기술이 담당하며 암호화폐를 사용해 송금과 결제, 예치와 대출 등을 실행한다. 특정 암호화폐를 몇 개월간 담보로 묶어 두면 그 대가로 이자 농사를 할 수 있거나 대출을 받을 수 있다. 뿐만 아니라 개인 간 대출과 송금 등의 거래도 가능하다. 그리고 이 모든 거래정보는 모든 사용자가 열람하고 공유할 수 있다.

4장.

사람들이 열광하는 인기 NFT 프로젝트

오픈시 상위 랭킹 NFT 프로젝트의 종류와 특징을 살펴보면 이 시장의 흐름이 어떠하며 사람들이 무엇에 반응하는지 각 프로젝트별로 어떠한 차별성이 있는지 파악할 수 있다. 여전히 NFT 시장의 주요 거래는 개별 작가의 작품이 아니라 개발자, 아티스트, 커뮤니티 빌더, 프로젝트 매니저, 디파이 빌더 등 다양한 전문가들이 팀을 이루어 진행하는 제너러티브 아트 방식의 PFP NFT 프로젝트가 차지하고 있다.

단지 NFT 형태가 지니는 예술적이고 미학적인 완성도가 다가 아니라, 커뮤니티와 운영진의 역량, 로드랩, 차별화되는 기술적 요소와 마케팅 전략이 중요하다. 이에 관해 2022년 4월 경 오픈시 거래량을 기준으로 상위를 차지하고 있는 NFT 프로젝트들이 무엇인지 살펴보며 무엇이 사람들의 열광을 이끌어내고 있는지를 발견해보고자 한다. 물론 NFT 시장에 포모FOMO : Fear of missing out와 같이 나만 사지 못해 소외당할지도 모른다는 두려움이라는 정서가 NFT 구매를 촉진시키기도 하지만 이러한 인간의 심리에까지 영향을 미치는 프로젝트마다의 매력과 전략이 무엇인지 파악하는 작업은 NFT 시장의 미래 흐름을 예측해나가는데 도움을 줄 것이다.

오픈시 인기 NFT 컬렉션 통계 데이터 파악하는 방법

오픈시 우측 상단의 '통계[Stats]'를 클릭하면 Rankings와 Activity를 볼 수 있다. 나는 거의 매일 NFT 시장의 흐름을 파악하기 위해 상위 컬렉션이 무엇인지 확인하는데, 지난 하루 간 거래량[Last 24 hours]이 높은 NFT 컬렉션이 무엇인지 알 수 있고, 최근 1주 간과 1달, 그리고 전체 기간[All time]의 누적 거래량을 볼 수 있다. 이렇게 장, 단기간 NFT 컬렉션의 인기가 어떻게 변화하고 있는지 기간별 데이터를 통해 그 추세를 파악한다.

영역별로도 볼 수 있는데 전체 범주[All categories]를 주로 살펴본다. 아트[Art]와 컬렉터블[Collectibles]로 나누어 보기도 하는데 크립토펑크와 BAYC는 아트와 컬렉터블 양쪽 영역에 다 위치하고 있음을 확인할 수 있다. 실제로도 수집품으로만 분류하기에 이미 크리스티와 소더비와 같은 주요 옥션과 미술관에서 크립토펑크와 BAYC를 예술의 범주로 포섭하여 이해하려는 시도와 메타버스 및 실물 갤러리 전시도 이뤄지고 있다. 이러한 현실이 오픈시 영역별 데이터 분류에도 반영되어 있다.

오픈시는 이더리움, 클레이튼, 폴리곤, 솔라나라는 4가지 블록체인 메인넷을 지원하고 있기에 각 체인별로 인기 NFT 컬렉션이 무엇인지 살펴볼 수 있다. 아무래도 전체 시장의 다수를 이더리움이 차지하고 있기에 글로벌 트렌드를 알고 싶다면 전체 체인[All chains]과 이더리움[Ethereum]을 보면 되는데 이 둘의 순위가 거의 차이가 없기에 전체 체인 기준으로 확인해도 NFT 시장의 경향을 파악하는 데는 무리가 없다.

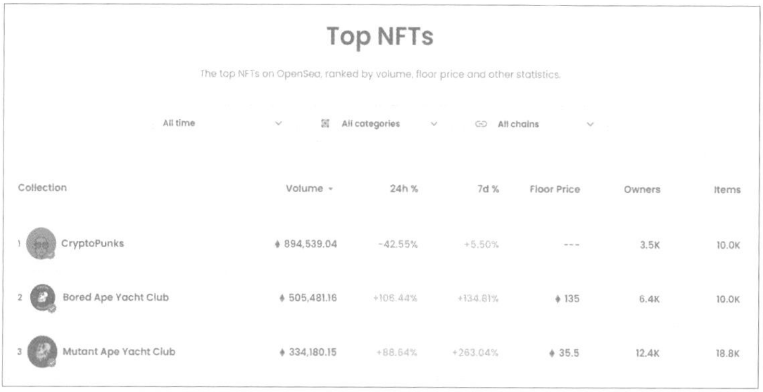

Top NFTs

The top NFTs on OpenSea, ranked by volume, floor price and other statistics.

All time | All categories | All chains

	Collection	Volume	24h %	7d %	Floor Price	Owners	Items
1	CryptoPunks	⧫ 894,539.04	-42.55%	+5.50%	---	3.5K	10.0K
2	Bored Ape Yacht Club	⧫ 505,481.16	+106.44%	+134.81%	⧫ 135	6.4K	10.0K
3	Mutant Ape Yacht Club	⧫ 334,180.15	+88.64%	+263.04%	⧫ 35.5	12.4K	18.8K

Top NFTs :All time_All categories
1위~3위 (2022.04.24 기준). 출처: 오픈시

크립토펑크CryptoPunks

크립토펑크는 2017년 미국 소프트웨어 개발업체 라바랩스Larva Labs에서 프로그래머들이 컴퓨터 알고리즘을 활용해 ERC-20 기반의 제너러티브 픽셀 아트를 만든 것이다. 라바랩스의 주축은 존 왓킨스John Watkinson와 매트 홀Matt Hall로 이들은 새로운 예술사의 장을 열고자 크립토펑크를 만든 것이 아니었다. 크립토펑크의 시각적 완성도가 높지 않다는 평가는 어찌보면 당연한 결과로, 이들의 주요 목적은 기술적 실험이었다. 크립토펑크는 향후 ERC-721인 NFT가 탄생하는데 영감을 준 최초의 프로젝트로서 NFT의 시조새 격이라는 데 의미가 있다. 24 X 24, 8비트의 픽셀 이미지로 만들어진 1만 개의 크립토펑크 캐릭터는 남자 6039개, 여자 3840개, 외계인 9개, 유인원 24개, 좀비 88개 등으로 구성되어있다.

크립토펑크를 소유하는 것은 내가 고액의 NFT를 살 수 있을 정도의 재력과 사회적 위치를 지니고 있다는 것 이상을 의미한다. 블록체인 업계에서는 'OGOriginal Gangster'라는 표현을 쓰는데, 본디 OG는 원조라는 뜻으로 갱단의 창단 멤버나 악명을 떨칠 정도로 활약한 고참 선배를 의미한다.

블록체인과 크립토 업계에서 OG라 함은 시장 초기 참여자로서 블록체인과 암호화폐 초창기부터 생태계에 들어와 활동한 사람들을 말한다. 이들은 크립토 자산 시장 및 생태계, NFT 관련 프로젝트에 대한 발빠른 정보와 깊이있는 견해를 가지고 있다. 크립토펑크를 소유하고 있다는 것은 자신이 OG라는 것을 의미한다. 크립토에 관한 식견을 가지고 그 생태계에서 자리잡은 사람이라는 걸 많은 설명 필요 없이 크립토펑크 하나 사서 보여주면 되는 것이다.

지루한 원숭이들의 요트 클럽 : BAYC

2021년 4월, 지루한 표정을 한 원숭이 1만 마리가 세상에 등장했다. 지루한 눈빛의 세상 따분해 보이는 원숭이 카툰 형태의 NFT는 출시 당시만 해도 0.08이더(약 200달러)에 구입할 수 있었다. 크립토슬램CryptoSlam에 따르면 지루한 유인원 요트 클럽Bored Ape Yacht Club, 이하 BAYC는 출시 이후 2차 거래량이 13억달러에 달한다. 2022년 4월 30일 가장 낮은 가격의 BAYC는 152이더로 약 43만 달러(약 5억 4000만원)에 달했다. BAYC는 크립토펑크와 마찬가지로 이더리움 기반의 PFP NFT 프로젝트이다. BAYC의 크리에이터는 유가랩스Yuga Labs이다.

BAYC는 셀럽 마케팅에 성공해 유명 스타가 사치재로 소유하는 NFT라는 브랜드 이미지를 갖게 되었다. 유명 스포츠스타들은 람보르기니와 같은 차를 사기보다 BAYC를 성공의 지표로 구입한다는 이야기가 있다. 미국프로농구NBA 스타인 스테픈 커리Stephen Curry가 트위터 프로필 사진을 BAYC로 바꾸자 언론에 BAYC가 노출되며 커뮤니티 홍보가 되었다. 래퍼 포스트 말론Post Malone은 BAYC 2개를 160 ETH에 구매해 뮤직비디오에 구매 장면을 삽입하기도 했다. 힙합 뮤지션 에미넴Eminem이 BAYC 한 작품을 46만2000달러(약 5억5000만원)에 구매하여 자신과 어울리는 그레이 밀리터리 스타일 모자를 쓰고 금목걸이를 건 힙합 패션의 원숭이 NFT로 트위터 프로필 사진을 바꿈으로써 전 세계에 플렉스Flex 했다. 저스틴 비버Justin Bieber도 BAYC 홀더가 되었다.

BAYC 커뮤니티는 유명하다. 이 커뮤니티에 합류하고 싶은 마음에 BAYC를 구매하기도 한다. 멤버십 티켓 역할을 하는 NFT를 구입해 정서적 소속감을 경험하는 것 차원 이상으로 사회적 지위와 부를 자랑하며 자신의 정체성을 표현할 수 있다. 한국인 BAYC 구매자가 BAYC 커뮤니티가 연 화려한 요트 파티에 참여했다는 후기를 읽어본 적이 있다. 이 커뮤니티는 NFT 소유자에게 이렇게 특별한 경험을 선사하는구나, 부럽고 재미있어보였다. BAYC는 셀럽을 통해 커뮤니티 홍보를 할 뿐더러 우리가 함께 이렇게 멋진 로드맵을 구현하는 커뮤니티에 소속되어 있다는 것으로 특권의식을 부여한다. 좋아하는 유명 연예인이 나와 같은 커뮤니티에 있으면 나도 그 사람과 함께 연결되어 있다는 기분을 느낄 수 있다.

또한 BAYC는 원숭이 캐릭터가 등장하는 NFT 음악을 발행하는 등 예술과 엔터테인먼트의 요소를 NFT 프로젝트에 적극적으로 반영해나가고 있다. BAYC는 NFT 구매자가 재창작해 상업적 목적으로 IP를 활용할 수 있다. BAYC의 NFT 유용성을 높이는 주요 전략 중 하나는 구매자의 IP 활용도를 높인 것이다. BAYC를 구매하면 이 NFT의 IP를 활용해 돈을 벌 수도 있다. BAYC 원숭이 이미지가 들어간 굿즈를 제작해서 판매할 수도 있다. 이러한 점을 활용해 유니버셜 뮤직 그룹Universal Music Group은 BAYC 원숭이 캐릭터가 밴드 멤버로 등장하는 NFT 메타버스 음악 그룹 '킹십KINGSHIP'을 결성했다. 또한 글로벌 패션 브랜드 아디다스도 BAYC의 NFT #8744 작품을 구매해 아디다스를 입은 원숭이 메타버스 캐릭터 '인디고 허즈Indigo Herz'를 출시했다. 그리고 아디다스는 이더리움 기반으로 '메타버스 속으로Into the Metaverse'라는 총 3만 점의 NFT 한정 판매 프로젝트를 시작했다. 아디다스는 이 프로젝트를 3곳과 공동으로 추진했는데, BAYC를 비롯하여 NFT 수집가 지머니Gmoney, 크립토펑크에서 영감을 얻은 비공식 이더리움 NFT 프로젝트 펑크스코믹punkscomic가 함께 했다. 해당 NFT를 구매하면 디지털 상품을 소유할 뿐 아니라 추가 비용 없이 아디다스 오리지널과 지머니, BAYC, 펑크스코믹가 협업하여 창작한 독점 실물 상품을 가질 수 있다. 구체적인 상품 목록은 아디다스 오리지널이 BAYC와 함께 만든 인디고 허츠가 입고 있는 형광 노란색 파이어버드 트랙수트, 펑크스코믹의 만화 속 인물이 입고 있던 후드티, 지머니의 오렌지색 비니 등이다. 이 가운데 2만 점은 화이트리스트만 구입할 수 있다. 화이트리스트White list는 NFT나 코인에 투자하는 사람들이 '화리'라는 줄임말로 표현한다. 화이트리스트는 선별대상들에게 이익이나 권리를 부여하는 목록으로서 블랙리스트의 반대말이다. NFT 프로젝트에서 화이트리스트라는 표현을 쓴다면, 그 프로젝트와 관련 있는 작가의 NFT나 이전에 판매한 NFT 등 특정 조건의 NFT를 보유한 사람에게 향후 출시할 NFT를 먼저 구매할 수 있는 권리를 주거나 할인 혜택을 주기도 한다. 즉, 화이트리스트는 통상 특정 조건을 충족한 사람들에게 먼저 NFT를 구매하거나 혜택을 누릴 수 있는 권리를 부여한다는 뜻이다. 아디다스 NFT 컬렉션의 경우, 프리세일 2만 개는 12월 14일을 기준으로 BAYC, MAYC, 픽셀볼트, 지머니 POAP, 아디다스 오리지널 POAP 등 해당 NFT를 사전에 메타마스크에 보유하고 있던 이들만 구매할 수 있게 했다. 나머지 1만개 NFT 중 프로젝트 주최자인 아디다스와 BAYC, 지머니, 펑크스코믹가 380점을 보유하기로 했기에 최종 9620점은 일반인들이 구매할 수 있게 열어두었다. 모든 NFT는 0.2이더 균일가로 판매된다. 아디다스 NFT 컬렉션은 2300만달러(약 273억8000만원)의 매출을 올리며 순식간에 완판에 성공했다. 아디다스 패션을 착장한 원숭이 NFT를 구입하려면 이제 오픈시에서 리셀 형태로 재판매되는 것을 사야 한다. 아디다스 NFT 컬렉션은 디지털 NFT 상품뿐만 아니라 실제 브랜드 상품을 획득할 수 있는 권리를 부여한다. 이 NFT를 보유하면 블록체인 기반 게임 메타버스 샌드박스

The Sandbox에서 가상 웨어러블을 이용할 수 있다. 아디다스 오리지널 NFT 컬렉션은 2021년 12월 17일부터 판매를 시작하였고 NFT 컬렉터는 '아디다스 오리지널 경험과 제품에 대한 독점 액세스 권한'을 갖게 된다. 오리지널 BAYC NFT를 갖고 있으면 원숭이에서 파생한 NFT 컬렉션을 무료로 제공하거나 화이트리스트 자격을 준다. 랭킹 순위를 보면 역사 상위권에 애완견 NFT인 보어드 에이프 케넬 클럽, 돌연변이 유인원 NFT 컬렉션인 뮤턴트 에이프 요트 클럽 등이 올라와있는데 이는 BAYC를 뿌리로 하는 파생 NFT 컬렉션이다.

2022년 3월, BAYC를 만든 유가랩스Yuga Labs는 라바랩스Larva Labs로부터 크립토펑크와 미비츠Meebits NFT 컬렉션의 '브랜드, 예술 저작권 및 기타 지식재산권IP 권리'를 인수했다. 이러한 혁신적인 변화가 시사하는 바는 크다.

우선 NFT 프로젝트의 핵심 가치평가와 성공의 척도에 커뮤니티의 중요성이 크다는 점을 다시금 입증했다. 라바랩스는 희소성을 가치로 하는 크립토펑크를 발행했으되 크립토펑크 보유자들을 위한 커뮤니티를 조성하는 것의 중요성은 간과했다. BAYC는 NFT 컬렉터들의 특별한 커뮤니티를 조성하고 요트 파티에서의 콘서트 참석 등 다채로운 멤버십 혜택 등을 마련하는 것에 몰두했다. 프로젝트의 지속가능성은 후자에 있다. 팬데믹이 위드 코로나 정책으로 전환되는 시점에서 그간 온라인을 중심으로 진행된 NFT 소셜 클럽은 오프라인으로 무대를 확장하는 창의적인 기획이 필요하다.

두번째, 크립토 M&A의 탄생이다. 오픈시 누적 거래량 1위와 2위를 차지하는 거대 프로젝트가 하나가 되었다. 이는 NFT 시장의 독점화라는 우려를 지니고 있다. 반면 프로젝트의 지속성을 위해 향후 로드맵 전개에 현실적인 한계를 경험한 다수의 NFT 프로젝트들이 이러한 전략을 취할 가능성이 높다. 혹은 인수합병까지는 아니더라도 커뮤니티를 보유한 NFT 프로젝트 팀과 메타버스 NFT 신사업을 시도하는 대기업 간의 전략적 파트너십이 강화될 것이다. 또한 NFT 프로젝트가 초기 NFT 판매로 기초 사업 자금을 모아 법인 형태의 스타트업을 설립해 기관 및 기업의 본격적인 투자를 받아 사업을 확장시켜 나가는 구조가 확대될 것이다. 그러나 이는 안정적인 사업 로드랩과 미래 전략과 역량을 지닌 운영팀이 이끄는 비교적 소수의 NFT 프로젝트에서 이뤄질 것이며, 범람하다 시피한 수많은 NFT 프로젝트들은 소장 가치만을 남긴 채 유유히 역사 속으로 사라질 것이다.

세번째, NFT '유틸리티utility' 강화의 필요성이다. 유틸리티는 NFT 투자자를 위한 혜택을 뜻하기도 하고, 내가 보유한 NFT를 어떻게 활용할 수 있는지에 관한 실용 방안을 의미하기도 한다. 유가랩스는 BAYC 커뮤니티를 위한 자체 거버넌스 토큰을 발행해 커뮤니티의 의사 결정에 참여할 수 있는 권한을 부여했다. 다만 NFT가 증권의 성격을 지니게 되면 규제 리스크가 발생할 수 있다는 것은 유의할 점이다. 유가랩스는 라바랩스와의 크립토 M&A를 통해 무엇보다 NFT IP의 상업적 활용으로 유틸리티를 마련했다. 이제 크립토펑크 NFT IP를 활용해 상업적 목적으로 2차적 저작물을 창작하고 판매할 수 있다. 유가랩스는 공식 블로그에서 "모든 크립토펑크와 미비츠 이미지에 대한 상업적 권리를 개별 NFT 보유자에게 부여하겠다"고 밝혔다.

유가랩스는 크립토펑크와 미비츠 뿐 아니라 다양한 NFT IP 라인업을 보유하고 있다. 2022년 2분기 홍콩의 블록체인 게임 플랫폼 애니모카 브랜드Animoca Brands와 합작해 '플레이 투 언P2E: Play To Earn' 게임 제작을 준비하고 있다.

4	Art Blocks Curated	♦ 240,773.53	+110.01%	+18.14%	---	11.5K	54.9K
5	Decentraland	♦ 208,944.74	+137.23%	+3.14%	♦ 2.55	7.0K	97.5K
6	Azuki	♦ 187,518.54	+7.94%	-19.01%	♦ 23.8	5.5K	10.0K
7	CLONE X - X TAKASHI MURAKAMI	♦ 178,696.59	-17.76%	+58.09%	♦ 17.6	9.0K	19.2K
8	The Sandbox	♦ 157,547.18	-31.41%	-50.20%	♦ 1.6	20.5K	109.9K
9	Moonbirds	♦ 109,619.16	+11.15%	+76.20%	♦ 35.9	6.4K	10.0K
10	Doodles	♦ 106,252.99	-21.30%	-23.83%	♦ 14.95	4.8K	10.0K

Top NFTs :All time_All categories
4위~10위 (2022.04.24 기준). 출처: 오픈시

CLONE X - X TAKASHI MURAKAMI

2021년 11월에 무라카미 다카시Takashi Murakami가 NFT 패션 하우스 RTFKT Studios(이하 '아티팩트')와의 협업으로 'CLONE X - X TAKASHI MURAKAMI(이하 클론X)'라는 PFP NFT 프로젝트를 진행한다는 소식을 듣고 바로 궁금증이 일었다. 클론 X의 20,000개 PFP NFT에는 일본 애니메이션 캐릭터를 회화, 피규어, 아트토이, 조각 등의 팝아트 스타일로 풀어낸 무라카미 다카시의 스타일이 반영되어 있다.

무라카미 다카시는 선명한 검정색 윤곽선에 색색깔의 화려한 꽃잎을 지닌 웃고 있는 꽃 작품 〈카이카이 키키〉로 대중에게 친숙한 팝 아티스트이자 현대미술가이다. 그는 도라에몽같이 만화와 애니메이션에 등장하는 캐릭터나 오타쿠와 같은 하위 문화를 현대미술 기법으로 묘사하며 일본의 앤디워홀이라 칭송받고 있다. 그는 2021년 3월 닌텐도Nintendo에서 영감은 108개의 디지털 꽃 컬렉션을 담아 NFT 프로젝트를 시작했다. 그 때가 한국 NFT 작가들이 커뮤니티를 이루고 활동하기 시작하던 때여서 누군가 무라카미 다카시도 NFT를 시작했다고 알려주어 작가들이 화들짝 놀라며 술렁였던 기억이 있다. 4월에는 무라카미 다카시가 자신의 아이콘 중

하나인 해바라기를 NFT 크립토펑크CryptoPunks 요소와 결합해 새롭게 선보인 〈Murakami.Flower.Punk(M.F.P)〉를 출시해 경매를 진행 중이란 소식을 듣기도 했다.

클론 X는 2021년 11월 28일 민팅을 시작해 1번의 프리세일과 2번의 퍼블릭 메인 세일을 진행하여 12월 1일에 완판되었다. 프로젝트 출시 3주 만에 6천500만 달러 규모 거래량을 기록했다. 이더리움을 사용하는 글로벌 프로젝트는 민팅 시 단기간에 수많은 사람들이 몰려 높은 가스피만 날리고 정작 NFT를 구매하지 못하는 등의 사태가 발생할 수 있어 주의가 필요하다. 클론 X는 이에 대한 대안으로 메인 세일에 더치옥션 방식을 적용하여 민팅가 3이더에서 시작해 30분마다 0.1이더씩 가격이 떨어져 가스피 전쟁을 피할 수 있는 방안을 마련했다.

클론 X는 NFT 컬렉션 명칭 자체가 복제인간을 연상하게 한다. 홈페이지에는 붉은색과 검정색이 주를 이루는 배경 화면에 몸 여기저기 줄을 달고 공중에 떠 있는 사람 형태의 3D 캐릭터가 등장해 애니메이션 영화의 극적인 한 장면을 보는 기분이 들었다. 새로운 생명으로 깨어나기 전의 복제인간의 상태라는 걸 파악하며 클론 X의 세계관을 직관적으로 이해할 수 있었다. 무라카미 다카시는 아바타의 시각적 특성Properties을 디자인하는 역할로 참여했다. 제너러티브 아트 방식으로 수천, 수만개의 PFP NFT를 생성하기 전에 먼저 인간의 수작업으로 기본적인 비주얼 형태를 갖춰야 하는데, 무라카미 다카시가 바로 이 부분을 담당한 것이다. 이는 해당 프로젝트의 시각적 매력과 완성도를 높이는 역할을 한다. 그리고 이미 글로벌 팬덤을 보유한 아티스트의 팬들이 이 프로젝트에 관심을 갖게 해주어 홍보 마케팅 차원에서도 도움이 된다.

클론X의 아바타를 구성하는 특성 중 DNA가 있는데 인간(9402개), 로봇(5629개), 악마(1644개), 천사(1638개), 파충류(239개)의 5종류로 구성되었다. 이 중 인간의 희귀도가 가장 낮으며, 파충류가 가장 희소성이 높다. 희귀도는 프로젝트 팀이 모든 NFT 민팅이 종료되면 홈페이지에 희귀도표를 공개하는데 이는 2차 판매 시 가격 결정에 영향을 미친다. 즉 수량이 적고 희귀도가 높아야 비싸게 팔 수 있다는 뜻이다. 당장 재판매하지 않아도 첫 투자금액 대비 차익 실현을 기대할 수 있는 가치 상승 요소를 지니고 있기에 희귀도 높은 NFT를 득템하는 것이 투자자 입장에서는 중요하다. 처음부터 무엇이 높은 희귀도를 지닌 NFT인지를 밝히진 않는다. 우선 민팅에 참여해 무작위 뽑기 게임을 하는 것처럼 NFT를 구매한다. 판매 종료 후 프로젝트 운영팀은 희귀도표를 발표한다. 그 기준에 근거해 NFT의 희소가치를 판단하게 된다. 대부분 인간이 가장 흔하고 가격이 낮으며 외계인, 좀비, 유인원, 파충류 등 특이한 종류가 희소하고 비싸다.

흥미로운 점은 세일 과정에서 투자자의 행동까지 고려해 클론 X의 세계관을 형성하는 스토리텔링에 참여할 수 있는 장치를 마련해두었다는 것이다. 복제인간이 탄생할 수 있는 DNA가 담긴 Mint Vial이라는 유리병 NFT를 구매하면 모든 판매가 종료된 12월 12일에 유리병이 클론으로 변한다. 이러한 변화는 자동이 아니라, 클론X 웹사이트에서 자신의 지갑과 연결해 Revel 버튼을 눌러야 이뤄진다. 그런데 Mint Vial 소유자들이 바로 클론으로 바꾸지 않아 이미 공개된 다른 클론들의 바닥가인 6.3 ETH에 비해 2배 정도 가격이 올랐다. 희귀도가 높은 NFT일지도 모른다는 기대 심리가 아직 정체가 드러나지 않은 NFT의 가격 상승을 견인한 것이다.

나이키가 인수한 아티팩트

클론 X의 로드맵이 어떻게 전개될 것인지를 예측하기 위해서는 이 프로젝트를 주도하는 아티팩트라는 기업이 어떤 곳인지 파악하는 것이 필요하다. 2020년 1월에 설립한 패션 NFT 스타트업 아티팩트는 메타버스 패션 NFT 시장을 연구할 때 유독 눈에 띄었던 곳이라 전부터 기억하고 있었다. 아티팩트는 메타버스에서 활용 가능한 3D 스니커즈와 컬렉터블을 NFT 한정판으로 판매하면서 주목을 받았다.

아티팩트는 크리스 레Chris Le, 스티븐 잽티오Steven Zaptio, 브누아 파고토Benoit Pagotto가 공동 설립했다. 창업자의 철학은 아티팩트 디지털 패션 미학의 근간을 구성한다. 공동 창업자인 브누아 파고토는 메타버스는 현실의 물리 법칙에 제한되지 않으며 원하는 무엇이든 될 수 있다고 보았다. 메타버스에서의 나는 실제의 삶에서와 또 다른 인격을 지닐 수 있고 새로운 커뮤니티를 누릴 수 있다는 것이다. 브누아 파고토는 미래 자산의 형태는 물리적인 것보다 디지털 자산이 더 많아질 것이기에, 자연스럽게 디지털 수집품의 가치도 높아질 것이라 주장한다. 나는 창업자의 이러한 철학이 굉장히 흥미롭다.

중력을 거슬러 날아다니는 신발이나 목 부근에 뱅글뱅글 돌아가는 여러 개의 공 형태 장식을 지닌 재킷은 메타버스에서 살아갈 삶에 관한 상상력을 확장시킨다. 아티팩트 패션 아이템의 착용 방식에는 증강현실 기술이 적용된다. 아바타 캐릭터에 게임 아이템과 같은 옷을 착장하는 차원이 아니라, 현실의 내 몸에 스마트폰을 비춰서 디지털 패션을 가상 피팅할 수 있다. 디지털 아티스트나 패션 디자이너와 적극적인 협업은 메타버스 패션의 예술성을 구축하고자 한 아티팩트의 고민을 짐작케 한다. 대표적인 사례로, 2021년 2월 아티팩트는 18세 디지털 아티스트 푸오셔스FEWOCiOUS와 협업해 NFT 운동화 3종을 제작했다. 크립토씬에서 활동해온 청소년 아티스트의 NFT 운동화 작품 621종은 NFT 마켓플레이스 '니프티게이트웨이'에 선보였는데 출시 7분 만에 완판되어 310만 달러(약37억원)의 수익을 거뒀다. 이 운동화 NFT를 구매하면 실제 현물 운동화를 얻을 수도 있다. NFT가 컬렉터블로서 소장 가치를 지님과 동시에 현실 세계와 디지털 세계를 연결하는 매개체가 되는 것이다. 또한 아티팩트가 2021년 10월 패션 디자이너 제프 스테이플과 협업으로 만든 가상 신발 NFT는 현재까지 누적 거래액이 1200만달러(약 143억원)이다.

아티팩트가 운영하는 클론 X의 NFT를 소유한 사람들은 로드맵에 따른 4가지 혜택을 경험할 수 있다. 클론 X는 로드맵에서 우선 3D의 입체적인 메타버스가 제공될 것임을 알려주었고, 아티팩트는 크리스마스 선물로 온사이버의 메타버스 공간을 에어드랍했다. 자신만의 메타버스 공간을 클론 X의 NFT를 비롯해 다양한 아이템들로 꾸미고 그 안에서 살아갈 수 있게 된 것이다. 또한 아티팩트는 NFT를 실물 아이템 및 디지털 웨어러블과 연계하여 아티팩트 생태계에서 고유한 경험을 제공할 것을 예고했다. 사전에 계획되었던 것이겠지만 12월 12일 클론 X의 각 아바타의 정체가 드러난 다음날인 13일, 나이키가 아티팩트를 인수했다는 뉴스가 나오며 클론 X의 바닥가가 3배 가량 상승했다.

아즈키Azuki

오픈시 24시간 거래량 순위는 최신 핫 트렌드를 보여주는 지표라고 볼 수 있는데, 2022년 1월 말에는 일본 애니메이션풍의 PFP NFT 프로젝트인 '아즈키Azuki'가 오픈시 거래량 1위를 차지했다. 2022년 1월 12일에는 10,000개의 PFP NFT를 출시한 아즈키는 2월 1일 바닥가 12이더 이상으로 오르며 돌풍을 일으켰다. 민팅가는 0.08이더였는데 2주 만에 8이더가 되며 100배 이상 가격이 상승했다. 총 1만개 NFT 중 희귀도가 두 번째로 높은 아즈키 #9605 NFT가 3월 30일 오픈시에서 420.7 ETH(약 1400만

달러)에 판매되기도 했다.

아즈키는 "A brand for the metaverse. Built by the community"를 슬로건으로 Web 3.0에서 탈중앙화 커뮤니티가 구축하는 메타버스 브랜드를 내세운다. 브랜드는 그 자체로서의 명성과 가치, 철학과 세계관을 지니고 있다. 아즈키는 우리는 단순한 NFT가 아니라 그 자체가 '브랜드'라고 말한다. NFT 보유자는 자체 커뮤니티인 '더 가든The Garden' 회원의 자격을 얻게 된다.

일본 애니메이션 영화에서 많이 보았던 일러스트레이션 캐릭터라 프로젝트 팀이 일본인으로만 구성되어 있는 줄 알았다. 그런데 아즈키는 미국 로스엔젤레스 기반 스타트업 치루랩스Chiru Labs가 선보인 PFP NFT 프로젝트로서, 주요 구성원은 전 페이스북 소프트웨어 엔지니어, 전 구글 PM, DeFi 전문가, 게임 오버워치의 캐릭터 아트 디렉터, 게임 스트리트 파이터 코믹스 아티스트 등이다. 아즈키 팀은 ERC 721이 겪고 있는 이더리움 체인에서의 높은 가스피 문제를 해결하기 위한 ERC 721A라는 새로운 대안을 제시한다. 이는 스마트 컨트랙트 최적화로 민팅 참여자들의 가스피 부담을 조금이라도 줄일 수 있는 방법이다.

아즈키는 일본 애니메이션 스타일을 도입한 NFT 프로젝트라는 점과 운영팀이 빅테크와 디파이에 대한 경험을 지니고 있다는 점에서 사람들의 관심을 모으며 초반 상승가를 달렸다. 그런데 2022년 5월 아즈키 프로젝트 설립자인 ZAGABOND.ETH가 자신의 블로그를 통해 과거 CryptoPhunks, Tendies, CryptoZunks 3개 프로젝트를 운영했고, 이 중 러그풀 사례가 있었다는 점이 세간에 알려지면서 아즈키 바닥가는 약 19 ETH($41,800)에서 약 10.9 ETH($24,000)로 하락했다. 이 중 CryptoPhunks는 라바랩스의 크립토펑크CryptoPunks가 아니다. 이 당시 아즈키가 러그풀이냐 아니면 탄탄한 팀원이 있기에 지금이 오히려 저점 매수 구간이냐에 대한 논쟁이 벌어지기도 하며 하루 만에 2차 시장에서 300개 이상의 아즈키 NFT가 거래되기도 했다. 여론은 ZAGABOND.ETH가 자신의 실패 사례를 자발적으로 공유한 것은 이러한 과정을 통해 얻은 교훈과 배움을 아즈키 프로젝트에서는 번복하지 않겠다는 의지라고 해석하는 방향으로 기울었다. 그리고 현재 아즈키는 귀여운 콩 모양의 애니메이션 캐릭터인 빈즈[BEANZ] NFT를 발행하며 로드맵을 이어가고 있다.

5장.

크리스티와 소더비, 세계 양대 경매사의 NFT 행보

NFT에 관심 많은 신흥 컬렉터층의 부상

278년 전통의 세계적인 경매사 소더비Sotheby's는 2021년 회사 역사상 최대 매출인 73억달러(약 한화 8조7000억원)를 달성했다. 이 중 경매 매출이 60억달러로 전년 대비 71% 상승했으며, 개인 판매는 13억달러를 기록했다. 소더비와 경쟁 관계를 이루는 세계 양대 경매사 크리스티Christie's는 2021년 경매 매출이 71억달러(8조5000억원)이었다.

소더비는 매출 증가의 원인 중 하나를 아시아 컬렉터의 유입으로 보았다. 이들은 500만달러(약 59억원) 이상의 입찰금 중 46%를 지불했다. 또한 IT, 주식, 핀테크, 온라인 비즈니스, 암호화폐 투자 등으로 부를 축적한 신흥 부자들이 컬렉터층으로 부상했다. 이들은 NFT 아트처럼 새로운 형태의 예술에 관심이 많고 온라인 경매에 적극적으로 참여하는 특징을 보인다. 일례로, 암호화폐 트론을 만든 저스틴 선은 소더비에서 알베르토 자코메티Alberto Giacometti의 작품 〈르 네즈Le Nez〉를 7840만달러(약 930억원)에 구매하기도 했다.

소더비의 찰스 스튜어트Charles Sturt 최고경영자CEO는 경매 입찰자 중 44%가 최초 경매 참여자였으며 이 중 MZ세대의 컬렉터층이 포함되어 있다고 말했다. 이들은 코로나 19 기간에 온라인으로 보석, 와인, 핸드백 등을 구매하였고, 소더비의 럭셔리 매출을 10억달러 이상으로 끌어올렸다. 비단 해외뿐 아니라 국내에서도 그간 미술에 큰 관련이 없어보였던 IT, 블록체인, 가상자산 관련 기업 및 투자사 대표 및 임직원 등이 NFT를 통해 예술에 관심을 갖게 되고, 점차 실물 미술 시장에도 눈을 돌리며 작품을 하나 둘 사모으는 모습을 발견할 수 있었다. 소더비의 2021년 NFT 경매 매출은 약 1억달러(약 1200억원)였으며, 이 시장의 잠재성을 크게 본 소더비는 2022년에도 NFT 아트와 온라인 경매 강화에 주력할 것이라 한다.

크리스티 역시 마찬가지로 2022년을 MZ 세대를 비롯한 신규 컬렉터를 확실하게 미술 시장으로 유인하는 해로 삼기 위한 채비를 갖추고 있으며 이를 위한 주요 전략으로 온라인 경매와 NFT 아트 관련 사업 강화를 삼고 있다. 2021년 크리스티의 매출액은 71억달러(약 8조4600억원)로 최근 5년 중 최고치를 기록했으며, 신규 고객의 31%가 1980년대 이후 태어난 MZ세대였다.

크리스티와 소더비의 NFT 경매 전략

소더비와 크리스티의 NFT 경매는 현장에서 온라인 입찰을 한 경매가를 호가하면서 진행하는 온오프 결합 방식과 아예 디센트럴랜드와 같은 메타버스 플랫폼에서 이용자가 아바타로 입장해 전시를 구경하다가 경매에 참여하는 온라인 방식을 병행하고 있다.

2021년 3월 디지털 아티스트 비플의 NFT 경매로 전세계에 NFT 열풍을 촉발시킨 크리스티는 11월 다시 비플을 소환했다. 크리스티의 유튜브 채널에 가보면 짧은 길이의 숏폼 형태로 '#Beeple is back'이라는 감각적인 영상이 올라와 있다. 비플의 새로운 NFT 작품은 블록체인 영상 조각인데 가히 놀랍다. 경매는 뉴욕 크리스티 현장에서 온라인 입찰 가격을 호가하며 진행되었다. 〈휴먼원 Human One〉은 우주 비행사 복장을 한 사람이 변화하는 풍경 속에서 무한히 걷는 1분짜리 클립 영상이 무한 상영되는 작품이다. 비플은 이 작품을 "메타버스에서 데어난 인간의 첫 초상화"라고 표현했다. 비플의 작품 〈휴먼 원〉은 예상 낙찰가가 1500만 달러였는데, 두 배 가까운 가격인 2890만 달러(약 341억원)에 낙찰됐다. 낙찰자는 스위스에서 온라인으로 참여한 블록체인 투자자 라이언 쭈러Ryan Zurrer로, 그는 실제 디지털 아트 작품과 NFT 영상에 대한 소유권을 갖게 된다.

2021년 9월 크리스티 홍콩은 아시아 최초 NFT 온라인 경매인 'NO TIME LIKE PRESENT'를 진행했다. 총 14점의 NFT가 출품돼 모두 낙찰됐으며, NFT 총 낙찰총액은 9599만 홍콩달러(약 146억원)을 기록했다. 이 중 단연코 최고가 낙찰은 라바랩스의 크립토펑크다. '크립토펑크 9997'이 추정가 7억~10억원의 5배 넘는 3385만 홍콩달러(약 51억4000만원)에 판매되었다. 온라인 경매에서는 NFT 외의 일반 미술품 등도 다루었는데, 이를 포함한 전체 낙찰총액은 1억2164만2750 홍콩달러(약 185억원) 규모였다. 이 데이터를 살펴보면 NFT 비중이 큰 온라인 경매임을 알 수 있다. 온라인 경매는 국경을 넘어 여러 나라에서 자유롭게 참여할 수 있다는 장점이 있다. 실제 구매한 사람의 국적도 홍콩 뿐 아니라 미국, 스위스, 대만 등이었다. 총 168명의 경매 응찰 고객 중 65%가 신규 고객이라는 점도 주목할 만한 점이다. NFT에 관심을 가지고 온라인 경매를 선호하는 신흥 컬렉터층이 등장한 것이다.

아예 메타버스 공간에서 진행한 경매도 있다. 소더비는 2021년 6월 디센트럴랜드에서 '소더비 메타버스 옥션 하우스Sotheby's Metaverse Auction House'를 개장했다. 실제 소더비 런던 갤러리를 메타버스 공간에 동일하게 구현한 것이다. 사람들은 메타버스 소더비 갤러리에 아바타로 입장한 후 작품을 감상하다가 작품이 마음에 들면 경매에 참여할 수 있다. 컬렉터는 메타버스에서 구매한 작품을 가상자산 지갑으로 전송받는다.

심지어 소더비는 NFT 마켓플레이스를 출범시켰다. 바로 2021년

10월에 '소더비 메타버스Sotheby's Metaverse'라는 자체 플랫폼을 만들어 NFT 경매를 시작한 것이다. 그 첫 번째는 '네이티브 디지털 1.2: 더 컬렉터Natively Digital 1.2: The Collectors'로 스티브 아오키와 패리스 힐튼 등 19명의 유명 컬렉터가 소유한 53점의 NFT 작품이 경매로 나왔다. 입찰자는 암호화폐인 이더리움, 비트코인, USD코인USDC 등으로 지불할 수 있으며 법정화폐도 가능하다.

이 외, 크리스티와 소더비는 전통미술시장이 지닌 강점인 큐레이팅과 크리틱을 NFT 연계 실물 전시에도 적용했다. 매번 경매가 열릴 때마다 테마가 되는 전시 주제를 정하고, 온라인 사이트에 전시 기획 의도, 참여 작가, 작품 설명 등을 명료하게 기입하여 이 전시와 경매가 지니는 의의와 가치를 전달하고자 했다. NFT 실물 전시에서는 디지털 아트에 적합한 디스플레이를 선택하는 것이 중요하다. 소더비는 삼성전자와 공식 파트너십을 맺고 삼성 TV를 NFT 디스플레이로 사용했다. 또한 크리스티의 경우 아트&테크 서밋을 개최해 NFT 미술에 대한 담론을 공유하는 자리를 마련하기도 했다.

6장.

NFT 대중화를 위한 고려 사항

작년부터 지금까지 단 하루도 빠짐없이 NFT를 들여다보고 말하고 그 세계 안에 빠져 살았지만, 나는 이 시장에 굉장히 보수적이다. 매 순간 마치 NFT에 대해 전혀 관심 없는 사람처럼 NFT를 타자화하며 수많은 질문을 던지곤 했다. '이 NFT를 대체 왜 사야 하지?'라는 질문을 안고서 처음에는 구매하지 않고 NFT 연구를 하고 작가들과 인터뷰를 했다. 그러다가 작가 한 분이 클럽하우스 드랍파티에 참여한 기념으로 NFT를 지갑에 선물로 트랜스퍼해주겠다고 해서 비로소 메타마스크를 만들고 오픈시에 지갑을 연동시켰다. 막상 해보니 글로 아는 거랑 실제로 해보는 거랑 달라 잠시 헤매다가 지갑 주소가 두 개가 되어버리는 경험을 하기도 했다. 우여곡절 끝에 NFT 선물을 받아 작품을 들여다보니 작가의 마음이 전해져 가슴이 따뜻해지는 경험을 했다. 이후 미술을 전공한 지인이 디지털 아트 작업을 오래 해왔기에 NFT 씬에 진입하도록 도움을 주게 준 적이 있었다. 그분이 망설임 끝에 용기를 내어 '쪼매난 씨앗'의 약자인 '쪼앗(joe_artt)'이라는 작가명으로 첫 NFT를 리스팅했을 때 마음 다해 응원과 지지를 보내고 싶어서 직접 NFT를 구매했다. 기뻐하며 힘을 얻는 작가의 모습을 보면서 또 다시 마음 한 켠이 따뜻해졌다. 내 돈 쓰고 마음의 힘을 얻은 신기한 경험이었다. 이후로 눈여겨본 작가들의 NFT 아트 작품을 컬렉팅하는 재미와 매력에 빠져버렸다. 나는 NFT를 알기도 전에 실물 예술 작품을 감상하고 공부하고 그 가치를 사람들에게 전달하는 일들을 꾸준히 해왔다. 지금도 동시대의 예술 현장에 어떠한 흐름이 이어지고 있는지 주요 아트페어와 전시를 면밀히 살피며 동시에 메타버스와 블록체인이 만들어가는 예술의 미래를 주목하고 있다. 아날로그의 물성을 지닌 실물 작품과 메타버스에서의 디지털 작품은 각각 대체 불가능한 가치를 지니고 있다. 어느 한 쪽이 또 다른 한쪽을 대체하기는 어렵다. 이 둘은 배타적 경쟁 관계가 아니기에 오히려 상생할 수 있다. NFT 아트를 통해 처음 아트 컬렉팅을 시작한 이들이 점차 실물 미술 작품을 컬렉팅하는 것으로 영역을 확장하고 있는 것은 자연스러운 흐름이다.

여기까지는 개별 작가의 NFT 아트 작품을 소장하는 경험이 어떠한 가치를 주는 지에 대한 서술이다. 그런데 PFP NFT 프로젝트의 경우 대다수의 사람들은 단지 소장가치나 특정 창작자를 지지하고 응원하려는 마음, 그 작가가 활발하고 꾸준하게 활동해 향후 재판매해 차익 실현을 할 수 있을 거라는 기대감만으로 만족하지 않는다. 이걸 들고 있을 때 명확한 효용이 있어야 한다. 특정 브랜드나 기업이 NFT를 발행할 경우 이걸 왜 사야 하는지에 대한 이유를 제시해주는 것이 필요하다. 아직 일반 대중이 NFT의 신규 컬렉터로 유입되기 위해서는 여러 장벽이 존재한다. NFT를 카드로 결제할 수 있는 네트워크를 구축하려는 국내 카드사들의 움직임도 포착되고 있으나 실제 그것이 가능하기까지는 시간이 필요하다.

이러한 상황에서 기존 암호화폐 보유자들이 여러 NFT 프로젝트 민팅에 중복 참여하고 있다. 개별 작가의 NFT 아트 작품을 비롯해 PFP 프로젝트들은 쏟아져나오는데 그에 비해 신규 컬렉터와 투자자 유입이 신속하게 이뤄지지 않아 공급 과잉 상태이다. 그래서 더 이 NFT를 왜 사야하는지에 대한 효용성을 설명하고 입증해야 하는 부분에 대한 요구가 커진 것이기도 하다. 이러한 목소리는 기존 NFT 커뮤니티 자체에서도 흘러나오고 있어 민감하게 시장의 요구를 포착한 여러 기업과 프로젝트 팀들은 창의적인 NFT 기획을 내놓고 있다.

새로운 기술이 등장하고 시장이 변해도 한 가지 변하지 않는 것이 있다. 바로 인간의 본성이다. 다변화되는 상황에서 미래를 예측하기 위해서는 사람이란 어떤 존재이며 인간의 내면에는 어떠한 본질적인 욕구가 있는지를 생각해보면 된다. 메타버스와 NFT는 동의어가 아니었으나 이제 같은 길을 떠나는 마차의 수레바퀴처럼 함께 굴러가고 있다. 향후 다양한 실감형 기술이 가상 공간에서도 현실처럼 감각할 수 있도록 도우며 몰입감을 심화시킬 터이지만 지금은 아직이다. VR을 오래 끼면 멀미가 나고, 스마트폰처럼 누구나 쉽게 소유할 수 있을 정도로 일상에 보급되진 않았다. AR은 가끔 스마트폰 앱을 통해서 현실 공간에 비춰보는 식으로 접하고 있지 우리 집에 AR 안경이 있지는 않다. 디지털 아트인 NFT 작품을 보는 경험은 여전히 즐겁다. 그런데 기회만 된다면 가능한 한 자주 미술관에 가서 실물 미술 작품을 보고, 아티스트의 생명력을 가까이서 느낄 수 있는 연극과 무용, 음악을 보러 가고 싶다. 하지만 벌써 몇 해의 시간과 몇 번의 계절이 교차했는데도 마스크를 벗지 못하며 살고 있다. 이 답답함, 그러나 예전으로 돌아갈 수 없는 현 상황에서 메타버스와 블록체인, NFT를 미래 먹거리로 점찍은 국내외 기업들의 투자와 신사업 구축의 발걸음이 재차고 매섭고 급박하다.

2022년에 NFT를 대중화하고자 한다면, 정도의 차이는 있을 지라도 디지털과 아날로그 양쪽 다 원하는 사람들의 내밀한 욕구를 파악해야 한다. 모두가 NFT를 사서 작가와 대화를 하려고 트위터에 가입하고 카카오톡에 들어와 커뮤니티에서 수많은 톡을 읽으며 이야기 나누기를 원하지 않는다. 굳이 복잡한 과정을 거쳐 평소에 투자도 하지 않던 암호화폐를 사서 NFT를 구입해야 하는 이유를 찾지 못한 사람들이 아직도 많다.

NFT 대중화는 이 시장에 뛰어든 작가와 컬렉터, 투자자, 관련 사업을 시작한 기업에게 중요한 화두이지만 모든 사람의 화두는 아니다. 따라서 입장을 바꿔서 생각해보아야 한다. 만약 그 사람이 하도 뉴스에서 NFT를 말하니 NFT에 관심은 갖게 되었는데 이걸 사서 딱히 무엇을 해야 할지 모를 수도 있다. 실물 미술 작품의 경우 사면 우리 집 벽에 걸어두고, 향후 리셀을 통한 차익 실현을 기대할 수 있다. 당장 리셀이 어렵다 하더라도 그 색감과 질감을 감상하며 현실에서 누릴 수 있다. 그런데 NFT는 구입해도 내 지갑에 들어가 있고 구매를 한 NFT 마켓플레이스 사이트에 들어가야지 또 볼 수 있는 거라 실물 미술 컬렉터들이 NFT의 매력을 경험할 수 있는 감상 방식과 관련하여서는 섬세한 고민이 필요하다. NFT를 감상할 수 있는 디지털 액자를 패키지로 판매할 수도 있다. 디지털 액자를 구비하기 어려울 경우 NFT를 구매한 사람에게 엽서, 디지털 프린팅 그림, 그림이 들어간 머그컵이나 휴대폰 케이스, 티셔츠 등 다양한 아티스트 굿즈를 함께 선물하는 식으로 판매 전략을 세울 수 있다. 이미 마플샵 등과 같이 굿즈를 만들 수 있는 업체를 활용해 NFT를 구입한 컬렉터에게 선물을 주는 작가들이 있기는 하다. 만약 옥션이나 자체 굿즈 샵을 구비한 미술관처럼 굿즈 자체도 작가의 작품 세계관을 반영하는 하나의 예술작품처럼 제작할 수 있는 곳이 있다면 NFT 대중화를 위해 이러한 방법을 적극적으로 모색해보는 것도 좋다. NFT라 할지라도 아날로그와 디지털의 감성을 함께 경험할 수 있는 기획은 아직 이 시장에 생소한 사람들에게 필요하기 때문이다. 유튜브에는 비플의 NFT를 산 사람들이 집에 배송 온 상자를 언박싱하는 영상이 여럿 올라와 있다. 기대하는 마음으로 상자를 열면 비플이 마련한 멋진 NFT 실물 굿즈가 담겨 있는데, 이 작품이 진품이라는 표증으로 비플은 자신의 머리카락 몇 가닥도 함께 담아두었다.

NFT 전시도 실물 작품과 디지털 아트 작품을 연계해 메타버스 공간과 실물 전시장에서 동시에 진행되고 있는 추세이다. 이미 2021년 상반기에도 이러한 NFT 전시는 많이 있었는데, 다만 메타버스와 실물 전시장 양쪽에서의 큐레이팅이 아쉬운 경우가 대다수였다. 메타버스 전시공간에서의 작품 감상의 조건이 실제 전시공간에서와 차이가 있다. 아바타는 걷거나 뛸 수도 있고 하늘을 날아다닐 수도 있다. 한 작품 앞에 몰입해서 장시간 머무르기보다 보다 빠른 속도로 순간적인 감각에 반응하며 감상하게 될 수도 있다. 그러나 이러한 상황과 작품 디스플레이는 별개의 문제다. 다닥다닥 벽에 동일한 크기의 NFT 작품을 나열하는 것은 단조롭다. 메타버스 전시공간에서도 전시 주제 및 작가 선정, 공간 구도에 따른 적절한 작품 배치 등의 큐레이팅이 필요하다. 그래야 실물 미술 시장에서의 안목을 갖춘 컬렉터들이 NFT 아트 전시를 감상하고 또 컬렉팅할 수 있게 될 것이다. 메타버스 전시공간은 각 플랫폼마다 서로 다른 특징을 지니고 있다. 오히려 현실에서는 어려운 특별한 감상경험을 메타버스 NFT 전시 공간에서 맛볼 수도 있는 노릇이다. 메타버스 NFT 전시 큐레이팅 및 감상 경험에 관한 연구와 실험은 향후 본격화될 것이다.

NFT 아트의 전시와 경매, 감상과 비평 등을 위한 다양한 교육 프로그램 및 관련 아카데미 구축도 필요하다. 이것은 관련 사업을 추진할 기업 내부의 임직원 및 실무자들에게부터 먼저 적용되어야 한다. 그래야 실제 사업을 추진함에 있어서 NFT와 메타버스를 직접 경험해보지 않아 발생하게 될 불필요한 오류 비용을 줄일 수 있다. 대중을 위한 NFT교육도 중요하다. NFT가 무엇인지 NFT 아트에는 어떠한 작품과 작가들이 활동하고 있는지, 어떻게 감상해야 하는지, 실제 구매하려면 무엇을 해야 하는지 등 예술애호가를 위한 NFT 컬렉팅과 감상 교육이 필요하다. 또한 NFT에 대해 많이 들어는 봤고 한 번 해보고는 싶은데 어떻게 어디서부터 시작해야 할지 막막한 창작자들과 특히 예술대학 전공생들을 위한 양질의 강의가 필요하다. NFT 대중화를 위해 체계적인 아카데미 교육 프로그램을 마련하는 것이 중요하다. 그것은 또한 NFT 생태계가 건강한 방향으로 나아가는 담론과 논의의 장을 마련하는 시도이기도 하며, 당장 각 기업의 메타버스 및 NFT 사업 담당자들의 막막함을 해소해주는 좋은 대안이 될 수 있다.

PART 3

NFT 아트의 다양한 양상과 특징

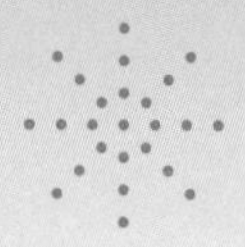

1장.

크립토아트

크립토아트와 NFT 아트의 차이점

국내 보도 기사 등에서는 'NFT 아트'라는 표현을 자주 사용한다. 그런데 구글에서 NFT 관련 뉴스 검색을 해보면 크립토아트cyptoart라는 단어를 종종 발견하게 된다. 예술사의 관점에서 보자면 아직 개념도 다 정립되지 않은 초창기라 NFT 아트의 정의와 양상, 특징 등을 규정할 수 없다. NFT 아트의 시초를 2014년 케빈 맥코이Kevin McCoy의 〈퀀텀Quantum〉이란 작품으로 본다 하더라도 그 역사가 10여년이 채 되지 않았으며, 대중의 입에 오르내리며 알려진 것은 겨우 2021년 3월이다.

현재 NFT 아트는 순수예술과 대중예술의 경계를 넘어 웹툰, 영화, 예능, 애니메이션, 그래픽, 게임 콘셉트 아트, 픽셀 아트 등 다양한 장르를 포괄한다. 미술뿐 아니라 음악, 무용, 문학, 엔터테인먼트 콘텐츠를 비롯해 원론적으로는 그 무엇이라도 NFT 아트가 될 수 있다. 아직 구체적인 가치 평가 기준이 자리잡히지 않았기에 바로 이 지점에서 무엇이 아트인가 아닌가에 관한 많은 혼란이 빚어질 수 있다. NFT 아트란 블록체인 NFT 기술이 적용된 콘텐츠 중에서 '예술적 속성'을 띠는 작품을 의미하는데, 그 예술적 속성을 판단하는 비평과 큐레이팅이 향후 활성화되어야 한다. NFT 아트는 크립토아트보다 포괄적인 의미이다. 크립토아트는 NFT 아트와 미묘하지만 확연한 차이점을 지니고 있다. 크립토 아티스트들 중에는 자신을 NFT 아티스트라고 부르는 것을 거부하는 사람들도 있다. 크립토아트는 범용적인 NFT 아트에 비해 그만의 독특한 장르적 특성과 실험 요소를 지니고 있다고 생각하기 때문이다. 그렇다면 크립토아트를 구분짓는 주요 구성 요소는 무엇일지 살펴보도록 하자.

크립토아트의 주요 특징

현재까지 다양한 크립토아트 작품을 관찰하며 발견한 장르적 특성은 크립토 내러티브Crypto-Narrative 내지는 탈중앙 내러티브Decentralization Narrative를 지니고 있다는 점이다. 내러티브란 '작품이 담고 있는 주제의식'으로, 작가의 삶이나 작품 탄생 배경, 시대 상황처럼 복합적인 맥락context을 내포한다. 아래의 특성은 개별 작품에 다 반영되어 있는 경우도 있고 일부만 반영되어 있기도 하다.

크립토 내러티브 :

암호화폐는 저마다의 상징 이미지를 아이콘으로 삼고 있다. 크립토아트에는 이러한 암호화폐 아이콘이 식별 가능한 형태로 담겨 있다. 이더리움의 상징인 다이아몬드 아이콘이나, 비트코인을 나타내는 B라는 글자를 작품에 삽입하거나, 도지코인의 강아지가 등장하기도 한다.

탈중앙 내러티브 :

중앙 권력에 대항하는 탈중앙화를 지향하는 자유주의Liberalism와 저항정신Anarchy, 부당한 권위에 대한 반발 등과 같은 내용이 작품의 주제나 내용 또는 작가의 철학에 담겨 있다. 예술은 시대 정신을 성찰하며 많은 사람들이 같은 방향을 보고 달려가고 있을 때 홀로 멈추어 서서 '그것이 정말 맞는 길인가?' 질문해왔다. 블록체인의 탈중앙화 정신은 중앙집권적인 질서에 대한 저항과 반란, 질문과 도전을 서슴지 않는 예술가의 영혼과 닮아 있다.

크립토 이슈메이커 :
사토시 니카모토Satoshi Nakamoto(비트코인 창시자), 비탈릭 부테린Vitalik Buterin(이더리움 창시자), 일론 머스크 등 암호화폐 업계에서 입지적인 의미를 지닌 유명한 사람들의 얼굴을 오마주hommage하여 작품에 등장시킨다.

좋은 크립토아트란 작품 전체의 맥락에 크립토 내러티브가 자연스럽게 녹아있는 형태여야 한다. 재미 요소만으로 자신의 그림에 이더리움의 다이아몬드 아이콘을 뜬금없이 그려넣거나 행여나 판매에 유리하다는 이유로 크립토 이슈를 도입하는 단순한 방식을 취하지 않기를 바란다. 물론 이는 창작의 자유에 해당하는 영역이라 '이렇게 해야만 크립토아트이고 좋은 작품이다'라고 규정지을 수는 없다. NFT의 가치는 거래량과 거래액에 영향을 받는 상황에서 창작자는 잘 팔리는 요소를 단순 도입하려는 유혹에 빠질 수도 있다. 하지만 '나는 왜 이렇게 표현하는가?'라는 질문을 끊임없이 던지며 작품 세계관을 형성해나가는 작가를 NFT 아트 세계에서도 만날 수 있기를 기대한다. 크립토아트의 특징적 요소가 정립된 이유에는 NFT 초기 시장 컬렉터층이 블록체인과 가상자산 업계 종사자들이 다수였기에 이들이 선호하는 내러티브가 반영되어서이다.

크립토 시장의 흐름을 주의 깊게 관찰하고 블록체인과 암호화폐에 담긴 가치와 철학에 공감한 작가가 크립토 내러티브를 작품에 녹여냈을 때 전해줄 수 있는 감흥과 재미는 남다르다. 그러한 의미에서 EH21 작가의 NFT 작품을 소개하고 싶다. EH21은 선화예중, 선화예고, 서울대학교 미술대학을 졸업한 후 평생의 정체성으로 삼을 NFT 작가의 길을 선택했다. 작가는 비드코인 베이비의 약자인 빗비Bitby라는 이이 게릭터에 그립토 내러티브를 반영한 NFT 컬렉션을 선보이고 있다. 2022년 1월은 암호화폐 하락장으로 각종 뉴스가 쏟아져나오던 시기였다. 그 무렵 EH21 작가가 NFT 작품 〈Bitby_To The Moon〉를 오픈시에 민팅했다. 암호화폐 업계 사람들이나 이용자들이 사용하는 '암호화폐 용어'들이 있는데 NFT 작가들도 크립토 세계에 놓여 있다보니 어느 순간부터 재미로 사용하곤 한다. 그 중 하나가 '투더문to the moon'이란 표현인데 암호화폐 가격의 상승세가 달에 가까워질 정도로 높다는 뜻이다. 사람들은 실제로 코인의 가격이 오를 때뿐 아니라 앞으로 많이 올랐으면 좋겠다는 바람을 담아서 '투더문'이라 표현한다.

작가는 코인에 투자하는 사람들의 심리를 관찰하며 이것이 마치 자신의 욕망을 과감없이 표현하는 아이의 순진무구한 솔직함과 유사하다고 느꼈다. 오르락 내리락 가격 변동성이 큰 암호화폐 및 블록체인 업계는 시장이 얼어붙는 크립토 겨울을 지나 다시 봄을 맞이하며 그럼에도 불구하고 성장하고 있다. EH21는 크립토 업계의 변화를 관찰하며 빗비의 성장 앨범과도 같은 NFT 아트 작품을 창작한다.

크립토아트에 대한 초기 연구는 2018년 아트 매거진 「아트놈Artnome」의 '크립토아트는 무엇인가?What is Crypto Art?'라는 글에 담겨 있다.

1. 디지털 네이티브Digitally Native

예술작품은 디지털 방식으로 제작, 편집, 구매, 판매할 수 있다.

2. 지리적 무제한Geographically Agnostic

인터넷을 통해 전세계 아티스트들이 참여한다.

"크립토아트는 최초의 진정한 글로벌 예술 운동이다

CryptoArt is the first truly global art movement"

3. 민주적Democratic, 무허가성Permissionless

학벌, 성별, 인종, 나이 등 각 사람의 배경과 환경에 상관없이

모든 사람들이 참여할 수 있다.

4. 탈중앙화Decentralized

방법과 가이드라인이 게이트키퍼나 중개자의 힘을 감소시키고

아티스트의 자율성을 높이기 위해 고안되었다.

5. 익명성Anonymous

실명이 아닌 가명pseudonyms으로 예술작품을 제작하고 판매할 수 있어

사회적 판단에서 자유로울 수 있다.

6. 밈적Memetic

빠르게 전파되어 가치를 지니는 밈Meme의 특성을 지닌다.

7. 자체 참조Self-Referential

암호화폐와 블록체인의 문화 내에서의 주요 사건과

유명인을 작품에 도입한다.

8. 크립토후원자CryptoPatrons

암호화폐 업계의 초기 진입자인 기술 전문가들이나

투자자들의 집단인 크립토리치Crypto Rich가 작품을 수집한다.

9. 프로 아티스트Pro-Artist

블록체인 플랫폼은 아티스트에게 수수료를 거의 받지 않거나
전혀 받지 않으며 아티스트들이 개별 작품 판매가 이뤄질 때마다
보상을 받는다.

10. 예술적 무지

모두에게 열려 있어 전통적인 기준만으로 판단하기 어렵고,
표현력이나 창의성 그리고 단순하게 좋다는 느낌으로
작품의 가치를 판단할 수 있다.

또 하나 두드러지는 특징은 사이퍼펑크Cypherpunk 스타일인데, 2021년 봄 무렵만 해도 찾아보기 쉬웠으나 최근에는 그 빈도가 많지 않은 듯하다. 사이퍼펑크는 암호를 뜻하는 사이퍼cipher라는 단어에서 'i'를 'y'로 바꾸고, 기존 권위와 조직에 대한 저항을 뜻하는 펑크punk라는 단어를 합친 말이다. 사이퍼펑크는 주류 권력이자 중앙집중화된 국가와 글로벌 거대 기업으로 대변되는 빅브라더가 개인의 삶을 감시하고 통제하는 기존 질서에 저항한다. 컴퓨터와 인터넷의 발달로 정부와 거대 기업이 개인의 사생활과 관련된 모든 정보를 수집할 수 있게 되자 사이퍼펑크는 개인 정보 보호를 위해 암호 기술을 활용했다.

사이퍼펑크를 사이버펑크와 혼동할 수 있는데 이 둘은 연관이 있다. 사이퍼펑크는 사이버펑크cyberpunk에서 발전된 개념으로 사이버펑크 운동과 암호기술이 결합해 탄생한 것이다. 사이버펑크는 과학소설의 한 장르로서 인공지능 사이보그 로봇이 등장하거나 거대 조직에 침투하는 해커가 등장한다. 뿐만 아니라 사이버펑크는 탈중앙화 정신을 지향하며 개인의 자발적 참여를 강조하는 운동을 칭하기도 한다.

2장.

커뮤니티 기반 NFT 아트

NFT 활동에 있어 커뮤니티의 중요성

NFT에서 커뮤니티는 매우 중요하다. 물론 여타 다른 프로젝트와 대다수의 사회 활동에서도 커뮤니티는 중요하다. 그런데 NFT에 있어 커뮤니티의 중요성은 특히 도드라지며, 그 이유는 다음과 같다.

우선 아무리 인지도가 있고 오래 활동한 예술가라고 해도 NFT 커뮤니티에서 활동하지 않는다면 그 작품은 잘 팔리지 않는다. 글로벌 팬 커뮤니티를 보유한 셀럽이 아닌 이상 소셜미디어를 통해 자신의 작품을 알리는 것은 중요하다.

NFT 커뮤니티는 현실에서 협회 등의 예술 단체와는 성격이 다르다. 일단 트위터, 디스코드, 카카오톡 오픈채팅 등 소셜미디어를 기반으로 커뮤니티가 형성되어 있고, 온라인에서 주로 교류하고 소통한다. 코로나19로 물리적 상호 접근의 기회가 줄어든 상황에서 형성된 문화이기도 하지만 블록체인이 국경을 넘어 사람들을 연결하는 기술이기 때문이다. NFT 작가는 글로벌 시장에서 다양한 국적의 창작자 및 컬렉터들과 만날 수 있다.

작가는 NFT 마켓플레이스에 작품을 선보인 후에 관련 소식을 트위터에 주로 영어로 남긴다. 만약 NFT 작가가 NFT 작가 커뮤니티에 소속되어 있다면 트위터로 친구를 맺은 다른 작가들이 열심히 서로의 NFT 작품 소식을 리트윗하며 최대한 널리널리 홍보 글이 노출되도록 도와준다. 만약 작가가 직접 소셜미디어를 통해 활발한 소통을 하기 어려운 경우 에이전시나 NFT 작품 판매를 대행해주는 기업에서 치밀한 마케팅 및 언론홍보 전략을 수립해야 한다. 현실 미술계의 입지적인 작가라 할지라도 실물 미술 작품의 컬렉터층과 NFT 아트 컬렉터층은 아직 일치하지 않기에 더 그러하다.

NFT 커뮤니티의 중요성은 비단 판매를 위해서만이 아니다. NFT 아티스트는 커뮤니티 활동을 통해 범죄 예방이나 리스크 노출을 피할 수 있고, 컬래보레이션 프로젝트를 진행할 수도 있다. NFT 시장과 산업이 발전하는 속도가 NFT 창작자 및 투자자 보호를 위한 규제와 법제, 정책 마련의 속도보다 훨씬 빠르다. 그러한 상황에서 스캠, 해킹, 피싱 등 다양한 범죄가 일어난다. 오픈시에 내 작품과 유사한 작품이 그대로 다른 계정으로 올라왔을 때 커뮤니티에 소속되어 있는 NFT 작가는 이 소식을 오픈카톡방과 트위터에 공유한다. 그러면 다른 동료 작가들이 오픈시 스캠 계정에 들어가 신고 기능Reporting을 사용해 함께 오픈시에 제보를 하고 스캠 계정의 트위터에 들어가 영어로 항의 글을 남긴다. 이런 식으로 NFT 저작권 침해를 한 계정을 오픈시에서 삭제하고 커뮤니티에서는 어떤 계정을 주의해야 하는지 인지하는 방식으로 스캠 문제에 대응하고 있다.

이 외에 다양한 관련 범죄나 사기 등이 NFT 세상에서 벌어지고 있다. 인스타그램이나 디스코드, 트위터의 쪽지 보내기 기능인 DM을 열어보았는데 당신의 작품에 관심이 있다며 협업을 제안하는 등의 글이 영어로 날아온다. 그 때 감언이설에 속아 먼저 클릭하라는 링크를 누르거나 지갑을 연결해 달라는 요구를 수락하는 경우 NFT 작가의 지갑을 해킹하는 나쁜 사람들이 있다. 처음에는 이 수법이 어떠한지 잘 몰라 당하는 작가들도 많았다. 이러한 피해 사례가 커뮤니티에서 공유되면 어떤 식으로 해킹과 피싱 등의 범죄가 NFT 작가를 대상으로 벌어지는지에 대해 파악하고 조심할 수가 있다.

또한 창작자들 중에 지식재산권에 대한 이해가 부족한 경우 본의 아니게 저작권 침해를 할 수 있다. 실제로 어느 NFT 작가는 디즈니 작품을 패러디한 NFT를 민팅하기 전에 다른 작가들이 향후 문제가 될 수 있다는 점을 미리 알려줘서 바로 해당 작품을 삭제하기도 했다. 이처럼 집단 지성을 통해 축적된 정보를 통해 상호 학습할 수 있고 함께 NFT 작가로서 필요한 역량을 키워나갈 수 있다. 또한 커뮤니티 활동을 하면서 미술 작가들도 음악, 사진, 영상 등 다른 장르의 작가들을 만나 서로 교류하며 작품의 결이 맞는 경우 콜라보 작업을 진행하는 경우도 있다.

PFP NFT 프로젝트도 커뮤니티가 상당히 중요하다. 동일 프로젝트에서 NFT를 소유한 사람들은 NFT의 가치 상승을 위한 공동의 노력을 해나간다. 그래야 처음 구매 가격보다 높은 가격에 되팔 수 있을 뿐더러, 그 NFT를 들고 있음으로 해서 해당 프로젝트의 멤버로 정서적 소속감과 자부심을 경험할 수 있다. NFT의 투자 가치를 상승시킨다는 동일한 목적 하에 개별 홀더와 프로젝트 운영진은 한 배를 탄 것과 같다. PFP NFT 프로젝트도 오픈시에 스캠 계정이 나타난다. 심지어 공식 판매 일정 전에도 저작권 침해 계정이 오픈시에 올라오기도 한다. 이더리움 기반으로 민팅한 프로젝트인데 클레이튼 기반으로 올라오는 경우도 있다. 이러한 정보는 모두 커뮤니티를 통해서 발빠르게 얻을 수 있다.

자신이 구입하길 희망하는 PFP NFT 프로젝트가 있다면 반드시 공식 커뮤니티의 채널에 가입해 관련 정보를 수시로 받아보는 편을 권한다.

NFT 프로젝트의 경우 공식 홈페이지와 트위터, 오픈 카카오톡, 디스코드와 같은 커뮤니티 채널을 열어둔다. 이 모든 채널을 일일이 확인하기 어렵다면 적어도 한 종류의 소셜미디어는 주기적으로 살피면서 프로젝트가 진행되는 과정에서 얻어야 할 정보는 무엇인지 숙지해나가야 한다.

메타버스든 현실 세계든 사람이 모이는 곳에는 갈등과 문제가 생긴다. NFT 커뮤니티에는 분명 단점도 있다. 작업에만 집중할 시간에 여러 소셜미디어 활동을 해야 하니 작가로서 피로감을 느낄 수도 있다. 익명성을 기반으로 하기에 내가 속한 NFT 커뮤니티에 누가 어떤 의도로 참여하고 있는지 일일이 파악하기도 어렵다. 자신은 순수한 마음으로 소통하고 정보를 공유할지라도 그것을 이용하거나 불순한 의도로 사용하는 사람이 나타날 수도 있다. 혹은 자신을 공격해오는 언사를 던지는 멤버로 인해 불필요한 감정 소모를 겪게 될 수도 있다. 하지만 NFT 커뮤니티에서 어느 정도의 빈도로 얼마만큼의 시간을 들여서 어디까지 자기 노출을 하면서 활동할지의 선택은 자신이 자유롭게 할 수 있다. 탈중앙화는 행동을 강요하지 않는다. 권력의 분산은 본인이 선택해야 하는 자유도를 높여준다. 원하지 않는다면 내가 속해있던 NFT 커뮤니티의 오픈톡방을 나가도 된다. 자신이 구입하여 가입한 PFP NFT 프로젝트 커뮤니티에서의 교류와 소통, 정보 습득 과정이 재미있고 삶에 활력을 주는 것이 아니라 피로감이 크다면 그 NFT를 되팔고 커뮤니티에서 나와도 된다. 그 누구도 활동을 강요하지 않는다. 그런데 신기하게도 NFT는 인간의 본성을 자극하며 중요한 본질적인 욕구를 충족시키는 특징을 가지고 있다. 그 누구도 강요하지 않았지만 자신이 원해서 자발적으로 커뮤니티 활동을 하는 이들도 많다.

나는 다수의 NFT 커뮤니티의 오픈톡방에 들어가 있으며, 디스코드로는 국내외 NFT 프로젝트 방에 들어가 살펴보고 있다. 오프라인에서

NFT 작가 및 여러 프로젝트팀과 만남을 갖기도 하지만 아직은 온라인 교류의 비중이 더 많다. 2021년 3월부터 시작해 꾸준히 이어오고 있는 이러한 NFT 커뮤니티에서의 경험이 나에게 어떠한 가치를 전해주었는지도 살펴보았다. 우선 NFT 작가 커뮤니티에서는 어떠한 새로운 작품들이 NFT 아트 영역에서 탄생하고 있는지 매일매일 확인할 수 있어 즐겁고 무엇보다 그러한 작품을 창작한 NFT 작가들과의 교류와 소통이 삶을 풍성하게 채워준다고 느낀다. 클럽하우스와 트위터 스페이스에서 서로의 목소리를 듣고 작품 이야기를 경청하고 또 질문하면서 청각을 통한 친밀감이 형성되기도 한다. NFT 실물전시와 소모임 등의 이벤트가 생길 때 오프라인에서 실제로 만나면 약간의 어색함과 그보다 큰 반가움을 느끼게 된다. 온라인만으로는 본인이 드러내지 않는 이상 그 사람에 대해 뚜렷하게 알 수가 없다. 나 역시 수많은 NFT 작가들과 소통해왔지만 그 사람의 본명이 무엇인지 어떻게 생겼는지 무엇을 하고 어디에 사는 사람인지까지는 다 기억하고 알지 못하는 경우가 많다. 개별적으로 더 소통하거나 혹은 만남을 갖지 않았을 경우를 제외하고는 말이다. 그보다는 카카오톡이나 트위터에서 프로필로 쓰고 있는 NFT 이미지, 아티스트 느낌이 풀풀 나는 작가명, 클럽하우스에 들었던 목소리로 그 사람을 기억한다. 그렇게 알아간 사람을 NFT를 매개로 실제로 만나게 되는 첫 날에 약간의 설렘과 긴장이 교차하며 굉장히 묘한 느낌을 받기도 했다. NFT 커뮤니티에서 경험하는 연결성은 느슨한 듯 강하며, 강한 듯 느슨하다.

NFT와 커뮤니티는 실은 분리할 수 없는 개념이다. 이 둘은 사람이라면 누구나 지니고 있는 본능적인 필요인 연결, 소통, 자기 표현 등의 욕구를 자극하고 충족시켜준다. 그리고 이 정서적 교감은 NFT의 경제적 가치를 상승시키고자 하는 욕망과 결합되기도 한다. NFT와 커뮤니티는 중독성이 있다.

1세대 한국 NFT 아티스트 커뮤니티의 형성

2021년 3월, 일론머스크의 연인 그라임스가 창작한 디지털 아트 NFT 작품이 니프티 게이트웨이에 약 65억원에 판매되고, 불과 열흘 뒤 비플의 NFT가 크리스티 경매에서 약 785억원에 낙찰되었다. '도대체 NFT가 뭐길래'라는 헤드라인으로 NFT 열풍에 낀 거품과 혁신 가치를 대조적으로 조망하는 국내외 기사가 빗발쳤다.

그 무렵 한국에서는 클럽하우스와 카카오톡 오픈채팅방을 중심으로 한국 NFT 아티스트 커뮤니티가 자생적으로 형성되고 있었다. 당시 나는 카이스트에서 'NFT 창작자와 산업'을 주제로 한 학기 연구를 진행했다. 미디어를 통해 고가로 거래되는 NFT 아트에 관련된 뉴스 외에 정말 국내에서는 NFT에 예술가들이 어떻게 반응하고 행동하고 있는지 알고 싶던 차에 한국에도 NFT 아티스트 커뮤니티가 있다는 정보를 듣게 되었다. 코로나 19 확산이 진정되지 않은 상황에서 한국 NFT 아티스트 커뮤니티가 카카오톡, 트위터, 디스코드, 클럽하우스 등의 소셜미디어를 중심으로 형성되었던 것이다. 3월만 해도 나에게 트위터와 디스코드는 낯설게 느껴져 오픈 카톡방인 '클하NFT(NFT ARTIST 모임)'에 먼저 들어가봤는데 하루에도 엄청나게 많은 톡이 올라와 처음에는 그 속도에 익숙해지려 정신 없었던 기억이 난다.

클하 NFT에는 팬데믹으로 전시 기회가 줄고 작품 판매 활로가 막힌 작가들이 절박한 심정으로 블록체인 NFT 기술을 이해하고자 모여 있었다. 한국 NFT 아티스트 커뮤니티가 시작된 그 무렵은 아직 추운 겨울 바람이 가시지 않은 봄의 길목이었다. 그런데 그 당시 NFT 커뮤니티의 온도는 따뜻했다. 어려운 블록체인 기술 용어를 서로 가르쳐주고 도전하고 실패하기도 하면서 시행착오를 거듭하는 작가들의 모습들을 지켜보며 봄을 맞이했다. 우리가 서로 나눈 거라고는 채팅과 목소리뿐이었는데도 말로 다 설명할 수 없는 뭉클함과 생명력을 느꼈다. 그 현장에 거품이란 단어는 어울리지 않았다.

당시 최초의 생생한 역사를 담기 위해 NFT 아티스트들이 아버지라 부르는 킹비트Kingbit님의 이야기를 들어보았다. 어렸을 때부터 그림 그리는 걸 좋아한 아이의 꿈을 돕고 싶어 클럽하우스에서 아티스트들을 만나기 시작한 아빠의 아들은 한국 최초의 청소년 NFT 아티스트 아트띠프Arthief가 되었다.

[인터뷰] 킹비트: 청소년 자녀의 진로를 고민하다
한국 최초 NFT 아티스트 커뮤니티 빌더가 된 사연

한국 NFT 아티스트 커뮤니티 빌더로 활동하게 된 계기가 무엇인가?

아티스트 모임을 찾게 된 이유가 실은 아이의 진로 때문이었다. 아들이 어릴 때부터 그림 그리는 걸 좋아해서 화가와 만화가가 되겠다고 했다. 아이가 갈 길이 예술가의 길이니 그럼 나는 클럽하우스에서 예술가들의 삶을 좀 엿보자는 생각이 들더라. 그렇게 예술가들의 삶을 이해하면 아이의 꿈을 지원하는데 훨씬 더 도움이 될 수 있을 것 같았다.

한국 NFT 아티스트 커뮤니티의 형성 과정은 어떠했나?

2월부터 선우진 작가가 개인적으로 클럽하우스에서 한국 작가들을 만나 NFT라는 게 있으니 시도해보라고 설득하고 있었다. 2021년 3월 무렵 클럽하우스에 작가들이 모여 있는 방을 찾아다니다가 NFT와 오픈시에 대한 이야기를 나누는 걸 듣게 되었다. NFT를 오픈시에 올리는 방법을 작가들이 말로만 설명하면서 서로 알려주려고 하다 보니 힘들어하는 마음이 느껴졌다. 나는 오픈시를 3년 전에 사용해서 이더리움 기반의 NFT 고양이인 '크립토키티CryptoKitties'를 구입해 보기도 했다. 돌아보니 그때 크립토키티를 구매하며 오픈시를 사용해보았던 경험이 NFT 작가들을 만날 수 있게 이어준 것도 같다.

작가들이 창작을 해야 하는데 거기다 신경을 너무 많이 쓰고 있어 돕고 싶은 마음에 '그럼 제가 PDF 자료를 만들게요'라고 말하고 'opensea에 작품 올리기(opensea.io) / NFT만들기' 라는 제목의 파일을 만들었다. NFT 정보를 담은 자료 공유를 위해 3월 13일 카카오톡 오픈 카톡방을 시작하게 되었다. 방 이름은 클럽하우스 NFT를 줄인 '클하 NFT NFTARTIS'가 되었다. 클하 NFT는 국내 최대 NFT 작가 커뮤니티로 NFTARTIS라고도 표현하는데, ARTIS는 라틴어로 예술을 위한 예술art for art's sake이라는 의미와 인도네시아어로 예술가라는 뜻이 있다. (2022년 6월 12일 기준 오픈톡방 총 862명)

카톡방을 열고 한 달도 채 안 되어 막 200명, 300명이 모였다. 솔직히 겁이 나더라. 너무 많은 분들이 들어와 내가 정리한 NFT 자료를 공유하니까 덜컥 겁이 났다. 현업으로 돌아가려고 선우진 작가에게 '저는 이제 좀 쉬어야 할 것 같아요'라고 말하고 카톡방을 부탁하고 도망나왔다. 그런데 마음 속에서 계속 NFT 아티스트 커뮤니티 생각이 났고, 한 달이 채 안 되어 다시 돌아가서 지금까지 이어오고 있다.

크립토키티CryptoKitties

NFT 작가들 중에 최초의 블록체인 게임 크립토키티로 NFT를 처음 접하게 된 사람들이 은근히 많다. 기술에 대한 초기 경험이 향후 NFT 작업을 시작하는 것에 간접적인 영향을 미친 것이다.

크립토키티는 2017년 블록체인 스타트업 대퍼랩스DapperLabs가 출시한 희귀 고양이 캐릭터 수집 게임이다. 크립토키티는 암호화폐가 단순 송금을 넘어 디지털 자산으로 활용될 수 있다는 것을 보여준 첫 사례이자, NFT 서비스의 대중화에 기여한 프로젝트이다. 2017년 당시 거래량 10만 건에 육박했고, 1만 달러 이상의 고양이가 100마리 이상 거래되어 경제 규모는 4천만 달러에 달한다. 크립토키티 고양이들은 이더리움 토큰 발행 표준 ERC-721 표준을 채택한 증서 방식의 토큰으로 해시값을 가진다. 게임 내에서 고유한 유전자를 지닌 고양이들을 수집하고 교배해 새로운 유전자를 지닌 종을 탄생시키면 된다. 마음에 들지 않는다면 팔면 되고, 원하는 고양이가 있다면 사면 된다. 고양이의 유전자가 '경제적 가치'를 결정짓는다. 일례로 특이한 유전자를 가진 크립토키티 캐릭터 '크립토 드래곤'은 600이더ETH인 약 18억원에 판매되기도 했다.

NFT에 관한 정보는 어떤 경로로 얻었나?

작가들과 오픈시 사용법에 관한 세부 정보들을 하나하나 연구하며 알아갔다. 제일 어려웠던 게 에디션을 나누는 방법이었다. 해외 자료를 아무리 뒤져도 나오질 않았다. 에디션 나누는 법을 알려주는 해외 유튜버를 찾아서 그 내용을 담아 증보판 PDF 자료를 발행했다. NFT 정보를 얻는 것이 굉장히 어려웠고 진입장벽이 높았다.

클하 NFT 커뮤니티의 구성원은 누구인가?

블록체인 신기술인 NFT에 관한 흥미와 관심으로 다양한 사람들이 모여 있다. 아티스트가 제일 많지만, NFT 컬렉터 뿐아니라 크리에이터를 찾기 위해 비즈니스 마인드로 들어온 NFT 플랫폼 관계자 분들도 있다.

커뮤니티 기반으로 어떤 NFT 전시를 진행했나?

2021년 3월 23일부터 4월 5일까지 메타버스 공간인 '크립토복셀Cryptovoxels'에 위치한 이윤성 작가의 '누 갤러리Nu Gallery'에서 70여명의 커뮤니티 아티스트들이 참여한 NFT 전시 〈First NFT Art Group of Exhibition of Korea〉를 열었다. 한국 최초의 메타버스 NFT 그룹전이었다.

다양한 메타버스 공간 중 크립토복셀을 NFT 전시 공간으로 선택한 이유가 있었나?

커뮤니티 초창기만 해도 소수의 핵심 작가들이 활동을 했는데 NFT 작품을 오픈시에 올린 후에는 메타버스 공간에 주목했다. 나는 디센트럴랜드Decentraland랑 '더 샌드박스The Sandbox'를 알고 있었는데 모바일로 참여할 수 없었고 가상자산 지갑이 있어야 했다.

그런데 미스터 미상 작가가 '크립토복셀Cryptovoxels'에 갤러리를 열었다는 소식을 접해서 접속해봤는데 링크만 있으면 들어갈 수가 있었다. 접근성이 좋아 NFT 작가들에게 소개했다.

NFT 전시는 어떤 과정으로 진행되었나?

이윤성 작가가 가장 먼저 크립토복셀에서 밀라노 해변 땅을 사 갤러리를 만들어 자신의 작품을 걸어보며 재미있어했다. 그 순간, 아빠로서 아들 작품도 걸어주고 싶다는 마음이 들었다. 그래서 작가님께 아들 작품을 트랜스퍼transfer(자신이 소유한 NFT를 다른 사람에게 전송하는 것) 해드릴테니 한 번 걸어 달라 부탁했다. 당시 작가들이 오픈시의 기능을 알아가고 있는 단계였다. 이윤성 작가도 "정말이요? 제가 그걸 받아도 돼요?"라고 하시면서 딱 걸어 주셨다. 그런데 옆에 계시던 분들이 "어? 트랜스퍼가 된다고요? 그럼 저도 보내드릴 테니 제 작품도 걸어주시겠어요?"라고 해서 이윤성 작가 계정에 다른 작가들 작품이 많이 갔다. 이후에는 이윤성 작가가 자신의 지갑으로 작가들의 NFT를 받지 않고 작품 이미지를 받아 오픈시로 연결되는 하이퍼링크를 거는 방식으로 전환했다. 이렇게 자연스럽게 메타버스 전시회가 열렸다.

커뮤니티 주최로 NFT 연계 실물 전시를 열기도 했는데 어떻게 진행했는가?

2021년 5월에 서울 인사동에 위치한 문화복합공간 '코트KOTE'와 이태원에 위치한 '빌라 해밀턴' 갤러리에서 《NFT 빌라》를 열었다. 홍학순 작가와 유진상 교수(계원예술대학교 융합예술과)가 기획을 하며 전시 공간을 마련해주었고, 수많은 작가들이 함께 고생하며 이뤄낸 전시회였다. 전시 의도는 그 당시만 해도 아직 메타버스나 블록체인을 아는 사람이 많이 없으니 우리가 NFT 빌라를 만들어 기차역과 같은 플랫폼의 역할로 삼고 사람들을 이 공간으로 초대해보자는 것이었다.

NFT 실물 전시다 보니 디스플레이 기기가 필요했다. 미디어 아티스트 김혜경 작가에게 관련 업체와 연결될 수 있는 방법을 물어보았는데 선뜻 자신이 소유한 기기를 빌려주었다. 혜경 작가가 "제가 디바이스를 선뜻 내놓은 이유는 킹비트 님이 작가들에게 애정을 가지고 돌보시는 것에 감동해서 그걸 보답하는 차원에서 내놓은 거지 다른 이유 없어요" 라고 말해주었는데 큰 감동을 받았다. 스마트 디지털액자를 만드는 '블루캔버스' 라는 회사에 연락을 해 기기 후원을 받기도 했다. 인사동 코트 관장님이 기꺼이 전시 공간을 열어주셨고 저와 선우진 작가가 NFT 강의를 진행했다. 한국 NFT 아트의 첫 문을 연 전시였다고 생각하기에 잊을 수가 없다.

블록체인 철학의 어떤 점에 공감했나?

블록체인의 정신에 대해 굉장한 매력을 느꼈다. 블록체인은 단지 돈 버는 구조에 대한 이야기가 아니라 새로운 세상에 대한 이야기라고 생각한다. 미국에서 2008년 서브프라임 모기지subprime mortgage 사태가 터지면서 자본주의에 한계에 대한 대안을 고민하던 시기에 사토시 나카모토의 비트코인 백서가 세상에 발표되었다. 블록체인이 새로운 시대 정신이라고 생각했다.

커뮤니티 베이스가 아닌 상태에서 민팅과 홍보를 대행해줄 수 있는 에이전시와 함께 NFT를 시작하는 경우도 많아지고 있다. 이렇게 NFT 진입의 경로가 다양해지는 상황에서 그럼에도 커뮤니티가 갖는 역할과 중요성이 있다면 무엇일까?

블록체인 씬에서 커뮤니티는 정말 중요하다. 아무리 좋은 기술력이 있어도 사람들의 지지를 받지 못하면 그 블록체인은 죽더라. 그리고 NFT 씬에 진입할 때 기술과 언어의 장벽에 부딪치게 된다. 그 장벽을 개인이 뚫는 것은 너무 어렵지만, 커뮤니티에서 그 장벽을 뛰어넘을 수 있는 힘을 얻을 수 있다. NFT 홍보에도 커뮤니티는 필요하다. 처음 커뮤니티를 만들고 한국 작가들이 외국인들에게 홍보할 수 있는 공간이 트위터밖에 없었다. 유명하지 않은 작가일지라도 해외 컬렉터를 찾을 수 있는 방법은 커뮤니티의 힘을 받아서 타임라인에 NFT 작품을 노출시키는 거다. 민팅한 작품을 트위터에 올리고 서로 리트윗하는 방식으로 말이다.

NFT 아티스트 커뮤니티의 파운더이자 빌더로 활동하면서 기억에 남는 순간이 있다면 언제인가?

제일 좋아하는 피드백이 있는데 "꿈을 접었는데 NFT 시장을 만나면서 다시 그림을 그리게 되었어요"라는 말이다. "다른 분을 만나면서 창작 욕구가 막 생겨요. 그래서 행복해요"라는 이야기도 많이 좋아한다. 그리고 유화, 일러스트레이션 등 자신의 한정된 범위 내에서만 활동하던 분들이 다양한 장르의 사람들을 만나면서 새로운 시너지가 생기는 순간을 발견할 때도 감동을 느낀다.

NFT를 할까 말까 고민하시는 아티스트들에게 어떤 이야기를 해주고 싶은가?

그런 분들을 만나면 늘 드리는 말씀이 있다. "작가님. 들어와 보십시오. 왜냐면 안 되도 현상 유지이고 되면 플러스입니다. 그러니 손해 보실 게 없어요. 들어와서 NFT 활동을 시작하고 판단하셔도 늦지 않습니다"라고 항상 말씀드린다.

사랑하는 NFT 아티스트들에게 어떤 말을 하고 싶은가?

"용기를 내세요. 새로운 시장이 열렸고 아티스트들의 세상이 왔습니다" 라고 말하고 싶다. 기술은 사람을 이롭게 한다. NFT라는 새로운 기술이 나왔다. 사람들을 이롭게 만드는 그 기술을 누구나 향유할 수 있도록 만드는 것은 아티스트의 영역이다. 그 공간에 대중의 마음이 쏠리게 할 수 있는 건 아티스트들이다. 진정 아티스트가 필요한 세상이 열린 거라고 생각한다. 아티스트들에게 "용기를 가지세요. 뛰어드세요. 도전하세요"라고 말씀드리고 싶다. "여기 손을 잡아줄 사람들이 있습니다. 손을 잡아줄 테니까 손을 내미세요"라고도 말이다. NFT는 '아티스트들에게 천국과 같은 세상을 열어줄 수 있다'고 단적으로 표현하고 싶다. 세상으로 나아갈 수 있는 열린 문인 것이다. NFT는 창작자들에게 디지털 르네상스이자 새로운 세상을 열어준 기술이다.

국경을 초월해 연결된 NFT 커뮤니티

NFT 커뮤니티는 국경을 넘어 형성된다. 블록체인과 메타버스 기술은 국경을 초월한 글로벌 시장을 열어주었다. NFT 작가들은 자신의 국적에 해당되는 커뮤니티를 기반으로 하여 미국, 영국, 프랑스, 일본, 태국 등 다양한 국가의 NFT 작가들과 교류한다. 소셜미디어를 통해 음성과 텍스트로 소통하고, 메타버스 플랫폼 공간에서 아바타로 만나 함께 전시와 공연을 진행한다.

영어에 익숙하지 않을 지라도 NFT 작가들은 열심히 구글 번역기와 파파고를 활용해 자신이 어떤 작업을 하는 누구인지를 영어로 표현한다. 따로 NFT 작가에게 필요한 영어 표현을 공부하는 소모임을 만들기도 하며, 개중에는 전화 영어를 수강하는 열정적인 작가들도 있다. 글로벌 NFT 마켓플레이스가 영어를 사용하고 트위터에서도 해외 컬렉터 및 아티스트들과 만나고자 하는 목적이 있기에 영어는 필수이다. 하지만 영어 실력은 개별차가 있기에 보다 원활한 소통을 위해 영어에 능숙한 작가들이 모더레이터가 되어 진행을 돕기도 한다. 한국 NFT 작가가 오픈시에 새로운 작품을 선보이기 며칠 전에 트위터에 드랍파티 소식을 올린다. 자신이 속한 NFT 커뮤니티에도 미리 드랍파티에 관한 간단한 소개글과 링크를 공유한다. 한국어로만 진행하는 경우도 있지만 통역을 담당할 모더레이터가 있을 경우 한국어와 영어를 섞어서 드랍파티를 진행한다. 최근에는 프랑스와 일본에서 현지 NFT 작가들과 한국 작가들이 교류하는 기회도 생겼다. 물론 프랑스어와 일본어에 능숙한 한국 작가들이 모더레이터로 양국의 작가 커뮤니티의 원활한 소통을 돕는다.

우리는 하나의 예술작품을 감상하고 그 가치를 이해하기 위해 다양한 접근을 해나갈 수 있다. 이것이 NFT 이건 실물 작품이건 디지털 아트이건 상관없다. 작품에 다가가는 길에는 시각적 형태에 담긴 작품 자체의 미학에 몰두하는 방법도 있고, 작가가 어떠한 세계관을 가지고 이 작품을 만들었는지 그 '사람'에 대해 이해할 때 작품의 미학이 완성되기도 한다. NFT는 특히 그러하다. NFT가 지니고 있는 본질적 특성은 연결성이다. 작가와 또 다른 작가를 연결하고, 한국의 작가와 미국, 일본, 태국 등 다양한 나라의 작가를 연결한다. NFT로 인해 한국인 작가와 해외 컬렉터가 연결되어 소통하기도 한다.

예술은 여전히 멀고 높고 어렵다. 다가가기 힘들고 먼 존재이다. 그러나 또 다른 세계로 나아가는 문을 열어 누군가 친절하게 다가와 알려준다면 예술은 한 사람의 평생의 따뜻한 위로이자 친구와 같은 끈끈한 동반자가 되어줄 수 있다. NFT 아트 세계에서 드랍파티라는 문화는 그렇게 한 사람의 세계를 열어주는 문과 같다. 그리고 그 문은 세계로 통해 있다. 물리적, 언어적 장벽을 뛰어넘는 커뮤니티의 문화와 활동은 처음부터 자연스럽게 조성된 것이 아니다. 그 시작에는 자신의 재능을 한국 NFT 작가들을 세계에 알리고자 기꺼이 열정적으로 사용한 여러 명의 한국 작가들이 있다. 미국에 거주하며 한의사이자 색소폰 연주자, NFT 작가, 전시 기획자로 활동하고 있는 이선재 작가, 프랑스인 남편을 만나 이민을 가 아이 둘을 키우면서도 열정적으로 NFT 작업을 하고 시간이 날 때마다 영어와 프랑스어로 한국 작가들을 세계에 소개해주는 그리다 작가 등이 그들이다. UCLA에서 예술사를 전공하고 NFT는 새로운 예술사의 시작이라는 직감에 NFT 창작을 해나가고 있는 한동이 작가는 한국 작가들이 무한한 애정으로 고마워하며 천사로 부르고 있는 전문 모더레이터이다. 최근에는 외국어에 능숙한 한국 NFT 작가들도 부쩍 모더레이터로 활동하며 다양한 국적의 해외 컬렉터 및 작가들과의 교류를 하고 있다. 이 중 한동이 작가의 시선으로 글로벌 NFT 아티스트 커뮤니티의 이야기를 들으며 NFT가 한국의 예술을 세계에 소개할 수 있는 주요한 매개체이자 새로운 문화를 창출해내는 기회의 문이 될 수 있다는 점에 대해 생각해보았으면 한다.

한국 NFT 아트를 세계와 연결하는 작가
한동이Donglee Han

국경을 초월한 NFT 아트씬에서 세계에 작품을 소개하고 해외 컬렉터를 만나기 위해서는 언어의 장벽을 뛰어넘어야 한다. 한동이 작가는 UCLA에서 예술사Art History를 전공한 LA의 비주얼 아티스트로 트위터 스페이스 등에서 'Korean NFT'를 운영하며 글로벌 시장에 한국 NFT 작가들을 소개하고 있다. 뿐만 아니라 메타버스 전시 기획자, NFT 컬렉터이며 해외 커뮤니티 운영자로서 다수의 글로벌 제너러티브 PFP 프로젝트 Caked Apes, Pixel-Tots, Space Inmates를 진행하고 있다. 2022년 뉴욕에서 열리는 세계 최대 NFT 컨퍼런스 'NFT.NYC' 에 연사로 초대받기도 했다.

NFT를 언제 처음 알게 되었고 그 순간 어떤 생각이 들었나?

2021년 2월에 미국 클럽하우스 방에서 처음 NFT를 접했다. 그 때 이미 슈퍼레어나 니프티 게이트웨이에 진출한 작가들도 있었다. 작가들과 이야기를 나누면서 NFT가 예술사의 새로운 무브먼트의 시작이 될 수 있을 거라 생각했다.

한국 NFT 아티스트 커뮤니티는 언제 어떻게 알게 되었나?

클럽하우스 한국어방에서 작가들을 만나면서 알게 되었다. 8살 무렵 미국에 오고 나서 한국 작가님들과 예술에 대한 이야기를 깊이 있게 나눈 게 처음이었다.

처음으로 선보인 NFT 작품은 무엇인가?

2021년 2월에 기존 일러스트레이션에 애니메이션을 올려 민팅했지만 판매가 잘되지 않았다. 그래서 컬렉션을 지우고 NFT만을 위한 작품을 만들기로 했다. 그렇게 3월 2일 오픈시에서 CMYK Displacement 컬렉션으로 NFT 작품 〈Boss Lady〉를 민팅했다. 미국에 살다 보니 인종 차별 문제를 더 체감하고 있다. 아시아인이든 흑인이든 상관없이 잘 지낼 수 있었으면 좋겠다는 바람을 갖고 있다. 그러한 소망을 담아 모두를 어린 시절의 모습으로 표현해 보았다. 선입견 없이 창조적인 에너지와 사랑으로만 가득 찬 아이의 모습을 담아 행복한 그림을 그리고 싶었다.

NFT라는 새로운 영역에서 아티스트의 다양한 역할을 발견하며 두려움없이 도전하고 열정적으로 배움을 이어가고 있다. 그러한 NFT 씬에서의 경험이 반영된 작품은 무엇인가?

〈Dream〉이란 작품에 새로운 땅에 와서 정착하고 살아가는 나의 이야기를 담았다. 어린 시절 미국에 이민 온 한국인으로서의 삶도 그러하고, NFT 아트 세계에 들어온 것도 닮은 모습이다. 작품 속 그녀는 구세계에서 긴 낮잠을 잔 후 새로운 행성인 디지털 랜드에서 깨어나 사랑이 가득한 새로운 생명으로 공간을 채운다. 다양한 사람들을 만나며 새롭게 열정이 깨어나는 꿈 같은 경험들을 보라빛으로 물들어가는 몽환적인 비주얼로 풀어내보았다. 〈Dream〉은 NFT를 컬렉팅해주신 분들과 NFT로 인해 만나게 된 사람들에게 감사의 마음을 표현하고 싶어서 만든 작품이다.

NFT가 예술가로서의 정체성과 활동에 어떤 영향을 주었나?

TV 매체에서 접한 한국이 아니라 실제 한국에 살고 계시는 분들과 작업과 삶에 대한 이야기를 나누면서 '한국인의 정체성'을 발견하는 데 도움이 되었다. 예술사를 전공해서인지 알고 있는 것도 많고 기대치는 높은데 나의 작업이 그만큼 못따라 간다고 생각했다. 뭘 해도 하나하나 다 의미를 찾아야 할 것 같고 역사 속의 작가님들의 작품이 떠오르기도 하면서 붓터치가 안되더라. 나의 목소리를 내면서 창작하는 것이 쉽지 않았는데 NFT를 만나면서 그러한 자신이 용서가 되는 기분이었다. 아직 정립되지 않은 곳에서 새롭게 알아가며 나의 것을 만들어갈 수 있겠다는 마음이 들었다.

koreannft.com 사이트를 직접 만든 이유는 무엇인가?

해외 클럽하우스 방에서 한국 NFT 작가들을 소개해달라는 요청을 받을 때마다 말로만 설명하니 시각적 요소가 없어 아쉬웠다. 당시 작가들의 소셜미디어나 사이트가 한국어로 되어 있어서 해외 분들이 읽기 어려웠다. 그래서 한국 NFT 작가와 작품을 영어로 소개하는 사이트를 만들었고, 커뮤니티의 주요 행사와 활동 소식도 알리기 시작했다.

NFT 작가이자 메타버스 전시 기획자로도 활약하고 있다. 2021년 4월에 가상현실VR 메타버스 갤러리에서 열린 《KOREAN NFT》 전시를 기획하게 된 이유는 무엇인가?

'koreannft.com' 사이트를 운영하며 KOREAN NFT 클럽하우스 방에서 한국 작가들을 영어로 해외에 소개하는 'NFTs Artist Spotlight' 코너를 지속적으로 진행했다. 그러다 보니 자연스럽게 해외 컬렉터 분들이나 NFT 관련 프로젝트를 하는 분들에게서 연락이 왔다. 그렇게 'NFT Oasis'라는 VR 기반 메타버스 기업과도 연결되어 한국 NFT 아티스트 커뮤니티의 작가들을 해외에 소개하고자 전시를 기획하였다. 2021년 4월 17일부터 24일까지 마이크로소프트의 메타버스 플랫폼인 '알트스페이스VR(Altspace VR, altvr.com)'에 한국관이 열렸다. 일일 관람객이 500여명에 달했다. 88명의 한국 NFT 작가들이 아바타로 입장해 메타버스 갤러리에서 NFT 작품을 전시했다.

"디지털 아트도 아우라를 전달할 수 있다는 경험을 할 수 있었다. 나는 페이스북의 가상현실VR 헤드셋인 '오큘러스 퀘스트'를 끼고 관람했는데 어마어마한 사이즈의 작품에서 압도감을 느꼈다. 메타버스에서는 실물로는 구현하기 어려운 크기의 작품을 구현할 수 있다. 피지컬 세상에서 보는 전시회 못지 않는 감동을 충분히 메타버스 공간에서도 전달할 수 있다는 걸 깨닫고, 메타버스 전시의 가능성과 잠재력을 확신할 수 있었다."

— 한국 최대 NFT 작가 커뮤니티 빌더,
킹비트(박영범)의 메타버스 전시 《KOREAN NFT》 관람 소감

한국 NFT 아티스트 커뮤니티에서 '드랍파티'를 기획한 이유는 무엇인가?

한국 작가들을 해외 시장에 알리기 위한 방법을 모색하던 중 '드랍파티'를 소개했다. 영어가 익숙하지 않은 작가들이 한국어로 작품을 소개하면 중간중간 내가 영어로 통역을 했다. 해외 주요 NFT 아티스트와 컬렉터 커뮤니티에 한국 작가들을 소개할 수 있는 기회가 되었다.

클럽하우스에서 열렸던 드랍파티 및 다양한 이벤트들이 최근 트위터 스페이스로 이동해 활발히 열리고 있다. 클럽하우스와 트위터 스페이스를 양쪽 다 경험해본 입장에서 어떤 차이가 있을까?

클럽하우스는 스피커 수가 한정되어 있지 않아 더 많은 사람들이 대화에 참여할 수 있다. 나는 주로 한국말과 영어를 번갈아 사용하는 NFT 방을 여는데, 클럽하우스는 닫힌 느낌이라 해외 컬렉터와 작가들과의 교류가 한층 어려워지고 있다. 앞으로 점차 더 트위터 스페이스가 한국 NFT 작가들을 글로벌 시장에 소개할 수 있는 유용한 플랫폼으로 성장할 것이다.

트위터 스페이스는 NFT 씬에서 가장 강력한 소셜미디어인 '트위터'에서 열리는 방이기에 확실한 홍보 효과가 있다. 새로운 사람들이 보다 편하

게 드랍파티에 참여할 수 있고, 바로 작가의 트위터로 들어가 콘텐츠를 볼 수 있다. 그러나 스피커 수가 한정되는 등 아직 사용성에 있어서는 개선되어야 할 점이 있다.

최근에 트위터 스페이스 등에서 NFT 스캠 및 해킹 피해 사례와 방지법에 대해 자주 이야기하고 있는 걸로 안다. 어떠한 점을 유의해야 할까?

수많은 국내외 NFT 커뮤니티가 디스코드에서 활동하고 있다. 디스코드는 외국에서 게임사뿐 아니라 대중이 많이 활용한다. 자유도가 높아 크립토 쪽 사람들도 유용하게 사용 중인데, 최근 들어 악용 사례와 신종 스캠이 늘어나고 있다.

일단 디스코드, 트위터, 인스타그램에서 모르는 사람이 DM을 보내면 먼저 스캠인지 혹은 해킹된 계정인지 의심해보아야 한다. 디스코드는 다른 계정을 쉽게 흉내낼 수 있고, 심지어 특정 프로젝트의 한 서버를 통째로 베껴와 봇까지 활용해 실제 프로젝트 운영진처럼 보이게 만들 수 있다. 운영진이 느닷없이 DM을 보내 특정 링크를 클릭하라거나 지갑을 연결하라고 한다면 의심해라. 마치 프리세일 리스트인 척 혹은 큰 프로젝트 협력인 것처럼 다가오거나 혹은 문제를 해결해주려 도움의 손길을 주려는 것처럼 판단을 흐릿하게 만들며 유도하는 경우도 있다. 스크린셰어를 요청하거나 특정 파일을 다운로드 받으라는 것도 수락하면 안된다. 디스코드나 PFP 민팅 사이트에 지갑을 연결한 경우에는 반드시 마지막에 지갑 연결을 해제하는 습관을 들이길 바란다. 가능하면 DM을 끄는 것을 추천한다.

200점 이상의 NFT 작품을 소유한 NFT 컬렉터이기도 하다. NFT 작품을 지속적으로 구입하게 된 이유는 무엇인가?

2021년 3월 3일 처음 작품을 팔고 떨리는 마음으로 번 돈을 그대로 다른 작가님의 작품 구매에 쓰기로 결심했다. 그 이유는 물론 처음 컬렉팅한 08AM작가의 작품이 좋아서도 있지만 이 시장에 대해서 다방면으로 연구하고 경험해보고 싶어서였다. 그래서 내가 작품을 팔고 버는 이더를 모두 컬렉팅에 사용하게 되었다. 내가 연 클럽하우스나 트위터 스페이스 방에서 누구보다 더 다양한 작가들을 만났고 그들의 이야기에 공감하는 경험을 했다. 한국 작가들을 해외에 알리게 되면서 더 많은 작품들과 사랑에 빠져 컬렉팅하게 된 것이기도 하다.

그외에도 나를 응원해주시고 지지해주시는 많은 작가님들께서 NFT 작품을 선물해주어서 이렇게 아름다운 컬렉션이 생겼다. 곧 이 컬렉션을 멋지게 자랑할 공간을 메타버스 전시 공간을 준비하려 한다.

실험적 공동 창작:
[사례] 리드미컬 NFT 클럽

NFT 아트 돌풍을 일으킨 비플도 모션 그래픽 디자이너이다. 비플의 NFT 작품 〈Everydays: the First 5000 Days〉와 〈Human One〉을 보면서 NFT 아트 영역에서 모션 그래픽 디자이너들의 작가로서의 가능성과 활약이 두드러질 거라는 생각을 지속적으로 해왔다.

그러나 그에 관한 구체적인 국내 동향에 대해 파악하게 된 것은 '리드미컬 클럽'의 아티스트들을 통해서이다. 슈퍼레어에 진출한 세계적인 모션 그래픽 디자이너 김그륜은 NFT 도전 과정과 경험담을 나눌 때 리드미컬 카페를 종종 언급했다.

무려 회원 8만명을 보유한 '리드미컬 카페'는 국내 최대 모션 그래픽 디자이너 커뮤니티이다. 커뮤니티는 교류, 연구, 친목을 위해 네이버 카페 〈RHYTHMICAL imagination〉을 개설해 활동하고 있으며, 무려 15년

간 운영진들과 함께 커뮤니티를 이끌어온 사람이 제로디Zero-D이다. 제로디는 모션 그래픽 디자이너이자 NFT 작가이며 2021년 11월에 다양한 장르를 기반으로 활동하고 있는 국내 NFT 작가들과 NFT 활동을 희망하는 그래픽 디자이너들의 모임 '리드미컬 NFT 클럽(이하 리드미컬)'을 시작했다.

'함께 만드는 컬렉션 -리드미컬 NFT 클럽' 이라는 오픈채팅방에서 제로디는 디자이너에게 왜 NFT 아트가 필요한가에 대해 2022년 1월 이러한 글을 나누기도 했다.

> "리드미컬 카페는 10년 전부터 채용정보에 '신입 최저연봉 기준'을 도입해서 기준 이하의 연봉은 아예 채용정보를 게시하지 못하도록 하고 있다. 그동안 여러 환경적 요인(최저임금 인상 등)의 도움으로 조금씩 올리긴 했지만 여전히 엄청나게 낮은 금액이다. (채용정보 B: 신입 초봉 2,400이상, 채용정보 A: 신입 초봉 2,600이상, 채용정보 S: 시간외 근무수당 지급)
>
> 그냥 이 정도로 할 수 밖에 없나 하고 좌절감이 들 때 만난 게 NFT였다. NFT를 통해 그동안 너무나도 저평가된 디자이너들의 재능의 가치를 새롭게 조명할 수 있을 거라 생각했다. 대기업 하청구조로만 되어 있는 디자인 산업이 아티스트 중심으로 재편될 수 있는 기회가 다가온 것이다.
>
> 물론 앞으로 NFT 시장이 어떻게 흘러갈지 알 수 없지만 중요한 기회가 우리에게 주어졌다는 사실은 분명하다. 그 기회를 어떻게 살릴 수 있을지는 좀 더 함께 나가봐야 알 수 있을 것 같다. "'함께 손잡고, 계속 가보도록 해요. 여러분들은 굉장한 재능을 가지고 있고 우리가 함께 있는 것만으로도 우리는 엄청난 힘을 발휘하고 있습니다. 이미."

이 글은 커뮤니티의 수많은 디자이너들의 공감을 자아냈다. 디자이너들이 왜 이토록 NFT 아트에 진심이고 뜨거운지 나 역시 마음으로 느낄 수 있었다. 이것은 비단 돈에 관한 문제가 아니며, 디자이너들이 아티스트로서 가치를 인정받을 수 있는 기회가 NFT 아트에 있다는 점을 그들 스스로 말하고 있다는 점이 중요하다.

리드미컬은 지속적인 공동 아트 컬렉션 프로젝트를 함께 만들어가는 NFT 아티스트와 수집가들의 커뮤니티이다. 그 첫 결과물로 리드미컬에 소속된 한국 아티스트 130여명의 NFT 아트 전시회 《CLUB》을 개최했다(Collexx Gallery, 2022. 01. 15~02. 27). 전시는 공동 창작한 NFT 아트 컬렉션과 개별 작가들의 릴레이 미니 개인전이 동시에 진행되는 구조다. 리드미컬은 NFT가 '누구나 예술을 만들 수 있고, 누구나 예술을 누릴 수 있는 예술의 민주주의'를 빠르게 실현시키고 있다고 말한다. 《CLUB》은 커뮤니티를 기반으로 태동한 NFT 아트의 구체적인 실체를 NFT와 연계한 실물 전시 형태로 소개하여 대중의 NFT 이해도와 친밀감을 높이는 기획을 시도했다. 전시 기간 내내 참여 작가들이 한 사람씩 돌아가며 자신의 NFT 작품 이야기를 소개하는 현장 도슨트를 진행했고 인스타그램 라이브 방송으로 실시간 송출되었다. 전시 이벤트로 관람객들에게 블록체인 기록 배지인 POAP-Proof Of Asset Protocol, 참여 증명를 주어 경험의 순간들을 기록하고 소유할 수 있도록 했다. 2021년 8월에 출시된 POAP는 출석 증명 프로토콜을 뜻하는 이더리움 NFT 배지 앱이다. POAP 앱(poap.xyz)을 설치한 후 자신의 메타마스크 주소를 입력하고 QR 코드를 찍으면 리드미컬 전시 관람객을 위한 NFT 배지를 받을 수 있다. 메타마스크가 당장 없다 하더라도 작가에게 코드를 받아 메타마스크를 추후에 설치한 후에 배지를 받을 수 있도록 했다.

《CLUB》의 첫번째 공동 컬렉션은 〈Rhythmical NFT Club: Spelling Ticket〉으로 리드미컬의 첫번째 스펠링 'R'을 테마로 한 400여 점의 작품이다. 동일한 형태의 R을 기본 구조로 삼아 다양한 작가들이 제각각의 스타일로 창작했다. 창의적 발상이 자아내는 리드미컬한 에너지를 느낄 수 있는 NFT 컬렉션이다. 두번째 콜라보 컬렉션 〈Rhythmical NFT Club : Tiger〉는 2022년 호랑이 해를 맞아 호랑이를 주제로 한 70여 점의 NFT호랑이 작품들이다. NFT는 오픈시에서 구매 가능하며, 실제 전시장에서는 디지털 아트 디스플레이 기기를 통해 상영한다. Spelling Ticket 컬렉션의 각 NFT 작품은 컬렉디들만 입장할 수 있는 커뮤니티의 티켓 역할을 하며, 컬렉터들은 향후 진행되는 콜라보 컬렉션에서 NFT 작품을 에어드랍 받을 수 있는 추첨 기회를 얻게 된다. 실물 전시장 뿐 아니라 메타버스 플랫폼 '디센트럴랜드'에서도 NFT 전시를 진행했다.

리드미컬에는 작가들이 함께 교류하면 즐길 수 있는 다양한 콘텐츠들이 있는데 '리드미컬 익스피리언스Rhythmical Experience'라고 명명된 클래스 시스템이 대표적이다. 이는 작가들이 자신의 경험과 노하우를 자유롭게 나누는 지식공유 프로그램으로, 메타버스 투어, 2D/3D 툴 강의, 인공지능 스터디, 미술치료, 퍼스널브랜딩 영어회화 등 다양하다. 전문가가 되기까지는 더 많은 시간이 걸리겠지만 그 분야에 대한 호기심이 있다면 이 곳에서 한 번 경험해 본다는 콘셉트로 진행 중이며, 리드미컬 회원이 아니라도 누구나 클래스 참여가 가능하다.

클래스는 리드미컬 디스코드 서버에서 음성채팅과 화면공유 기능을 활용해 진행한다. 클래스 개설 진행 작가에게는 '리드미컬 경험치'가 적립되며, 누구라도 현재 경험치와 랭킹을 바로 확인할 수 있다. 경험치는 커뮤니티 활동 빈도 및 기여도를 확인할 수 있는 객관적 지표로서 경험치가 높은 회원에게는 보상이 주어진다. 예를 들어, 커뮤니티 보유 파운데이션 초대권을 주거나, 커뮤니티 주관 오프라인 및 메타버스 전시 우선 참여권을 제공한다. 누구나 꾸준히 활동하면 언제라도 경험치를 올릴 수 있는 시스템이라 자발적으로 커뮤니티에서 서로 돕고 교류하게 된다. 무엇보다 작품 활동을 열심히 하면 클럽에서 제공하는 많은 기회들에 참여할 수 있다. 리드미컬 익스피리언스와 경험치 시스템은 각 작가들이 서로의 지식을 나누는 동기부여의 장을 제공하여 활발한 학습과 교류의 장을 만드는데 기여한다.

3장.

컬렉터블, 제너러티브 아트, PFP NFT 프로젝트

NFT 데이터 추적 사이트를 찾아보면 여전히 NFT 시장의 다수 거래량은 PFP로 대변되는 컬렉터블, 제너러티브 아트 프로젝트이다. 2021년 중반에는 NFT 아티스트 커뮤니티에서도 왜 아직 한국에는 PFP NFT 프로젝트가 많이 보이지 않을까라는 질문을 던지며 작가 혹은 팀 단위로 PFP NFT를 시도해볼 수 있는 방법을 모색하는 토론이 클럽하우스를 중심으로 열리기도 했다. 2022년에는 국내외를 막론하고 수많은 PFP NFT 프로젝트가 하루가 멀다하고 탄생한 상황이다.

컬렉터블, 제너러티브 아트, PFP NFT 프로젝트 개념 이해

컬렉터블Collectibles은 말 그대로 수집품이다. 수집 가치를 지닌 미술품, 브랜드 상품, 아트토이, 명품 스니커즈 등 그 종류는 다양하다. 옥션에서도 컬렉터블을 따로 분류해 주요하게 다룬다. NFT 데이터 분석 사이트인 논펀저블NonFungible에서는 이더리움 시장에서 컬렉터블(57%), 아트(29%), 메타버스(3%), 스포츠(2%), 게임(2%), 유틸리티(1%), 디파이 순서로 비중을 차지한다고 분석하고 있다. 컬렉터블에 속하는 대표 예시가 바로 크립토펑크이다. 이는 디지털 컬렉터블 NFT로서 수집가치를 지니는 아바타 형태가 많아 PFP NFT 프로젝트라고 하며, 컴퓨터 알고리즘 프로그래밍을 활용해 1만개 정도의 대량 수량을 발행하므로 제너러티브 아트라고도 한다. 컬렉터블, 제너러티브 아트, PFP 프로젝트의 용어는 혼용되어 사용되고 있으나 그 세부 의미는 차이가 있다. 제너러티브 아트Generative art는 생성예술 또는 발생예술로서 컴퓨터 프로그래밍으로 특정 방법을 반복 사용해서 얻는 결과물을 말한다. 넓은 의미로 제너러티브 아트는 컴퓨터가 없어도 반복적 수작업으로 행하는 창작 작업이다. 이때 동일한 행위를 기계적으로 무한반복하여 제각각의 미묘한 질감이나 형태, 움직임, 색감 등 우연한 결과로 차이가 발생하게 된다. 협의의 의미의 제너러티브 아트는 컴퓨터 알고리즘과 소프트웨어 프로세스와 같은 자율 시스템을 활용하여 패턴과 색상 등 조형요소의 크고 작은 변화를 무작위성randomness 방식으로 보여주는 것이다.

제너러티브 아트는 알고리즘을 활용한 반복 행위로 그 차이를 생성해내는 것이기에 반드시 프로필 사진인 PFP 형태일 필요는 없다. 에릭 칼데론Erick Calderon 이 창업한 아트 블록스Art Blocks는 이더리움 블록체인을 기반으로 하는 최초의 온디맨드On demand 제너러티브 아트 플랫폼이다. 참여자가 마음에 드는 스타일을 선택하여 비용을 지불하면 알고리즘이 무작위로 생성한 NFT 아트 작품이 이더리움 계정으로 전송된다. 이는 일종의 주문형 NFT 콘텐츠 생성 및 거래 플랫폼인데 아트 블록스에서 PFP가 아닌 시적인 추상화 형태의 제너러티브 아트를 살펴볼 수 있다.

제너러티브 아트 방식으로 창작한 NFT는 사람의 수작업과 컴퓨터 프로그래밍의 협동 예술이다. 먼저 사람이 점·선·면·색 등 다양한 조형요소와 시각적 속성을 수작업으로 투입한다. 이러한 속성을 프로퍼티Property라고 한다. 이후 컴퓨터가 프로그래밍 과정을 통해 다양한 이미지 결과물을 무작위 생성한다. 이 때 개별 이미지 속성들의 희귀도를 조절할 수 있다. 막상 수십만 개를 생성했는데 마음에 들지 않는 조합이 있다면 그 속성을 제거할 수도 있다. 이렇게 사람의 선별 작업을 거쳐 수량과 작품 형태를 결정한다.

개중에는 이러한 큐레이션이 약하거나 아예 처음에 투입한 사람의 수작업 완성도가 미흡한 경우도 있다. 하지만 초기 투입되는 데이터 역할을 하는 사람의 수작업에 작가의 의도와 스타일을 반영하는 등 예술성을 강화하는 방식으로 작업하여 그 후에 프로그래밍을 돌려 수천, 수만개를 생성하고 중간에 큐레이션으로 작업의 완성도에 미치지 못하는 속성을 제거하여 제너러티브 방식을 적용한다면, 작품의 심미성을 높일 수 있을 것이다. 특정 기업이 단순 외주 형태로 작가에게 몇 장 그림을 그려달라고 말하고 계약을 진행해 이를 프로그래밍을 사용해 무작위 생성하는 형태의 NFT 프로젝트라면 그건 예술이라고 부를 수 있을까. 지금 시장에는 이러한 담론이 전무하다시피하다. 물론 예술성의 추구나 심미적 완성도가 NFT 프로젝트 팀이나 NFT 사업을 진행하는 기업에게 최우선 순위가 아닌 경우도 있다. 실제로 상당 수의 국내외 PFP NFT 프로젝트의 경우 NFT의 미적 속성보다는 가치 상승을 위한 구체적인 방안과 NFT의 활용 가능성 및 실용성을 마련하는 것이 더 중요하게 평가받는다.

어디까지를 예술로 볼 수 있고 아니고냐의 논쟁은 앞으로 전개되어야 할 비평이기에 이 부분은 차치하고서 다시 기본 정의에 대해 살펴보고자 한다.

PFP는 Profile Pictures의 약자이며 알고리즘으로 생성되는 아바타 형태의 NFT로 트위터, 카카오톡 등 소셜미디어의 프로필 사진으로 사용한다. 각 아바타는 액세서리, 정체성, 패션 아이템 등 여러 요소들을 속성으로 지니며 이 속성들이 컴퓨터 프로그래밍으로 랜덤 조합되어 각각의 희소한 NFT가 생성된다. 그래서 PFP NFT 프로젝트는 제너러티브 아트라고도 부르나 엄밀히 말해서 이 둘이 동의어는 아니다. 여전히 시장의 대다수는 PFP NFT 프로젝트이다. 이 경우 동상 1만개 정도로 비슷비슷한 NFT를 만들어 그 각각이 서로 다른 희소성을 지닌다. PFP NFT프로젝트의 주 구매층은 여전히 해당 NFT의 바닥 가격이 오르기를 기대하며 투자 가치를 최우선 목적으로 삼은 사람들이다. 각 NFT의 희귀도[Rarity]는 차이가 있어 가령 1만개로 발행된 동일 프로젝트의 NFT 중 어떤 것은 또 다른 것보다 더 희소하다. 이러한 희귀도의 판별 기준은 애초에 프로젝트 팀에서 만든 희귀도 표[Rarity chart]에 근거하며 이는 해당 NFT의 2차 판매 시 거래 가격 시세에 영향을 미친다. 그런데 최초에 내가 뽑은 NFT의 희귀도가 낮다 하더라도 전체 프로젝트의 가치가 상승하면 개별 NFT의 최저가인 바닥가격도 동반 상승하게 된다. 그래서 PFP NFT 프로젝트의 멤버들은 자발적으로 해당 프로젝트의 가치를 높이기 위한 트위터 홍보와 디스코드와 카카오톡 소통 등의 노력을 기울이거나 유튜브로 관련 프로젝트를 소개하는 영상을 찍는 등 다양한 활동을 한다. 뿐만 아니라 프로젝트 운영진들도 NFT의 가치 상승을 위한 로드맵[Roadmap]을 설계해 전개한다. 일종의 단계별 사업계획안이라 볼 수 있는데 NFT의 가치 상승을 위해 이러한 일들을 진행할거란 흐름을 간단한 글로 홈페이지에 올려두고 트위터 스페이스나 디스코드에서 홀더들의 궁금한 질문을 받고 답변하는 AMA[Ask Me Anything]을 진행한다. AMA는 일종의 주주총회와 비슷한 성격을 띠고 있으나 결국에는 해당 프로젝트의 가치를 높이는 과정에서 NFT 홀더들의 의견을 참작해 좋은 것은 받아들이고 또 오해가 생긴 사업 방향에 대해서는 의문을 풀면서 소통하는 NFT 커뮤니티의 문화라고도 볼 수 있다.

소위 '근본'이라 불리는 좋은 PFP NFT 프로젝트들은 로드맵 계획을 발표하고 차곡차곡 내실 있게 실행해나간다. 로드랩은 NFT를 접목한 P2E[Play to Earn] 게임을 한다, 탈중앙화 금융인 디파이를 NFT에 접목한다, 자체 코인을 발행하는 경제 시스템을 구축하며 토크노믹스tokenomics를 구현한다 등 프로젝트 성격에 맞게 다양하게 구축된다.

그러나 로드맵 발표만 거창하게 하고 실제 실행되는 것은 별로 없거나, 어느 날 관련 SNS를 비롯해 프로젝트 자체가 사라지는 등의 사기 사례가 발생하기도 한다. 그래서 어떠한 PFP 프로젝트가 내실 있는 곳인지 알아가고 판별하는 과정이 중요하다.

개별 작가가 제너러티브 방식으로 NFT를 발행하려면 코딩을 직접 할 줄 알거나 그렇지 않을 경우 개발자와 협업해야 한다. 이러한 기술적 장벽 제거와 초기 비용 절감을 위해 창작자 콘텐츠 커머스 플랫폼 마플샵을 운영하는 마플코퍼레이션이 PFP NFT 프로젝트 진행에 필요한 모든 기능을 제공하는 솔루션 옴뉴움OMNUUM 프로젝트를 선보였다. 컴퓨터 알고리즘 기반으로 입력된 이미지 소스를 자체 배열해 무작위로 작품을 생성하는 제너러티브 아트 빌더 툴이 핵심 기능이다. 코딩 개발 및 블록체인 관련 기술과 인적자원이 없을지라도 크리에이터가 직접 PFP NFT 프로젝트를 진행할 수 있게 된 것이다. 그러나 아직 상용화되지 않은 상태라 여지까지 대다수의 PFP NFT 프로젝트는 각 분야의 전문가들이 일정 기간 자체 계약을 맺고 팀 단위로 운영한다. 구체적인 팀원 구성은 각 프로젝트 성격에 따라 차이가 있을테지만 대략적으로 이러하다. 우선 프로필 사진이자 메타버스 아바타로 사용할 NFT를 매력적으로 보일 수 있게 해주는 아티스트를 비롯하여 원활한 NFT 거래가 가능하도록 기술 부분을 전담하는 블록체인 개발자, 디스코드와 오픈카톡방 등의 커뮤니티 활성화와 모더레이터 등의 역할을 하는 커뮤니티 운영자, 하루에도 쏟아져나오는 수많은 여타 프로젝트들과 차별화시켜 해당 프로젝트를 홍보할 수 있는 마케팅 담당자 등이 PFP NFT 프로젝트에 함께 한다.

PFP NFT 프로젝트는 초반에 세부 로드랩을 다 밝히기보다 우선 1만개 NFT를 프리세일과 메인세일에 거쳐 판매하고 그 이후 차츰차츰 향후 전개될 사업안의 세부 내용들을 공개하는 식이 많아 투자자 입장에서 초반부터 꼼꼼히 모든 것을 다 파악하기 어렵다. 그래서 국내 PFP NFT 프로젝트의 경우 운영진이 포함되어 있는 오픈카톡방이나 디스코드 등에서 프로젝트가 향후 나아갈 방향과 해결해야 할 문제의 극복 방안(주로 바닥 가격 상승 등 프로젝트의 경제적 가치를 올리기 위한 대책) 등을 NFT 홀더들이 적극적으로 표현하는 경향이 있다. 1만개 NFT를 완판하고 끝이 아니라 그 때부터 시작인 것이다.

물론 제너러티브 방식을 활용한다고 모두 팀 단위의 PFP NFT 프로젝트를 진행하는 것은 아니다. 직접 코딩을 하거나 개발자와 협업해 개별 작가가 제너러티브 아트 NFT 컬렉션을 선보이기도 한다. 컴퓨터 프로그래밍을 활용하지 않고 자신의 주요 캐릭터의 형태는 유지하되 각 요소인 눈, 피부, 착용 아이템 등의 색깔에 차이를 두는 식으로 동일 형상의 변주를 시도하는 경우도 있다. 이러한 경우 무작위성에 기대어 결과값이 발생하는 것이 아니라 작가가 의도를 가지고 작품을 창작하는 경우라 엄밀한 의미에서 제너러티브 아트는 아니지만, 작품을 보는 입장에서는 엇비슷하게 느껴질 수도 있다. 그러나 자세히 들여다보고 로드맵은 어떠한지 등을 살펴보면 금세 차이를 발견할 수 있다. 하지만 대부분의 경우 PFP 프로젝트를 구입하는 사람들은 단지 이 NFT의 이미지가 마음에 들어 소장하고 싶어서 구입한다기보다 향후 가격이 오를 것을 기대하는 심리에서 투자 목적으로 NFT를 산다. 그래서 개별 작가 입장에서 제너러티브 방식으로 NFT를 1천개 혹은 1만 개 등 다량 발행할 경우 그러한 방식을 취하는 의도가 무엇인지 NFT 컬렉션 설명을 기입하는 부분에 명시해둘 필요가 있다.

PFP NFT 프로젝트에 관한 미학적 쟁점

내가 처음 NFT에 관심을 갖게 된 이유는 차익을 실현하려는 목적으로 관련 투자 정보를 알기 위함이 아니었다. 블록체인 기술과 만난 예술인 NFT 아트라는 새로운 미래 예술의 혁신 요소와 미학적 가치에 관한 호기심과 탐구 정신에서였다. 그래서 처음에 NFT 작가들을 인터뷰하고 국내외 NFT 아트 작품들을 찾아서 보고 때로는 컬렉팅하고 또 감상하며 연구하는 시간을 보내다가, 그 이후에 점차적으로 한국에도 확대되는 PFP NFT 프로젝트에도 눈을 돌리게 되었다. 이 쪽을 살펴보지 않을 수 없었던 이유는 전체 NFT 시장의 반 이상의 비중을 이들 프로젝트가 차지하고 있기 때문이다.

오픈시에서 판매량이 높은 NFT를 아트, 컬렉터블, 게임, 메타버스 등 영역별로 살펴볼 수가 있어 아트의 상위 랭킹 프로젝트를 확인해보았다. 누적 거래량 1위는 크립토펑크CryptoPunks이며 2위가 지루한 유인원들의 요트클럽 Bored Ape Yacht Club(이하 BAYC)였다. 그런데 이 두 프로젝트는 컬렉터블Collectibles의 누적판매량에도 동일하게 1위와 2위를 차지하고 있었다. 크립토펑크와 BAYC는 둘 다 1만개 NFT를 제너러티브 아트 방식으로 발행하였고, 프로필 아바타 형식의 PFP NFT 프로젝트이며 무엇보다 그 심미적 측면에 있어 바로 예술로 분류하는 것에 주저하게 되는 것이 사실이다. 크립토펑크는 단순한 픽셀 형태의 아바타이나 시각적 요소만 놓고 보았을 때는 그렇게까지 수억원에 달하는 고가로 팔릴 만한 작품인가에 대한 의구심이 들고, 크립토판에서 자꾸 출몰하는 원숭이와 고릴라 아바타의 원조격과 같은 BAYC도 독특한 원숭이 애니메이션 형태의 그림이라는 것은 알겠지만 이게 이렇게까지 비쌀 일인가에 대해서는 의문이 들었다. 그리고 이게 왜 예술로 분류되는 것인지에 대한 수많은 질문들을 던져야 했다.

하지만 이렇게 표면적으로 드러난 시각적 요소만으로 크립토펑크와 BAYC의 가치를 폄하할 수는 없을 뿐더러, 그러한 논쟁이 있을 지라도 이들이 시장에서 차지하는 위치는 굳건하다. 크립토펑크와 BAYC의 소유자라는 것은 자신의 사회적 지위와 경제적 부를 드러낼 수 있어 NFT가 성공한 사람들이 갖는 명품백이나 스포츠카 못지 않은 일종의 사치재와 같은 역할을 한다. 뿐만 아니라 그 NFT를 소유한 사람들만 들어갈 수 있는 특별한 소셜 클럽에 가입해 활동할 수 있기에 NFT는 프라이빗 특별 멤버십 카드로 기능한다. 크립토펑크와 BAYC와 같은 커뮤니티에 들어가면 단지 정서적 충족감과 사회적 연대감을 얻는 차원이 아니라 비슷한 사회적 경제적 지위를 지닌 사람들과의 네트워킹을 얻게 된다. 동일한 커뮤니티에 소속해 있을 경우 커뮤니티 멤버의 활동을 응원할뿐더러 공개적인 구매로 그 지지를 표하기도 한다. 이러한 면을 이해했을 때 크립토펑크와 BAYC의 시각적 요소로 인해 그 가치를 낮게 볼 수 없다는 것은 동의가 되었다. 그러나 이것이 예술로 분류될 만한 것인가에 대한 질문은 오래도록 이어졌다.

예를 들어 오픈시에서 컬렉터블로 분류된 블록체인 게임 '크립토키티'의 경우 아트로 중복 분류되지 않는다. 그런데 왜 크립토펑크와 BAYC는 아트이자 컬렉터블로 볼 수 있을까? 이는 소더비와 크리스티처럼 세계적인 명성을 자랑하는 옥션이 크립토펑크와 BAYC를 수용하고 또 실제 갤러리와 메타버스 갤러리에 전시하기도 하는 등 예술작품으로서의 지위를 부여했기 때문이기도 하다. 소더비는 크립토펑크가 '예술과 컬렉터블의 교차점에 위치하며 두 정의의 경계선을 넓힌다'라고 보았다.

최근에는 국내 PFP NFT 프로젝트들도 아트와 엔터테인먼트 요소를 가미하는 시도를 적극적으로 해나가고 있다. 그럼에도 작품으로서 예술이라 말할 수 있는 것은 개별 작가들의 NFT 아트 분야이고 PFP NFT 프로젝트는 투자를 위한 것으로 예술은 아니다라는 견해도 상당하다. 물론 "우리는 예술이다"라고 말하는 PFP NFT 프로젝트도 있지만 이는 예술적 요소를 도입했을 뿐 그 자체가 예술은 아니라는 주장이 나오는 등 NFT 작가들 사이에서도 의견이 분분한 상황이다. 그런데 아트, 컬렉터블, 게임, 디파이, 메타버스 등 다양한 영역을 품고 있는 NFT 전체 시장에서 가장 큰 비중을 차지하는 것이 왜 PFP NFT 프로젝트인지 현 시장 상황에 대해 한 번쯤은 들여다볼 필요가 있다. 주목할만한 점은 최근 개별 작가들도 PFP NFT 프로젝트에 기존 작업의 세계관을 확장하여 예술적 속성을 가미하는 시도들을 보이고 있다. 단지 장르만으로 예술의 존재 유무를 가르는 것은 단순한 판단이다. 역으로 개별 작가가 창작한 NFT라고 해서 다 예술인가? 작가가 창작한 작품이라는 이유 하나만으로 미적 속성과 가치가 반영되어 있다고 단정할 수 있는가?

그리고 사람의 눈이라는 것이 참으로 굳건한 신념을 유지하는데 기여하기 어렵다. 하도 각종 뉴스를 통해 소식을 듣다 보니 점점 크립토펑크나 BAYC가 좋아보이고 심지어 나도 하나 가질 수 있다면 정말 좋겠다는 소유욕까지 올라오는 자신을 발견했다. 하지만 개인적인 미적 취향으로 여전히 그러한 형태의 NFT를 선호하지는 않는다. 다만 여러 방면으로 요리조리 살펴보면서 가치 판단의 문을 유연하게 열어둘 뿐이다. 왜냐하면 아직 NFT 시장 자체가 극초기 단계이고 이 안의 일부분인 NFT 아트 역시 태동기의 상태이기에, 관찰과 실험은 수년간 더 필요하다.

무엇이 예술인가에 관한 미학적 논쟁이 생기는 것 자체가 현 시점에서는 의미가 있다. 무수한 주장들은 고정될 수 없고 유연하게 변화할 수 있으며 예술과 예술가의 정의 역시 시대와 역사 속에서 변화하며 진화했다. 미학사를 살펴보면 "이것이 예술이다, 아니다"를 구분짓는 수많은 사상가들의 다양한 이론들이 존재한다. 시각적 형태의 완성도나 작품의 주제, 미학적 속성 등을 분석하며 예술로서의 가치 판단 기준을 마련하는 과정은 앞으로 첨예하게 마련되어야 한다.

국내외 수많은 PFP NFT 프로젝트들은 메타버스 갤러리에서 커뮤니티 기반의 NFT 전시회와 공연을 빈번하게 개최하고 그 기획을 살펴보면 창의적인 시도들이 상당히 많다. 그만의 힙하고 핫한 문화가 조성되고 있다. 예술계에 속하지 않았던, 어찌보면 일반 투자자의 입장에 있던 사람들이 예술을 말하고, 우리가 지금 현재 즐기고 느끼고 경험하는 것을 예술로 여기기도 한다.

그러나 분명하게 짚고 가야할 명확한 차이점은 존재하는데 그것이 바로 컬렉터층의 차이이다. 조금 더 정확하게 말해보자면 개별 작가의 NFT 아트 작품을 구입하는 사람들은 예술 애호가와 투자자로서의 성격을 동시에 가지나 전자의 성격이 강하다. NFT 아트 작품을 산 컬렉터가 빠르게 바닥가를 올려달라고 작가에게 요구하는 경우는 많지 않다. 왜냐하면 단기수익실현이 목적이 아니라 정말 그 예술작품과 작가가 좋아서, 작가와 작품 자체에 가치를 부여해서 NFT를 구입했기 때문이다. 물론 그러한 NFT 아트의 경우도 판매를 전제로 한 NFT의 태생적 속성 상 단순 전시와 창작, 소장이 목적의 다가 아닐 수 있다. 마치 실물 미술 작품을 구입한 후 재판매로 수익을 실현하는 경우처럼 투자 목적으로 구입하는 경우도 있고 재판매되면 오픈시의 경우 원작자에게 로열티가 지급되기에 컬렉터와 창작자 둘 다에게 기쁜 일이다. 그러나 내가 개별 NFT 작가의 작품을 구입한다고 했을 때의 투자는 단기간의 차익 실현을 목적으로 한다기보다 장기 투자라고 보아야 맞다. 그 작가가 성장할 시간의 흐름을 인지하고, 새로운 작품들이 나왔을 때 지속적으로 관심을 가지고 지지하며 또 작가와 소통도 하면서 작가와 컬렉터가 동반 성장해나가며 예술의 가치를 함께 만들어나간다.

반면 PFP NFT 프로젝트의 경우 투자 목적으로 차익 실현을 목적으로 하는 사람들이 NFT를 구입하고 해당 커뮤니티에서 활동한다. 그러나 PFP 프로젝트에는 다수의 사람들이 단타를 노리기도 한다. 혹은 프로젝트의 미래 가치가 유망하다 판단될 경우에는 구매한 NFT의 바닥가가 지속적으로 올라갈 것을 기대하며 계속 NFT를 팔지 않고 들고 있는다. 나의 경우 PFP NFT 프로젝트일지라도 단타로 접근하기 보다 프로젝트 팀의 운영 역량과 로드맵, 프로젝트의 방향성 등을 면밀히 지속적으로 살펴보며 그 성장 여정에 동참하는 스타트업 투자자와 같은 마음으로 장기 투자하는 편이다. 단기간에 NFT 가격이 확 뛰어 높은 수익 실현을 하고 싶은 마음 또한 없지는 않지만 모든 프로젝트가 그런 결과를 낳기도 어려울 뿐더러 나는 투자 자체보다는 연구와 탐색의 비중이 크기에 더 그러한 것 같다. 결국 각자의 성향에 맞는 NFT를 구매하면서 이 시장에 참여하는 경험을 쌓아가면 된다.

구체화된 로드랩 실행 방안을 구축한 PFP NFT 프로젝트는 일종의 B2B2C[Business to Business to Consumer]의 특성이 있어 프로젝트 운영팀은 NFT를 매개로 기업과 기업과의 거래, 기업과 소비자와의 거래를 활성화시키며 NFT 가치 상승을 위한 활동을 전개한다. PFP NFT 프로젝트는 블록체인 기반 탈중앙화 스타트업과도 닮아 있다. 자사의 대표 상품과도 같은 NFT의 바닥가 상승을 비롯한 장,단기적 사업적 목적을 실현해나가는 것이다. 이 때 프로젝트 로드랩 구현 과정에서 예술의 속성이 반영된 기획을 도입해 커뮤니티 멤버들의 결속력과 소속감, 자부심을 강화할 수 있고 이것이 대외적인 프로젝트 마케팅과 홍보에 도움을 줄 수 있다. 실제 다양한 프로젝트에서 예술이 생소한 투자자들에게 예술의 경험과 가치를 전달해줄 수 있는 기획과 시도를 진행하고 있다.

PFP NFT 프로젝트의 경우 아티스트 협업을 해나갈 때 창작자에 대한 이해가 전제되어 있어야 한다. 이는 역으로 창작자 입장에서도 그 사업의 목적과 구성원, 필요와 목표가 무엇인지 파악하는 작업이 필요하다. 어느 블록체인 기업에서 PFP NFT 프로젝트 론칭에 필요한 이미지 몇 장을 단시간에 그려서 달라는 외주를 불합리한 수익 배분 조건을 제시하며 제안해서 수차례 고민 끝에 결국 거절했고 토로한 NFT 작가가 있기도 하다. NFT 이미지를 창작하는 역할을 했지만 이 시장이 투자 성격이 강하고 창작자의 역할과 가치, 작품에 대한 조명이 이뤄지지 않아 다른 NFT 작가들과 만날 때 알게 모르게 마음에 주눅이 들었다고 고백한 어느 NFT 작가의 이야기도 마음에 남는다. 이 둘은 물론 일반화할 수 없는 개별 사례일 수도 있지만 생각보다 많은 NFT 작가들이 이러한 일들을 경험하고 있다.

반대의 경우도 있다. 긍정적으로 PFP NFT 프로젝트를 진행해나가는 운영진들이 인격적으로 작가를 존중하며 긍정적인 사례를 만들어가는 경우도 상당히 많다. 여러 경우들이 혼재되어 있는 것이다. 누군가는 NFT 아트 혹은 PFP 프로젝트를 단기간 코인 수익을 얻고자 돈만 보고 사업에 뛰어드는 사람들이 있고, 또 누군가는 NFT 아트의 가치가 해당 프로젝트와 사업에 어떠한 중요한 위치를 차지하는지 발견하고 또 작가를 존중하며 협업하려는 마인드를 가지고 있다.

이렇게 각자의 다양한 목적과 필요가 들끓는 용광로처럼 뜨거운 NFT 시장에 예술가들이 들어와 있다. 무엇이 예술이고 어디까지가 예술과 관련한 프로젝트이고 아니고를 관념적으로 원론적으로 따지는 차원에서 머무르지 않기를 기대한다. 예술가는 결국 시대상황을 조망하고 그 시대를 간파하는 정신과 철학이 무엇인지를 통찰력으로 파악하여 경계를 넘으며 자신의 세계관을 작품으로 선보이는 사람이라고 생각한다. 예술의 경계가 지금 상황에서는 무 자르듯 명확하지 않기에 서로가 서로의 시장을 들여다볼 필요가 있다. 작가들도 다양한 형태로 전개되는 NFT 시장을 호기심 어린 눈으로 바라보며 경계에서 탄생하는 창의적이고 실험적인 다양한 시도들을 발견하고 또 도모할 수 있게 되기를 희망한다. 그럼에도 이것은 예술이고 아니다라는 비판적 견해를 견지할 지라도 충분히 공부하고 연구하는 과정을 거친 후에 그 판단을 펼쳐나가 종국에는 작가 자신의 대체 불가능한 예술관을 확립해나가는 데 새로운 영감을 얻기를 바란다.

무엇이 예술인가, 따지고보면 NFT는 태생상 돈의 흐름과 별개일 수 없고 NFT 아트 역시 그 속에 놓여 있다. 이러한 혼돈한 상황 속에서 눈을 감기보다 왜 시장이 저 흐름으로 가는 것인지, 그 물밑에 담긴 사람들의 필요와 갈망은 무엇인지를 파악하며 그들의 마음조차 뒤흔들 수 있는 예술을 해나가는 NFT 작가들을 더 많이 만나고 싶다.

PFP NFT 프로젝트는 커뮤니티의 가치를 높이는 다양한 이벤트를 기획해 NFT 소유자들의 유대감과 자부심을 강화하기도 한다. 무엇보다 즐거워야 한다. 즐겁고 재미있어야 당장 NFT 바닥가가 올라가지 않더라도 그 여정을 즐길 수 있다. 또 여러 대형 기업과 브랜드 등과의 협업으로 이벤트 및 로드맵을 진행해나가며 프로젝트를 홍보해야 한다. 그래야 신규 유입자가 들어와 NFT 홀더 및 이를 보유한 지갑 수가 늘어나고, 다량의 NFT를 구입하여 프로젝트 전체의 바닥가를 올려주는 고래의 역할을 하는 사람들도 들어오면서 해당 프로젝트의 가치가 점점 올라가게 된다.

인간의 내밀한 욕구인 자기 표현, 소유욕, 수집욕, 소속감, 특권 의식, 자랑하고픈 마음 등을 자극하면서 NFT 프로젝트를 설계해가는 것 못지 않게 최근 들어 더 중요성이 두드러지는 것이 있다. 바로 해당 NFT의 유용성utility을 만들어 나가는 것이다. 유명한 IP이고 소장 가치가 있다고,

수집 욕구를 자극하면서 컬렉터블 용도로 구입을 권유하는 NFT의 경우, 이게 나중에 가격이 뛸 것을 기대하는 투자 심리를 고려하지 않으면 한계가 있다. 여전히 대다수의 투자자는 NFT 바닥가가 상승되어 차익 실현을 하거나 이를 계속 들고 있음으로 인해 발생하는 혜택을 누리기 원하기 때문이다. NFT를 발행하고 끝나는 것이 아니라 유용성을 만들어야 NFT와 해당 프로젝트의 가치를 높일 수 있다. 커뮤니티 빌딩이 되고 탄탄한 로드맵을 갖춘 PFP NFT 프로젝트가 일종의 플랫폼과 같은 역할을 하여 다양한 IP들이 협업 형태로 붙게 된다.

NFT는 메타버스와 함께 갈 수 밖에 없다. 이 NFT를 샀을 때 현실 레스토랑의 특별 멤버십 회원권 역할을 해서 실제 레스토랑에 예약해 가서 사용할 수 있는 현실 세계에서의 유용성을 높이는 전략도 중요하다. NFT를 메타버스에서 어떻게 활용할 수 있을지에 대한 방안이 필요하다.

사례 연구: 트레져스클럽TreasuresClub

트레져스클럽은 멀티체인 기반 아트 컬렉터블 NFT 전문 브랜드이다. 2021년 10월 트레져스클럽은 1만 6,384개의 NFT를 프리세일과 메인세일에서 각각 3분, 30분 만에 완판했다. 트레져스클럽 NFT의 명칭은 '마스터Master'이며 이를 보유한 일명 'NFT 홀더holder'들은 디스코드와 오픈카톡방 커뮤니티에 합류할 수 있다. 현재 1,450여명 되는 NFT 홀더들(2022.03.05 기준)이 트레져스클럽에 함께하고 있다. 다음과 같은 트레져스클럽의 특장점을 살펴보는 것은 향후 탄생할 NFT 프로젝트 및 관련 사업을 모색하는 기업 및 주체들에게 새로운 영감과 통찰력을 부여해줄 것이다.

첫째, 대기업 및 브랜드의 메타버스 NFT 신사업을 연계할 수 있는 주요 플랫폼으로서 기능하는 NFT 커뮤니티의 역할이다. 2022년은 거대 자본을 지닌 기업과 대형 IP를 보유한 브랜드 등이 NFT 킬러 콘텐츠를 개발하고 연관 메타버스 NFT 신사업을 실행하고자 박차를 가하는 시기이다. 이 때 시장에서 직접 부딪치며 축적한 NFT 사업 추진 역량과 탄탄한 자체 커뮤니티를 보유한 NFT 프로젝트는 다양한 IP들이 NFT와 메타버스 신사업에 안정적으로 들어와 첫 시작을 펼쳐나갈 수 있는 주요 플랫폼 역할을 할 수 있다.

트레져스클럽은 대형 엔터테인먼트사, 방송사, 브랜드, 인공지능 기업 등과의 협업을 공격적으로 발표하며 메타버스 테마파크와 토크노믹스 등의 로드맵을 발표했다. 아트, 영화, 패션, 디자인, 웹툰, 예능 등 다양한 IP들이 트레져스클럽과 협업해 발행한 NFT는 메타버스 테마파크의 티켓, 토큰 등의 실제적인 활용 가능성과 유용성을 지니게 된다. 구체적인 주요 사례는 이러하다.

영화 IP를 활용해 팝아트 스타일을 적용한 제너러티브 아트 NFT

미디어그룹 NEW의 영화사업부와의 협력으로 박소담 주연의 범죄오락 액션 영화 '특송(박대민 감독)의' IP를 활용한 국내 최초 제너러티브 영화 NFT를 선보였다. 총 3,021개의 특송 NFT는 프리세일과 메인세일에서 각각 1초, 5초만에 완판됐다. NFT 아트의 형태는 영화 포스터 장면인 자동차를 배경으로 뒷모습을 보이고 있는 주연 배우의 모습을 팝아트 스타일로 재창작한 것으로, 컴퓨터 프로그래밍 알고리즘으로 생성한 제너러티브 아트이다.

기존에 영화 미상영 분이나 예능의 하이라이트 장면, 웹툰 주요 장면 등 콘텐츠 자체가 지닌 IP 파워에 기반한 NFT 발행은 시도된 바 있다. 그러나 트레져스클럽의 경우 해당 IP 콘텐츠의 세계관과 주요 내러티브를 파악해 어떻게 예술성을 부여해 제너러티브 방식으로 구현할 수 있을 것인지에 예술 분야 전문가들의 자문을 바탕으로 NFT를 창작했다. 영화 NFT

의 최초 구매자는 특송 영화를 직접 볼 수 있는 영화 티켓도 예매할 수 있다. 영화 NFT가 영화 티켓의 역할도 하는 것이다.

웹툰 IP를 활용해 초현실주의 스타일을 적용한 제너러티브 아트 NFT

트레져스클럽은 카카오엔터테인먼트와 협력해 웹툰 〈빈껍데기 공작부인〉(원작 진세하, 그림 한진서)의 IP를 기반으로 국내 최초 제너러티브 웹툰 NFT를 발행했다. 빈껍데기 공작부인은 판타지 로맨스 장르로 약혼남에게 사랑의 배신을 경험한 이보나라는 캐릭터가 자신의 삶을 주체적으로 개척하고 재건해가는 여정을 담고 있으며, 웹툰과 웹소설을 합산하여 카카오페이지 누적 조회수 약 1억 1천 만뷰를 기록 중인 인기 웹툰 IP이다. 트레져스클럽은 웹툰에 주요 상징적 의미를 지니는 캐릭터와 장신구 아이템 등을 활용해 7,777개의 각기 다른 NFT를 발행했다. NFT 아트 콘셉트는 '초현실주의'이다. 초현실주의는 환상과 무의식의 세계를 표현하는 미술 사조인데, 주인공 이보나가 현실에서 불행한 죽음을 맞이하고 기적적으로 되살아나 시공간을 넘나들며 경험하는 판타지와 같은 현실은 초현실주의와 내러티브를 공유한다.

예능 IP를 활용한 제너러티브 아트 NFT

채널A는 '나만 믿고 따라와, 도시어부' IP를 활용한 국내 최초 제너러티브 예능 NFT를 발행했다. 도시어부는 이덕화, 이경규 등이 출연하는 국내 대표 낚시 예능으로 시즌3까지 이어지고 있는 채널A의 인기 프로그램이다. 도시어부 NFT는 1차 판매 수량 1500개는 29초, 2차 판매 수량 2300개가 무려 1분 만에 팔려나갔다. NFT의 형태는 그동안 도시어부 방송에 등장했던 낚시 스팟을 섬으로 제작한 것으로, 제너러티브 아트 방식으로 조합된 섬을 나눠서 판매하는 방식이다. 트레져스클럽은 자체 메타버스 플랫폼을 만들어 도시어부를 비롯한 다양한 콘텐츠의 공간(맵)을 마련할 예정이며, NFT는 메타버스 맵에서 다양한 형태로 활용할 수 있다.

또한 트레져스 클럽은 콘텐츠 미디어 기업 디자인하우스와 디자인하우스의 IP를 활용한 NFT, 메타버스, 온·오프라인 전시 등에 관한 전방위적 업무협력을 체결했다. 또한 LG생활건강과 NFT 및 메타버스 비즈니스는 물론 관련된 온·오프라인 행사와 전시, 브랜드 홍보 등에서 협력하여 '메타버스 커머스Metaverse Commerce'를 선도적으로 시작했다.

이 외에 인공지능 음성 합성 개발 기술을 보유한 실리콘밸리 기반의 AI 전문기업 LOVO로보와도 업무협약을 체결했다. LOVO에서 개발한 차세대 AI 음성 합성 기술 및 음성 메타버스 플랫폼을 활용하면 NFT를 보유한 사람들이 아바타로 대화할 수 있다. 음성 기반 소셜미디어 등에서 목소리로 소통을 할 때 나의 음색이 드러나는 것이 익명성을 띨 수 있는 자유를 존중하는 메타버스 세상의 가치관과 일치하지 않는다고 판단하여, 로보는 인공지능 음성합성 기술로 메타버스에서의 목소리로 말할 수 있는 방법을 개발했다. 향후 트레져스클럽의 NFT인 2D 아바타는 NFT 소유자가 말을 할 때 실시간으로 입을 움직이며 메타버스에서 새로운 목소리로 말할 수 있게 될 것이다.

둘째, 기초 자산인 실물과 연계한 NFT로 온라인과 오프라인 양쪽에서 실질적인 활용 가치를 지닐 수 있도록 했다. 이 때도 트레져스클럽은 유수의 대기업과 브랜드와의 협력을 통해 NFT 비즈니스를 전개해나간다. 대표적인 실행 방안이 바로 NFT를 지속적으로 많이 보유하고 있는 대량 및 강성 홀더를 위한 멤버십 혜택 마련으로, 트레져스클럽의 NFT인 '마스터' 보유 수량에 따라 'Diamond-Platinum-Gold-Red'의 4가지 등급을 나누어 차등 혜택을 부여한다. 예를 들어 NFT 500개를 보유한 Diamond 등급의 경우 협업 기업 협찬 상품 우선 제공, 호텔 숙박권, 롯데월드·롯데 아쿠아리움 이용권, LG 생활건강 신제품 샘플 증정, 미술 전시·뮤지컬·영화·서울디자인페어·서울리빙페어·KIAF 입장권, NFT 굿즈, 명사 온라인 세미나 초대권 등을 받을 수 있다. 또한 500개, 100개 NFT를 1년 이상 보유한 Diamond-Platinum 등급 홀더에게는 2년에 한번씩 유명 아티스트 실물 작품을 선물한다.

이에 NFT 보유수량을 자동으로 확인하며 혜택 이용 및 관리를 할 수 있는 자체 웹사이트를 최종 구축하여 실질적으로 구현하게 된다. 또한 파트너십을 진행하는 기업들이 늘어나면 NFT 멤버십 혜택도 지속적으로 추가된다.

셋째, 메타버스 테마파크와 연계한 NFT 유틸리티 향상이다. 트레져스클럽은 트레져스 유니버스의 근간이 될 웹 3.0 기반의 메타버스 테마파크 개장을 앞두고 있다. 그간 트레져스클럽의 개별 로드맵이었던 아트, 음악, 영화, 웹툰, 브랜드 등 개별 IP들이 하나의 테마가 되어 메타버스 내 테마파크를 구성한다. NFT 홀더들은 개별 테마파크 내에서 진행되는 각종 미니 보드게임과 이벤트 등에 참여할 수 있으며 NFT 속성과 수량이 참여 자격 및 성과에 반영된다. 테마파크는 영향력 있는 콘텐츠 IP와의 추가적인 파트너십을 통해 새로운 세계관을 선보이게 되며, 메타버스의 속성상 무한대 확장이 가능하다. 구체적으로 도시어부 메타버스 낚시 맵을 시작으로 트레져스웹툰 중세 판타지 필드, 스타 저니(우주여행 콘셉트) 필드 등 다양한 성격과 규모로 펼쳐질 예정이다.

넷째, 메타버스 NFT 전시 《트레져스-M[Treasures-M]》을 선보이며 새로운 예술 형태로 부상하는 '블록체인 NFT와 만난 아트·컬렉터블의 메타버스 확장성'을 탐색하고 있다.

《트레져스-M》의 첫 전시는 트레져스클럽과 현대백화점 그룹 현대퓨처넷이 공동주최했다. 또한 MT[Metaverse Technonlogy]기반의 엑셀러레이터 메타팩토리와 web XR 기술기업 ㈜빌리버,㈜제이사이언스가 전시를 주관했고 메타버스101과 ㈜레이빌리지가 파트너사로 참여했다. 전시회에는 아트테이너인 구준엽, 김규리 등을 비롯해 요요진, LAYLAY, 김지현, 박상혁, 쟈코비, 홍지윤, 아트놈, 찰스장, 코마 작가 등의 작품과 한상혁, 곽현주, 강동준, 고태용, 이청청 등 국내 유명 디자이너들의 대표 작품을 선보였다.

메타버스 전시는 공간의 무한 확장성을 통해 다양한 콘텐츠를 선보일 수 있다. 메타버스는 물리적 한계를 초월한 시공간의 확장을 가능하게 한다. NFT 아트뿐 아니라 음악, 패션, 영화, 웹툰, 컬렉터블 등 다양한 콘텐츠가 《트레져스-M》의 메타버스 공간에 총망라되었다. 메타버스 확장현실 기술력으로 전시 공간은 단시간 무한 생성 가능하여 관람객에게 다양한 콘텐츠의 경험을 선사한다. 전시 구성은 장르 중심 공간으로 구획되었다. 구체적으로 NFT, 미디어아트, 그래피티, 팝아트, 동양화 등 작가의 아트 존[Art Zone]과 NFT 음악, 뮤직비디오 영상을 감상할 수 있는 뮤직 존[Music Zone], 국내 유명 패션 디자이너의 드로잉 작품과 런웨이 하이라이트 영상을 볼 수 있는 패션 디자인 존[Fashion Design Zone], 참여자들끼리 소통하며 즐길 수 있는 커뮤니티 존[Community Zone], 브랜드 존[Brand Zone]으로 구성되었다.

《트레져스-M》은 실시간 인터렉티브 소통으로 메타버스에서의 연결성을 구현했다. 참여 작가와 관객은 메타버스 공간에서 3D 아바타로 만나 실시간 음성 채팅으로 상호 작용할 수 있다. 실물 전시에서 큐레이터의 현장 도슨트나 아티스트 토크를 통해 작가의 예술 세계를 이해해나가는 경험을 메타버스에서도 맛볼 수 있도록 한 것이다. NFT 작가들은 전시 당일 메타버스 도슨트로서 아바타로 입장해 동일하게 아바타로 전시 관람 중인 관객들과 작품 이야기를 나누며 실시간으로 친밀하게 소통했다.

4장.

NFT 아트의 미학적 가치는 어떻게 발현되는가

NFT 아트의 미감美感에 대한 인지는 창작 결과물로서의 작품 자체에만 머물지 않는다. 작품 자체가 형식적, 내용적 미감을 지닐 뿐 아니라 작가의 존재가 중요하다. NFT 작가의 존재 가치가 자산이 될 수 있다.

NFT 아트의 가치는 어떻게 발현되는지 3가지 미학적 측면에서 조명해보고자 한다. 첫번째는 표현 방법이나 형태 등 NFT 아트 작품 자체가 지니는 형식미학形式美學이다. NFT를 감상하는 환경은 주로 웹이나 모바일이기에 NFT는 노트북이나 휴대폰의 화면에서 짧은 시간에 눈길을 끌 수 있어야 한다. 그러한 NFT 아트의 형태도 트렌드가 있다. 팝아트의 경쾌함이 담긴 선명한 색감과 독특한 형태 혹은 게임에서 보았던 것 같은 픽셀 형태의 귀여운 애니메이션 캐릭터 작품이 인기를 끌 때가 있다. 반대로 어둡고 그로테크스크하며 펑키한 이미지나 로봇과 사람의 결합과 같은 기괴한 캐릭터 작품이 판매가 잘 될 때가 있다. 또한 크립토 내러티브를 형태로 구현한 작품들도 많다. 예를 들어 이더리움이나 비트코인의 아이콘 이미지를 작품에 삽입하는 형태나 도지코인에 등장하는 강아지, 일론머스크나 비탈릭 부테린과 같은 크립토 셀럽의 초상화를 픽셀 형태로 표현하거나 자신의 원래 화풍에 삽입 이미지로 활용하는 등 다양한 방법이 있다. 또는 '밈Meme'의 형태로 공통 이미지가 놀이처럼 사람들마다 패러디되거나 변형되어 그 자체가 NFT가 되는 경우도 있다.

그러나 작가는 이러한 트렌드와 크립토 세계에서 유행하는 형태가 무엇인지에 대한 인식은 하되 그 조류에 휩쓸려서는 안된다. 자신의 세계관을 구축하고 대체 불가능한 작품으로 구현하여 자신만이 창조해 나갈 수 있는 미학을 세워가야 한다. 기존 예술 시장에서 자신이 구축한 미학을 그대로 NFT 세계에 끌고 들어오는 것에 대해서는 고민이 필요하다. NFT 아트는 암호화폐와 가상경제, 메타버스와 블록체인 기술이 예술 영역과 만난 지점에서 태동된 것이다. 이 새로운 교집합의 영역에서 어떠한 내러티브를 지닌 형태가 사람들을 움직이는가에 대한 관찰과 연구가 지속적으로 필요하다. 누가 NFT를 구입하는지 컬렉터층에 대한 이해를 전제하여 자신만의 형식미학을 구현해나갈 수 있어야 한다. 최근 느끼는 바로는 NFT 아트의 형태적 미학의 다양성을 보여주는 새로운 장르의 창작자들이 부상하고 있다는 점이다.

대체 불가능한 형태적 미학을 구현하기 위한 고민은 비단 미술 분야에만 해당되는 것이다. 음악 NFT의 경우 오픈시에 음원만이 아닌, 앨범 커버 이미지 등 시각적인 부분을 고려해 민팅해야 한다. 컬렉터는 자신의 가상자산 지갑에 어떤 NFT를 보유했는지, 자신이 어떤 NFT를 소유했는지 타인에게 보여주고 SNS에 표현하고 싶은 교육구가 있다. 이 때 시각적인 요소를 무시할 수 없다. NFT 뮤지션들은 자신이 직접 그림을 그리거나 사진을 찍어서 NFT 음악을 민팅할 때 함께 올리기도 한다. 하지만 음악에 담긴 내러티브와 분위기를 반영해 시각화하고픈 자신의 기준에 비해 실질적인 구현 기술이 따라주지 않아 한계를 느끼는 이들이 많다. 가장 좋은 방법은 미술 분야에서 자신의 음악과 잘 맞는 그림체를 지닌 NFT 작가와 콜라보를 하는 것이다. 자신의 음악 세계를 이해하고 구현하는 동시에 미술 작가 본인의 작품 세계를 확장할 수 있는, 서로 다른 세계가 만나 하나의 새로운 세계를 창조하는 형태의 콜라보가 이상적이다.

두번째는 작품의 주제에 담긴 내용미학內容美學이다. 형식미학은 미적 대상의 감각적 현상에 관한 것이다. 반면 내용미학은 작품의 실질적인 내적 속성에 관한 것이다. 내용미와 형식미는 상호 분리되기보다 불가분의 관계이다. 이러한 측면에서 NFT 작가는 기술을 활용한 예술에 관한 철학적 고찰을 전제로 하여 내용미학을 정립할 필요가 있다. 왜 지금 이 시대에 NFT가 화두가 된 것인지, 탈중앙화 분산저장방식을 내세운 블록체인이 태동할 당시의 시대 상황은 무엇이었는지, 그 기술을 필요로 하는 사람들의 욕구는 무엇이었는지 등에 관한 성찰이 있어야 한다. 물론 그것이 직접적으로 NFT 작품에 구체적인 형태로 드러날 필요는 없다. 아티스트의 철학과 사유 속에만 머무르는 개념이 될 수도 있다. 그러나 자신이 창작의 재료이자 매개로 사용하는 기술이 무엇인지에 대한 연구와 깊은 사유가 배제된 작품이 과연 어떠한 차별성을 시대에 고할 수 있을까? 실물 세계에서 선보인 물질성을 가진 작품이나 기존 디지털 아트 작품과 NFT 기술을 적용한 작품은 완전 상이하지 않더라도 차이를 지닐 수 있어야 한다.

NFT 컬렉터들 중의 다수가 크립토 네이티브라고 하는 가상자산과 블록체인에 친숙한 사람들이기 때문에 자신의 작업에 그들의 이목을 끌기 위한 목적으로 이더리움과 비트코인 이미지를 삽입하는 정도로는 가볍다. 그래서 안된다는 것은 아니다. 만약 암호화폐 이미지를 작품 이미지에 도입하려면 이더리움이 지닌 내러티브가 자신의 그림체에 담긴 내러티브와 어우러져 새로운 내러티브를 창조할 수 있어야 한다. 반드시 무거운 사유를 동반한 진지한 방식으로 구현할 필요는 없다. 실제로 현대미술 관계자들이나 큐레이터들을 만나 NFT마켓 플레이스에서 자주 볼 수 있는 크립토 내러티브가 반영된 작품들을 보여주었을 때 즉각적으로 좋은 반응을 얻지는 못했다. 그 이유는 여러 가지로 분석해볼 수 있고 서로 이해하는 영역과 관점이 다르기에 나오는 인식의 차이일 수도 있다. 그러나 작품의 형식미학이 내용미학과 자연스럽게 일치하지 못했다는 점을 인지한 비평적인 견해는 상고할 만하다.

세번째는 창작자의 존재미학存在美學이다. “작가가 왜 직접 NFT를 민팅하고 판매하고 그걸 작가가 다 혼자 하는 게 중요하죠?”, “왜 소셜미디어를 그렇게 매일 하면서 홍보하는 게 필요하죠?”, “그냥 에이전시에서 다 해주고 작가는 개인 창작만 하면 되는 거 아닌가?” 등등 여러 질문을 던져올 때 그 차이가 무엇인지 알고 있는 이들이 함께 담론을 만들어가는 게 필요하다. 결국에는 이 모든 과정이 NFT라는 새로운 기술을 만나 새롭게 형성해나가는 작가 정신을 만들어가기 위함이다. 그렇다고 해서, 에이전시의 도움을 받아 NFT를 시작하는 분들이 작가 정신이 없다는 게 결코 아니다. 이제 그건 하나의 현상과 흐름이 될 것이다. 다양한 경로와 방법으로 NFT 아트를 시작하는 사람이 이미 늘고 있다. NFT 씬에서 커뮤니티 베이스로 스스로 작품을 민팅, 홍보, 판매하는 자생적인 활동을 하지 않을지라도 NFT 창작자가 될 수 있다. 이미 중견 작가로 활동하고 있거나 스타 창작자의 반열에 오른 분들은 자신의 작품을 오픈씨와 같은 플랫폼에 직접 민팅하고 직접 소셜미디어를 여러 개 운영하면서 홍보를 하기 보다는 이러한 일을 대행해주는 기업 및 기획사 등과 협업해 NFT 창작자가 된다. 이러한 경우 이미 작가 자체가 지니고 있는 실력과 인지도, 오랜 창작 경험을 통해 축적되어온 예술가로서의 브랜딩과 창작 아카이브 등을 통해 처음 민팅에서도 고가로 작품이 낙찰되고 뉴스에 보도된다. 이는 자생적으로 성장하는 NFT 작가들과는 다른 형태로 NFT 씬에 진입하는 부류이다. 그렇다면 직접 민팅과 홍보, 판매를 하는 NFT 작가들의 작품과 그런 기술적, 경영적인 부분을 대행으로 맡기고 창작에만 몰두한 NFT 작가들의 작품이 결과물만 봤을 때, 과연 어떤 차이가 있을까? 그렇게 큰 차이가 없을 수도 있다. 결국 차이를 만들어내는 건 작가의 정신과 그것을 말과 글로 표현할 수 있는 작가의 언어이지 않을까. 작가 본인이 NFT라는 낯선 기술을 경험하며 어떠한 관점과 철학을 형성해나갔는지 말이다.

NFT 아티스트는 소셜미디어를 통해 창작자 및 컬렉터들과 직접 소통하며 자신이 민팅한 작품의 주제와 가치를 전달한다. 그 한 사람이 지니고 있는 인격적인 매력과 소통 능력이 NFT를 더 가치 있게 만든다. 스타 엔터테이너들을 생각해보면 쉽게 이해할 수 있다. 대중은 단지 특정 연예인의 노래가 좋아서일 뿐 아니라 그 스타가 지니고 있는 총체적 매력에 끌린다. 스타의 작품의 가치는 스타의 존재 자체가 지니고 있는 인간적 매력으로 인해 상승한다. 그 사람이 좋고 그 사람이 표현하고 담고자 하는 메시지와 형태, 작품이 좋으면 창작자의 팬이 된다.

나 역시 커뮤니티에서 소통하고 작품을 민팅한 작가의 드랍파티가 열리는 클럽하우스 등에 참여하면서 여러 모로 작가와 작품에 대해 탐색한 뒤 미적 경험을 하게 된 순간 NFT 구매에 대한 욕구가 생기는 축에 속한다. 예술을 알고 싶어하는 무수한 사람들이 이렇게 창작자와의 대화와 만남, 특별한 관계성을 바탕으로 작품의 가치에 눈 뜨게 되어 NFT 컬렉터의 자리에 이를 수 있다.

5장.

컬렉터와 함께 만들어가는 NFT 아트의 가치

그간 지속적으로 예술을 사랑하는 마음으로 살아왔으나 단 한 번도 실물 미술 작품을 소장해본 적은 없었는데 NFT를 알게 된 이후로 소소하게나마 NFT 아트 컬렉팅을 시작하게 되었다. NFT가 비로소 '아트 컬렉터'라는 매력적인 정체성을 가질 수 있도록 해준 것이다. 아직은 NFT 감상에 적합한 디지털 아트 전용 디스플레이 액자를 구매하지 않은 상태라 폰이나 노트북 모니터를 통해 보며 제한적인 감상을 하고 있다. 그럼에도 나의 소셜미디어 프로필에 NFT 아트가 걸려 있고, 누군가를 만날 때 내가 구매한 NFT 작가와 작품 이야기를 전하며 가치를 공유하고 싶다는 욕구가 생겼다. 이처럼 NFT 아트 작품 컬렉팅은 가치 소비와 정체성 표현의 차원이 크다는 걸 조금씩 경험을 통해 알아가고 있다. 무엇보다 NFT 아트는 보다 더 가까이 작가의 목소리를 들을 수 있어 매력적이다. 어떤 현대미술 작품은 불친절함과 불이해를 의도적으로 야기하며 작품의 미학적 가치를 향한 질문을 촉발하기도 한다. 하지만 대중은 그 작품과 보다 더 친절하게 만나기를 원한다. 예술과 친숙하지 않은 이들에게 여전히 작가의 목소리를 전달하는 작업은 중요하고 또 필요하다. 이처럼 예술 작품에 담긴 시각적인 미적 속성 뿐 아니라 작품의 주제와 내용을 이해하고 싶은 욕구를 NFT는 채워준다. 원한다면 소셜미디어를 통해 작가와 메시지를 주고 받을 수 있으며 어떠한 의도로 이러한 NFT 작품을 창작했는지에 관한 작가의 목소리를 우리 집에서 경청하며 메타버스 갤러리에 접속해 작품을 감상하면서 누릴 수도 있다.

그런데 흥미로운 발견은 NFT 디지털 아트 작품을 감상하고 연구하며 컬렉팅을 해나가면서 실물 미술 전시장에서 작품을 감상하고자 하는 욕구와 실제 전시장에서 작품을 마주할 때의 즐거움이 더 커졌다는 점이다. 이 둘은 서로가 서로를 대체할 수 없다. 비플은 모든 실물 미술 작품이 디지털 아트 NFT로 전환될 거라는 발언을 한 바 있지만 나는 결코 그렇게 생각하지 않는다. 물론 디지털을 초월한 실감형 메타버스 기술이 발전하고 이러한 기술의 수혜를 누린 세대가 성장해 나가면서 실물미술 대비 NFT 아트의 비중이 확장될 수는 있다. 그러나 지금 시점에서 전망하건대 NFT 아트와 실물미술 시장은 서로 영향을 주고 받으며 동반 성장해나갈 것이다. 모든 작품이 NFT가 될 필요는 없다. 새로운 기회와 가치를 발견하기 위해 NFT를 시도해볼 수는 있지만 그걸 원하지 않는 이는 자신이 지향하는 예술적 가치관을 고수해나가면 된다. 기술이 발전하고 세상이 아무리 변해도 인간의 본성은 동일하다. 실물과 디지털은 서로 다른 미감美感을 지니고 있다. 아날로그의 물성이 주는 시각적 즐거움과 메타버스에서 경험할 수 있는 NFT 아트의 재미는 아름다움을 향한 인간의 서로 다른 욕구를 채워준다.

NFT는 인간의 여러 욕구를 자극한다. NFT를 사는 마음을 들여다보면 개별 작가의 NFT 아트 작품과 제너러티브 방식으로 다량 발행되는 PFP NFT를 구매하는 이유에 차이가 있다. 둘 다 희소가치가 있는 것을 소유하고 싶어하는 인간의 기본적인 욕망을 자극한다. 그러나 전자는 창작자 경제라는 가치와 직결된다. 내가 그 NFT 작품이 멋지고 좋아서 구매하기도 하지만 그 작가를 지지하고 지켜보고픈 팬심으로 NFT를 구매하게 되며, 이를 통해 작가와 컬렉터는 서로 연결된다. 실제로 많은 NFT 작가들이 자신의 작품을 구입해준 컬렉터들을 잊지 않고, 이들에 대한 감사한 마음을 트위터에 남기고 있으며, 컬렉터들도 자신이 작품을 어떠한 이유에서 산 것인지 작가에게 감상을 공유하고 응원의 메시지를 남기기도 한다. 내가 마음이 가고 가치를 두는 대상과 연결되어 의미 있는 소통을 나누고 싶어하는 욕구가 이 지점에서 충족된다. 작가의 NFT를 산 사람이 더 높은 가격으로 리스팅해서 재판매하는 이유는 차익 실현의 재미가 있기도 하지만, 내가 지지하는 작가도 로열티를 받을 수 있고, 결국 NFT 작품의 가격이 상승하는 것이기에 서로에게 좋기 때문이다.

트레이딩 카드나 컬렉터블 NFT는 명품 스니커즈나 게임 아이템을 모으고자 하는 것처럼 인간의 수집 욕구를 자극하기도 한다. 그러나 단지 예술적 완성도와 미학적 가치로 인해 PFP NFT를 구매하지 않는다. 프로젝트 팀의 로드맵 진행 역량과 방향성 등을 파악하고 마치 스타트업에 투자하는 것처럼 NFT를 구매한다. 뽑기 운이 좋아 희소성이 높은 NFT를 얻기를 희망하며, 가격 상승을 통한 차익 실현을 위해 단타 목적으로 NFT를 사는 사람도 있다. 오래 묵혀두어야 가치가 상승할 것 같다 판단되면 장기 투자 시의 느긋한 마음으로 NFT를 되팔지 않고 들고 있는다. 이 때에도 NFT는 특별한 곳에 소속되어 교류하고 싶은 욕구를 자극하는데, 왜냐하면 이 NFT가 특정 커뮤니티의 멤버십 카드와 같은 역할을 하기 때문이다. 그러나 이 때는 단지 정서적 교류만이 아니라, NFT의 가치 상승이라는 공통 목적을 지닌 상태로 활동하게 된다. NFT 홀더로서 해당 프로젝트를 소셜미디어에 자발적으로 홍보하고 각종 커뮤니티 이벤트에 참여하며 오픈톡방과 디스코드에서 활발하게 소통하면서 커뮤니티 분위기를 건강하게 만들어가는 과정에 동참한다. NFT 가격이라는 게 갑자기 상승하는 것만은 아니기에 커뮤니티에서 즐길 수 있는 재미있는 콘텐츠가 제공되어야 PFP NFT 프로젝트는 지속가능성을 가질 수 있다. 재미있게 즐기면서 투자하려는 욕구가 사람들에게 있기 때문이다. 누군가는 빨리 바닥가가 올라서 들고 있던 NFT를 되팔고 커뮤니티 활동을 그만하기도 하는데 이런 부분 역시 각자의 선택으로 남겨져 있다.

뱅크 오브 아메리카 프라이빗 뱅크Bank of America Private Bank에서 전문 부문장으로 아트 서비스 그룹을 운영하고 있는 에반 베어드Evan Beard는 NFT 구매자들의 유형을 네 가지 범주로 나누었다.

(1) 수년간 암호화폐를 사들여 NFT를 또 다른 형태의 암호화폐로 보는 사람crypto diversifier

(2) 온라인 게임의 가상물품 구매에 익숙한 디지털 네이티브digital native

(3) NFT를 새로운 미술사의 시작으로 보는 진취적인 수집가enterprising collector

(4) NFT에 담긴 콘텐츠가 무엇인지가 중요한 사람segment specialist

어느 쪽이든 NFT를 사게 되면 자랑하고 싶어진다. '내가 이렇게 가치 있는 작가의 작품을 구매했어,나도 이제 아트 컬렉팅을 하고 있어'라는 걸 인스타그램이나 트위터에 올리며 표현하고 싶은 것이다. PFP NFT를 구매했을 경우 '이렇게 가격이 높은 혹은 높아질 희소한 NFT를 내가 보유하고 있어, 이렇게 특별한 경험과 유대감, 재미를 주는 커뮤니티에 내가 속해 있어' 라는 걸 역시 자랑하고 드러내기 위해 소셜미디어에 NFT를 게시한다. 이처럼 NFT는 '디지털 플렉스Digital Flex'를 위해 사용된다. 뿐만 아니라 그들만의 특별한 커뮤니티에 들어가기 위해서도 NFT를 구매하고, 내가 이러한 취향을 가지고 있다는 '자기 정체성 표현'을 위해서 NFT를 구매하고 전시하고 드러낸다. 이러한 욕구는 MZ세대에게 더 강할 것이다.

NFT 아트 가격 변동성 리스크

NFT는 디지털 자산이다. 디지털 자산으로서의 NFT는 경제적 가치를 지닌다. 그런데 NFT 아트 작품을 구매한다는 것은 아직 실현되지 않은 미래 가치에 투자하는 것이기에 가격 변동성의 위험을 감수해야 한다. NFT의 가치는 고정되어 있지 않다. 실물 예술작품 역시 시대를 대표하는 고전으로서의 입지를 굳히지 않았을 경우 작가와 작품의 가치가 시대에 따라 변화할 수 있다. 이미 사회적으로 합의가 되어 있거나 브랜드 인지도를 가지고 있는 역사 속의 거장 혹은 스타 작가가 아닌, 신진 작가의 작품인 경우 그 리스크가 더 클 수 있다. 그럼에도 이러한 리스크를 감내하고서 NFT 아트 작품을 구매하는 사람들이 있다. 이러한 NFT 아트 컬렉터들은 작가와 작품의 경제적 가치 뿐 아니라 미적 가치에 투자한다.

누가 NFT 아트를 구매하는가

초기 NFT의 주요 구매층은 가상자산 및 블록체인 관계자인 '크립토 네이티브Crypto Native'들이다. 미국 외환중개업체 오안다OANDA의 에드워드 모야Edward Moya 선임 애널리스트는 "가상자산에 의해 억만장자가 된 사람들이 가상자산 관련 기술을 활용한 디지털 아트에도 자금을 밀어넣고 있다"고 말했다. 크리스티의 비플 NFT 경매의 최종 낙찰자도 메타코반이라는 인도 출신의 크립토 펀드 조성가이자 블록체인 사업가이고, 메타코반과 최종 경합을 벌이며 경매가 상승을 주도한 사람이 가상자산 트론의 창설자 저스틴 선Justin Sun이다.

실버서퍼Silver Surfer로 알려진 크리스 시오바니카Chris Ciobanica도 가상자산 투자자로 2020년 여름부터 NFT 컬렉팅을 시작한 사람이다. 그는 비트코인, 에테르, 도지코인을 소유하거나 채굴했는데 처음에는 가상자산의 가격 변동성에 대한 대안을 찾고자 NFT에 관심을 갖게 되었다. 그는 세계적 경매업체 소더비의 NFT 경매에서 디지털 아티스트 팩Pak의 작품의 컬렉터이기도 하다. 팩의 회색 픽셀 형태 하나의 작품은 거래가가 135만 달러의 고가였다. 시오바니카는 2020년에는 팩의 NFT 작품 구입에 2만~4만 달러를 지불했는데 2021년에는 1점에 100만 달러를 지불했다고 밝혔다.

뉴욕타임스와의 인터뷰에서 그는 1천만 달러 이상 가치의 디지털 이미지를 모았는데 대부분이 실제 작품physical artworks과 연관된 작품들이라고 말했다. 그는 NFT 예술작품을 야구 카드와 같은 수집품collectibles으로 보지 않으며 전통 예술에서 볼 수 있는 것과 다른 형태일 뿐 '희귀한 디지털 예술작품rare digital artworks'이라고 생각한다. 재밌는 점은 그가 과거에는 미술품을 수집한 적이 한 번도 없다는 것이다. 그래서 NFT 작품을 구입하는 것이 처음에 매우 생소한 느낌이었다고 한다. 하지만 예술가들과 그들의 커뮤니티가 좋고, 작품 컬렉팅을 통해 그들과 친분을 쌓고 싶다는 소망을 밝혔다.

아직까지는 NFT 예술작품 컬렉터와 기존 실물 예술작품 컬렉터가 동일하지 않다. 향후 NFT가 대중화될 경우 실물 작품 컬렉터와 NFT 컬렉터의 교집합 영역이 점차 늘어날 수 있을 터이지만 아직은 차이가 있다. 아주 흥미로운 특징은 그간 실물 미술작품 수집 경험이 전무하거나 거의 없다시피한 블록체인 및 가상자산 업계종사자들이 NFT 아트 컬렉팅을 시작으로 예술에 눈을 뜨면서 실물 미술 컬렉팅까지 손을 뻗고 있다는 점이다.

컬렉터블 NFT 컬렉터는 왜 아트 NFT 컬렉터로 넘어오지 않는 것일까

PFP NFT 프로젝트도 이제는 예술이 아니라고 단정지을 수 없는 상태로 흘러가고 있다. 또한 앞서 설명했듯 컬렉터블, PFP, 제너러티브 아트는 혼용되어 사용되지만 따지고보면 각각 다른 차이를 지니고 있어 동의어가 아니다. 시장의 흐름을 면밀히 살펴보면 컬렉터블에 예술적 요소가 반영되어 있거나 혹은 컬렉터블 프로젝트 자체를 하나의 예술 작품처럼 출시하는 등 다양한 시도들이 그 경계를 흐리면서 전개되고 있다. 그래서 컬렉터블 혹은 PFP NFT는 아트가 아니라고 단정지을 수 없는 상황이다. 다만 전체 맥락을 전달하기 위해 편의상 이 장에서는 컬렉터블로 통칭하기로 한다.

컬렉터블의 구매층이 개별 작가의 아트 NFT 작품을 구매하는 경우가 아직까지는 많지 않다. 그 이유는 여러 가지로 살펴볼 수 있다. 우선 브랜딩과 마케팅 전략이 중요하다. '크립토펑크'라는 단어를 들으면 곧바로 떠오르는 캐릭터 이미지와 ERC-721 NFT가 탄생하는데 영감을 준 '최초'라는 이미지, 고액에 거래되며 크리스티나 소더비와 같은 권위 있는 옥션에서도 인정하는 것이라는 등의 연관 키워드가 떠오른다. 이 모든 것이 크립토펑크라는 브랜드를 형성한다. 개발사인 라바랩스가 초기 바이럴 마케팅viral marketing을 성공한 것도 중요하다. 반면 NFT 작가와 작품은 이에 비해 스스로를 브랜드로 만들어 홍보하는 전략이 약하다. 하지만 NFT 작가들 가운데도 전통예술교육을 받으며 예술가로서만 살아온 사람들뿐 아니라, 실제 마케팅과 홍보, 브랜딩 등 여러 전문 영역에 몸담고 있었던 사람들이 포함되어 있다. 그러한 역량을 갖춘 NFT 작가들은 스스로 여러 홍보 기회를 만들고 퍼스널 브랜딩에 대한 고민을 하면서 NFT 창작을 진행한다. 향후 NFT 작가를 위한 체계적인 아티스트 브랜딩과 마케팅 전략이 수립되어야 한다. 아마 이 부분은 앞으로 더 늘어날 NFT 아트 에이전시에서도 지속적으로 고민해나가야 할 지점일 것이다. 다만 생각해보아야 할 점은, NFT는 아티스트의 목소리가 들려야 그 작품의 가치가 배가되는 특성이 있는데, 정작 NFT를 창작한 작가의 목소리는 들리지 않고 대행사의 언론 및 소셜미디어 홍보만 남아 있는 경우다. 기존 작품을 대행사에서 디지털 형태의 NFT로 만드는 차원으로는 NFT의 매력을 얼마나 효과적으로 드러낼 수 있을 것인지 의문이다. 실험적 매체로서 NFT라는 기술을 이해하고 해석하며 이를 어떻게 창작으로 귀결했는지에 대한 작가의 고민과 철학이 전달되지 않았을 경우에 어떠한 차별성을 지니는지 냉정하게 생각해보아야 한다.

컬렉터블은 가치 평가가 용이한데 아트는 애매하다. PFP NFT 프로젝트의 경우 1만개, 2만개 등 최대 발행 수를 처음부터 정해두는 한정판 컬렉션이다. 미리 희귀도 표를 정해 투자자에게 자신의 NFT가 어느 정도의 희소성을 지니고 있는지 직관적으로 파악하기 쉽게 해두었다. 무엇이 희소한지 아닌지에 대한 확신과 판단을 가질 수 있도록 해준다는 점이다. NFT 아트는 객관적 가치평가 기준이 마련되어 있지 않다.

크립토펑크나 BAYC는 누가 창작했는지가 작품의 주요 내러티브를 구성하지는 않는다. 그래서 사람이 전적으로 창작한 작품을 바라볼 때보다 작품의 경제적 가치를 판단하기가 덜 부담스럽다. 또한 컬렉터블은 커뮤니티가 있고 해당 프로젝트의 가치상승을 위한 사업 방향성인 로드맵이 형성되어 있다. 단순히 정서적 교류를 위한 커뮤니티가 아니라 투자 가치를 상승시키는데 실제적인 영향을 주는 커뮤니티 활동에 참여할 수 있다. 만약 개별 아티스트가 자신의 커뮤니티를 구축한다고 했을 때 비단 경제적인 면뿐 아니라 작가로서 NFT를 매개로 어떠한 혜택을 컬렉터들에게 줄 수 있을 것인지에 대한 고민이 필요하다.

PART 4

NFT 아티스트 인터뷰

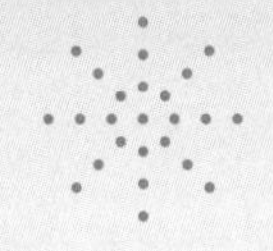

1장

NFT 아트의 주요 특징

NFT 아티스트 이야기

1장.

NFT 아트의 주요 특징

최근에는 디지털 아트와 같은 비물질성을 지닌 작품을 주요 미술관에서 전시에 도입하는 등 순수미술의 예술적 가치만을 우위에 두는 시각이 다소 완화되었다. 그러나 주요 미술관과 옥션을 비롯한 전통미술시장은 여전히 회화와 조각 위주의 실물 작품을 선호한다. 실물 미술 작품은 물리적 아우라를 지니고 있어 원본의 가치를 부여할 수 있는 반면, 디지털 아트는 그러한 물성을 복제하여 아우라를 상실한다고 보는 것이다. 무엇보다 체계적인 가치 평가 기준을 만드는 전통미술시장의 전문가 그룹이 회화를 중심으로 하는 실물 작품에 관한 미학적 담론을 형성해왔다. 고로 메타버스 시대에 부상하는 NFT 아트를 향한 뾰족한 비평과 큐레이팅, 풍성한 미학적 담론 조성은 아직 시작도 되지 않은 개척지와도 같은 영역이다.

이러한 상황에서 현재까지 드러난 NFT 아트의 주요 특징에 대해 살펴보고자 한다. 물론 NFT 아트라는 아직 다 규명되지 않은 새로운 현상을 어떠한 맥락에서 해석하고 받아들여야 할지에 대한 혼란과 질문이 존재한다. 거듭 언급했듯, 아직 NFT 아트는 태동기라 모든 특징과 양상을 단정 짓고 판단해버릴 시기는 아니다. 그러나 지난 1년 여 남짓 하루도 빠짐없이 매일 NFT 아트 생태계를 관찰하고 NFT 작가를 비롯하여 컬렉터, 사업가, 법조인, 블록체인 및 크립토 업계 관계자 등을 직간접적으로 만나면서 발견하게 된 특징이 있다. 그러한 경험과 연구를 바탕으로 NFT 아트와 아티스트의 주요 특징에 대해 일차적으로 정리해보고자 한다.

첫째, NFT 아트는 거대한 융합의 장이다. NFT 아트를 창작하는 이들은 주로 NFT 작가, 크리에이터, 아티스트 등으로 불리며 비단 예술 전공자뿐 아니라 비전공자도 상당하다. 기존 현대미술가와 미디어 아티스트를 비롯하여 디지털 기반 창작자들이 NFT 세계에 뛰어들었다. 이들은 IT 업계에서 활동했던 게임 디자이너, 게임의 주요 캐릭터와 아이템 등을 시각화하는 콘셉트 아티스트, 프로그래머, 엔터테인먼트사의 아이돌 세계관 기획자, 모션 그래픽 디자이너, 그림책 작가 등 다양한 배경과 역량을 지니고 있다. NFT 작가군은 NFT 대중화가 이뤄질수록 더욱 다채로워질 것이다. NFT 아트는 시대의 변화에 걸맞는 예술과 예술가를 만드는 요소가 무엇인지에 관한 질문을 던진다. 오래 전부터 아티스트를 꿈꿨지만 그 간절한 이름을 차마 소리내 말하지 못했던 수많은 창작자들에게 NFT는 작가라는 칭호의 민주화를 가져왔다.

둘째, NFT 아트 작품의 양상은 디지털 친화적인 경향을 보인다. 물론 실물 기반의 드로잉, 회화, 조각 등의 작업을 진행하는 창작 과정을 영상으로 촬영해 과정으로서의 예술인 그 자체를 NFT 아트 작품으로 민팅하는 경우도 있다. 그런데 순수미술보다 미디어아트, 디자인, 애니메이션, 일러스트레이션, 그래픽 아트, 사진, 영상 등 디지털 전환이 용이하거나 이미 디지털에 기반한 작업들이 NFT화하기에 용이하다. 미술적 배경이 없는 NFT 작가들 중에는 실물 작업이 아닌 디지털 네이티브로서의 창작 방법에 특화된 이들이 많다. 디지털 매체와 대중문화에 친숙한 MZ세대들은 반드시 회화나 조각만이 예술이라고 생각하지 않는 인식의 전환이 이뤄져있다. 이들에게는 내가 좋아하는 웹툰과 게임 속 캐릭터, 시선을 사로잡는 사진과 일러스트레이션도 충분히 소유하고픈 예술 작품이다.

셋째, NFT 아트로 새로운 컬렉터층이 부상하고 있다. NFT 초기 시장의 주요 컬렉터인 크립토 네이티브 역시 현대미술에 친숙해 NFT 아트로까지 관심이 확장된 경우보다는 처음 컬렉팅한 작품이 NFT 아트인 경우가 많다. 오히려 NFT 아트를 통해 아트 컬렉터로서의 매력에 눈을 떠 실물 미술 작품 컬렉팅의 영역으로 손을 뻗는 이들이 늘고 있다. 이렇게 메타버스, 블록체인으로 확장된 미술 시장은 신흥 컬렉터층 및 새로운 작가군의 부상이라는 현상과 밀접하게 연결되어 시너지를 얻을 수 있다. 향후 양쪽 시장의 양상과 가치를 다 들여다보고 이해하며 연결할 수 있는 매개자의 역할이 중요해질 것이다.

넷째, NFT 아트는 창작자 친화적이다. NFT는 순수예술 이외 분야에서도 작가와 아티스트라는 이름을 얻을 수 있는 기회를 열어주고 자신의 예술세계를 마음껏 펼칠 수 있는 장을 제공한다. 실제로 그래픽 아트, 모션 그래픽 디자인 등 주로 클라이언트의 요청을 받아 작업을 진행하는 위치에 있다가 NFT 아트 세계로 뛰어든 이들의 목소리를 들어보면 일관적으로 하는 말이 있다. 바로 "NFT로 인해 온전한 나의 작업을 할 수 있는 기쁨을 얻었다"는 점이다. NFT는 창작자가 자기주도 하에 작업을 펼쳐나갈 수 있는 자유를 선사하여 창작자로서 지닌 굉장히 본질적인 욕구를 실현해주는 측면이 있다.

다섯째, 지속가능한 NFT 작가가 되기 위해서는 꾸준한 창작과 성실한 민팅이 필요하다. NFT 작가가 되기 위한 진입장벽은 낮다. 마음만 먹으면 누구나 오픈시에 창작물을 NFT로 올릴 수 있다. 한두번 판매가 이뤄지고 또 몇 번의 단발적인 작업을 진행하며 NFT 작가가 될 수도 있다. 그러나 NFT 작가의 가치를 만들어가는 중요한 요인 중 하나는 꾸준하고 성실히 NFT 작품을 선보이는 작가들의 행보이다. 단번에 판매가 이뤄지지 않을 지라도 지속적인 창작 활동을 해나가는 것이 중요하다. 작가의 열정과 진지한 태도는 바로 그 멈추지 않는 창작 활동에서 드러나며 그러한 모습은 잠재적 NFT 컬렉터에게 신뢰감을 전해준다. 컬렉터의 입장을 생각해보아도, 작가와 작품이 지니는 미래 가치에 투자한 것인데, 한두번 NFT를 시도하다 활동을 멈춘다면 소장한 NFT 작품의 가치도 떨어질 수 있다고 판단할 것이다. NFT 아트 컬렉터들이 차익 실현의 목적이 우위에 있지 않은 경우가 대다수라 할지라도, NFT는 경제적 가치를 내포한 개념이기에 이러한 본질적인 특성을 간과해서는 안된다. 누구나 NFT 아트 창작을 시도할 수는 있다. 그러나 이 생태계에 머물며 NFT 작가의 정체성을 정립하고 자신만의 대체 불가능한 NFT 작품의 미학을 펼쳐나가기 원한다면 꾸준하고 성실하게 창작과 민팅을 이어가야 한다.

여섯째, NFT 아트의 핵심 가치는 커뮤니티이며 NFT 아티스트에게도 커뮤니티의 존재가 중요하다. 크립토 세계의 속도는 현실의 시간보다 확연히 빠르다. 처음 NFT 세계에 진입한 작가들은 바로 이러한 속도에 삶의 호흡을 맞추는 과정에서 힘겨움을 토로하기도 한다. 또한 NFT 작업이 판매로 이어지는 것은 생각보다 쉽지 않고, 다변화한 시장 상황 등으로 한동안 더 쉽지 않을 것이다. 그래서 힘들 때 붙잡아주고 격려하며 서로 지식과 전략을 공유할 수 있는 커뮤니티가 필요하다.

일곱째, NFT 아트 컬렉터는 NFT 아트의 가치를 형성하는 주요 주체이다. NFT 아트의 가치는 NFT 컬렉터가 완성한다. NFT 아트 컬렉터들은 실물 미술 시장의 컬렉터와 동일하지 않다. 향후 NFT 아트 컬렉터에 관한 연구도 필요하다. 무엇보다 NFT 아트 시장 확대를 위해서도 체계적인 NFT 아트 컬렉터 커뮤니티 조성이 필요하며 이에 관한 다양하고 실험적인 시도가 펼쳐질 것이다.

나조차도 NFT 아트 작품을 컬렉팅할 때 어떤 작가인지, 이 사람은 꾸준하게 NFT를 선보이는 사람인지, 어떠한 철학과 세계관을 지니고 있는지, 작품 스타일과 형태, 미학은 어떠한지 등을 꼼꼼히 살펴본다. 직관적으로 이 작품이 좋다고 느껴서 구매하는 컬렉터들도 있지만 향후 실물 미술 시장의 컬렉터들이 NFT 아트에 관심을 가지고 진입하게 될 경우에 작품을 선별하는 기준은 더 정교해질 것이고, 이들을 향한 NFT 아트 컬렉팅 교육 프로그램 기획도 필요할 것이다.

여덟째, NFT 아트의 가치는 크립토 투자의 관점에서만 단정 지을 수 없다. NFT가 디지털 자산이기에 NFT 아트 역시 경제적 속성을 띄고 있으나 동시에 새로운 예술의 형태이다. 따라서 NFT 아트에 관한 미학적 담론과 창작자 경제에 대한 논의가 병행되어야 균형 잡힌 가치 판단을 할 수 있다.

NFT 데이터 업체 크립토슬램CryptoSlam의 요한 칼푸Yohann Calpu 최고 마케팅 책임자CMO는 디파이 전문 미디어 〈디파이언트Defiant〉와의 인터뷰에서 NFT 컬렉터들은 정통 크립토 투자자들과 '다른 유형Different Breed'이라고 표현했다. 단지 수익만이 아니라, 정체성, 커뮤니티, 소유물belonging, 예술과의 감정적인 연결emotional connection with the art이라는 이유에서 NFT를 구입한다는 것이다. 또한 코인게코 공동 창업자인 보비 옹Bobby Ong은 NFT 보유자들은 "금융 이외의 다른 이유other non-financial reasons"를 가지고 있다고 말했다.

아티스트들은 단지 크립토 투자를 위해 블록체인 세계에 진입하지 않았다. 작가의 NFT 아트 작품을 지속적으로 구매하는 컬렉터 역시 수익성 이상의 이유를 가지고 있다.

아홉번째, NFT 아트의 주요 전시공간은 메타버스 플랫폼이다. 또한 NFT 연계 실물 전시도 확대되어 전시 공간과 경험이 다양화되었다. 메타버스에서 관객은 시공간의 제약을 뛰어넘어 작품을 감상할 수 있다. 아바타는 일상적인 동선을 벗어나 뛰어다니거나 날아다니며 전시 공간을 자유롭게 경험한다.

이제 NFT 아트의 주요 특징을 자신의 삶과 작품으로 보여주며 아티스트로서의 새로운 정체성을 만들어가는 역동적인 NFT 작가들의 이야기를 들어보자. 이들을 통해 NFT 아트의 실제적인 가치와 미학을 발견할 수 있을 것이다.

2장.

NFT 아티스트 이야기

제프 쿤스

고급문화와 대중문화의 경계에 대한 질문을 특유의 키치kitsch적인 감성으로 유쾌하게 던지는 미국의 현대미술가 제프 쿤스Jeff Koons의 작품을 나는 좋아한다. 무려 41인치에 달하는 거대한 토끼 조각을 매끈한 질감의 스테인리스스틸로 제작한 제프 쿤스의 1986년 작, 〈토끼Rabbit〉는 2019년 크리스티 뉴욕 경매에서 약 9,107만 5천 달러(약 1,082억 5천만 원)에 낙찰되면서 현존하는 작가 중 최고 경매가를 기록했다. 세계적인 명성을 지닌 팝 아티스트인 그가 메타버스 진출작이자 첫 NFT 컬렉션인 〈Jeff Koons: Moon Phases(이하 Moon Phases)〉를 선보이겠다고 발표했다. 〈Moon Phases〉는 제프 쿤스의 실물 작품 일부를 달에 보내는 보내는 것으로 과학기술과 예술이 만난 혁신적이고 창조적인 NFT 프로젝트이다.

제프 쿤스는 "인본주의적이고 철학적이며 역사적 의미를 지닌 NFT 프로젝트를 만들고 싶었다"고 말하며 이러한 인류의 열망과 성취를 축하하고 기리는 NFT 컬렉션을 공개하기로 했다. 2022년은 1972년 미국이 아폴로 17호로 달을 탐사한 지 50주년이 되는 해이다. 페이스갤러리Pace Gallery 홈페이지에 올라온 〈Moon Phases〉 티저 영상에서 작가의 목소리를 듣고 화면을 보고 또 돌려보면서 벅차오르는 마음을 느꼈다. 우주 탐사는 현실의 제약을 뛰어넘는 초월성과 인류의 무한한 상상력, 불가능을 향한 도전 정신을 상징한다. 이러한 시대정신을 조명하고 무한한 상상으로 마음을 뒤흔들 수 있는 것은 예술가의 역할을 조명한 NFT 프로젝트가 등장해 실로 반갑고 감격스러웠다. 〈Moon Phases〉 NFT 프로젝트에는 디지털 예술과 기술 관련 전문 기업 NFMoon과 우주기업 4Space가 함께 한다.

〈Moon Phases〉는 제프쿤스의 조각 작품이 달에 착륙하는 최종 순간만이 아니라 그 여정을 기록하며 진행 과정은 디스코드와 인스타그램에 업데이트된다. NFT 작품은 페이스갤러리의 Web3 NFT 플랫폼 '페이스 베르소Pace Verso'에서 선보이며, NFT 프로젝트의 수익금은 국경없는의사회에 기부한다.

데미안 허스트

영국의 저명한 현대미술가 데미안 허스트Damien Hirst의 첫 NFT 컬렉션 〈The Currency〉는 제너러티브 아트 방식으로 발행한 1만 개의 NFT이다. 재미있는 점은 NFT와 대응하는 1만 개의 실물 작품이 있어서 NFT 구매자는 실물을 배송받든지 아니면 NFT로만 소유하든지 둘 중 한 쪽을 무조건 선택해야만 한다. 이러한 가치 증명 실험 방식에는 NFT와 실물 작품 중 어느 쪽을 사람들이 선호하며 가치를 부여하는지에 관해 탐색하려는 작가의 의도가 담겨 있다.

〈The Currency〉는 화폐, 통화라는 뜻으로 데미안 허스트가 2016년 예술과 화폐의 경계를 탐색하며 실물로 먼저 선보인 컬렉션의 명칭이다. 그는 예술이 화폐가 되고 화폐가 예술이 되는 것과 같은 상황에서 예술의 진정한 가치는 무엇인지, 과연 잘 팔리는 작품이 좋은 예술인지에 관한 근본적인 질문을 제기한다. 작품의 형태를 살펴보면, 알록달록한 색채를 띤 여러 개의 작은 원형 점들이 하얀 화폭을 리듬감 있게 채우고 있다. 작기는 A4 크기 종이에 무수히 많은 색점들을 찍어 무려 1만 개를 만들었고 각 작품 뒤에는 작가의 서명, 창작 일시, 작품명을 적어 두었다. 작품의 전체적인 형상은 무수한 색점이 화면을 빼곡하게 채운 형태라 각각의 작품들은 서로 유사해보인다. 그러나 자세히 들여다보면 색점의 위치와 색깔 등이 저마다 다르며, 우연성에 기인한 변화가 반영되어 있다. 이러한 시각적 미묘성은 각 작품에 유일한 희소성을 부여한다.

데미안 허스트는 2016년의 실물 작품 1만 점을 자신의 창고에 보관하고 있다가 2021년 NFT 프로젝트를 공개했다. 화폐와 예술의 경계에 관한 작가의 질문은 NFT를 만나 심도있게 확장된다. 데미안 허스트는 영국 런던 소호에 본사를 둔 헤니HENI라는 기업과 NFT 프로젝트를 진행했으며, 팜 NFT 스튜디오Palm NFT Studio에서 기술 지원을 받아 NFT를 발행했다. 블록체인 개발 기업 컨센시스ConsenSys가 주도하는 팜 NFT 스튜디오는 이더리움 공동창업자 출신인 조셉 루빈Joseph Lubin이 창업한 곳으로, NFT 최적화 블록체인 네트워크 팜Palm을 운영하며, 창작자 및 IP 보유 기업이 이더리움에서 NFT를 발행하고 생태계를 구축하도록 기술을 지원한다. 〈The Currency〉 NFT는 인공지능 딥 러닝 뉴럴 네트워크 방식으로 실물 작품에 담긴 픽셀 단위의 속성을 데이터로 변환한 후 각 속성들properties을 컴퓨터 프로그래밍의 제너러티브 방식으로 생성하여 1만 개로 만는 것이다. 흥미로운 점은 각 속성들을 구성하는 요소가 시각 예술 작품의 차이를 발생시키는 텍스처Texture, 밀도Density, 겹침Overlaps 등이란 점이다. 실물 작품과 디지털 작품의 속성을 연결시켜 유사성을 만든 후 NFT 구매자에게 이 둘 중 어느 쪽을 선택할 것인지를 질문했다는 점이 흥미롭다.

데미안 허스트의 NFT는 헤니 홈페이지에서 개당 2,000달러로 신용카드와 직불카드로 용이하게 구매할 수 있다. 암호화폐인 Ethereum[ETH], Bitcoin[BTC], USD Coin[USDC], Dai[DAI]로도 결제가 가능하다. 2022년 6월 9일에 오픈시에서 확인한 데미안 허스트의 NFT 프로젝트 〈Damien Hirst - The Currency〉의 총 거래량은 19.0K이고 바닥가는 4.99이더에 달한다. 오픈시에서 〈The Currency〉 NFT의 2차 거래가 이뤄지고 있는데 NFT 소유자 수는 1만 7천명이며 총 거래량이 16.1K 이더에 달하며 바닥가[floor price]는 4.7이더이다.

데미안 허스트는 자신이 앨범 커버 디자인을 한 뮤지션 Drake의 6번째 정규 앨범 'Certified Lover Boys'를 모티브로 하여 1만 개의 제너러티브 아트 NFT 〈Great Expectations〉를 만들었고, 이를 〈The Currency〉 NFT 소유자들에게 에어드랍[airdrop]했다. 그는 이 작품이 희망과 사랑, 유머와 대담한 진실을 담고 있으며, NFT와 디지털 세계를 향한 작가의 흥분을 NFT 컬렉터들과 공유할 수 있기를 바란다고 말했다.

필립 콜버트

영국 스코틀랜드 태생의 세계적인 팝아티스트 필립 콜버트[Philip Colbert]는 동시대의 변화와 흐름에 발빠르게 반응하며 자신만의 예술세계를 보여주는 작가이다. 그는 세인트앤드류스 대학에서 철학을 전공하고 회화, 조각, 퍼포먼스, 패션 디자인, 디지털 아트 등 다양한 영역에 독자적인 철학을 접목하고 있다.

필립 콜버트 하면 애니메이션에 등장할 법한 유쾌한 표정의 빨간 랍스터가 가장 먼저 떠오른다. 그는 랍스터를 자신의 주요 작품에 등장시키며 작가의 정체성을 대변하는 캐릭터이자 페르소나로 사용한다. 그 랍스터가 2021년 메타버스에 NFT로 등장하기 시작했다. 메타버스와 블록체인이라는 기술은 예술의 새로운 가능성을 창조할 수 있다. 필립 콜버트의 메타버스로의 예술 세계 확장을 위한 행보를 지켜보며 이러한 실체를 발견하는 기분이 들었다.

그는 블록체인 기반 메타버스 플랫폼 디센트럴랜드Decentraland에 자신의 예술세계인 랍스터 랜드Lobster Land를 만들고 NFT 전시회와 콘서트를 개최했다. 작가는 디지털 기술이 "더 몰입적이고 인터렉티브한 예술 경험a more immersive and interactive art experience"을 가져왔으며, 이러한 새로운 예술 경험 현상의 창조가 예술의 경계를 확장시킨다고 보았다. 즉 디지털 기술은 지금까지 예술이라 칭해왔던 것의 경계를 해체하고 새로운 예술을 창조할 수 있다는 것이다. 필립 콜버트에게 "예술은 세계와 언어를 만드는 것"이다. 무경계의 경험이 가능한 메타버스는 예술가가 자신의 예술 세계와 언어를 창조할 수 있는 가능성을 열어주었다.

'랍스터폴리스Lobsteropolis'는 디센트럴랜드의 라스베이거스 시티 지구 내의 57번째 구획에 위치해 있다. 디센트럴랜드가 개최한 메타버스 아트 위크Art Week 기간에 필립 콜버트의 랍스터랜드에 방문한 관객들은 랍스터랜드 박물관, 랍스터폴리스, 랍스터랜드 사막을 둘러보고 다양한 활동에 참여했다. 관객들은 하이엔드 NFT 마켓플레이스 슈퍼레어SuperRare와 함께 선보인 뮤지엄 쇼를 볼 수 있고, 랍스터랜드 레코드Lobster Land Records라는 음반사가 있는 장소에서는 유명 DJ 의 공연을 즐길 수 있다. 랍스터랜드는 정말 하나의 세계이자 도시와도 같아서 랍스터코인을 만들 수 있는 은행, 슈퍼마켓인 랍스터마트도 있고, 라이브 콘서트와 이벤트를 할 수 있는 랍스터 라운지, 심지어 랍스터 연구를 위한 랍스터 대학도 있다. 가히 필립 콜버트가 랍스터 팝 판타지a lobster pop fantasy라고 칭할 만한 메타버스 세계인 것이다. 디센트럴랜드에 접속할 수만 있다면 전세계 누구나 필립 콜버트의 메타버스 세계에 동참할 수 있다.

메타버스는 누구나 참여할 수 있고 자신의 목소리를 내며 창작자와 관객이 자신의 목소리로 '연결' 될 수 있다. 그 연결은 인종과 민족, 성별과 배경을 뛰어넘어 이뤄질 수 있다. 필립 콜버트도 "모든 문화권에서 온 사람들의 상호작용은 참으로 흥미롭다"고 고백했다. 그는 메타버스의 민주주의 정신을 사랑한다고 말했다. "예술이 인간의 자유의 표현이라면 세상에서 가장 심오하고 최첨단 예술은 메타버스에 있을 가능성이 높다If art is an expression of human freedom, then it seems very possible that the world's most profound and cutting edge art would all be in the metaverse."

전병삼

전병삼 작가의 〈로스트LOST〉 연작을 컴퓨터 모니터로 보다가 알 수 없는 감정에 휩싸여 눈물을 흘린 기억이 있다. 소중한 것은 사라질 때 그 본질적 의미를 깨닫게 된다는 작품의 주제를 일렁이는 줄무늬 형상으로 표현한 몇 초의 영상이 되려 내면의 깊은 감정선을 건드렸기 때문이다. 진정 소중한 존재를 잃어버렸을 때의 상실감, 부재로 인해 물밀듯이 몰려오는 그리움이 한순간에 모니터를 뚫고 나에게 다가왔다. 그렇게 한동안 작품을 마주하며 유한한 생의 한계 앞에 진정 인생의 중요한 가치는 무엇인지 돌아보는 상념의 시간을 보냈다. 디지털 미디어 아트에서 강한 아우라와 감정의 파장을 경험하며 장르의 경계는 작품의 가치를 결정지을 수 없다는 걸 다시금 깨닫게 되었다.

〈로스트LOST〉는 대상을 해체해 구체적인 실체를 감추는 작업이다. 관객은 작품 제목을 유일한 단서로 삼아 주제를 연상하고 때로는 추적하는 과정을 거친다. 작품을 대면하는 고요한 응시의 시간을 거치면 내면의 심상을 마주하는 종교적인 경험을 하게 된다. 작가의 작품은 '사실적인 재현은 분명한 형상을 인지하는 데 용이하나 본질의 가치를 심상하고 상상하는 것을 제한할 수도 있다'는 점을 일깨워준다.

카카오와 협업한 NFT 작품 〈Lost in Tallllllllllk〉은 카카오톡 이모티콘 캐릭터인 라이언, 어피치, 춘식이 등을 픽셀 단위로 쪼갠 후 재조합한 것이다. 관객은 제목을 단서 삼아 해체되기 전 본래의 형상이 무엇인지 연상하고 상상하는 재미를 경험할 수 있다.

작가가 걸어온 길은 예술과 기술의 경계를 넘나든다. 전병삼은 홍익대 조소과를 졸업한 후, 시카고예술대학[SAIC]에서 미술 석사, 캘리포니아대학[UC어바인]에서 컴퓨터공학 석사를 취득했다. 이후 렌셀러폴리테크닉대학교 대학원에서 전자예술음악 박사과정을 수료하며, 2014년 미래창조과학부가 발표한 대한민국의 대표적 융합형 인재에 선정되었다. 뿐만 아니라, 알랭 드 보통과 함께 2015국제 청주비엔날레에 예술감독으로 활동했고, 유네스코 파리 본부에서의 특별전시와 미국 LA컨벤션센터에 열린 시그라프[SIGGRAPH] 전시, 러시아 현대미술관 전시 초대, 일본 삿포로국제예술축제[SIAF] 초청 등 지난 20여년 간 약 120회의 주요 국제 전시에 초대된 바 있다.

전병삼은 첨단과학기술을 예술가의 시선으로 재해석하며 새로운 미래 예술의 길을 제시하는 행보를 보여왔다. 그는 2000년대 초반부터 수천 점 이상의 디지털 미디어아트 작품을 창작해왔다. 그러나 당시만 해도 순수미술 분야는 디지털아트를 컴퓨터 그래픽이나 애니메이션으로 여기며 예술로 포용하기 어려웠고, 진본성이 없고 무한 복제가 가능한 이 디지털 창작물들로 작가의 생계를 꾸려나가는 것은 사실상 불가능에 가까웠다는 것이 작가의 반추이다.

그럼에도 작가는 디지털과 실물 양쪽의 작업의 끈을 놓지 않고 꾸준히 이어왔다. NFT와 메타버스가 시대를 대변하는 키워드로 부상하는 지금, 그는 NFT 디지털 아트와 실물 작업을 주체적으로 병행할 수 있는 몇 안되는 희소한 현대미술가이다. 디지털 미디어아트뿐 아니라 실물 작업을 꾸준히 이어온 현대미술작가가 바라본 NFT의 가치는 무엇일까.

"1917년 마르셀 뒤샹(1887~1968)이 〈샘 Fountain〉이라는 작품을 전시하며 변기가 예술이 되는 개념 미술이 등장했다. 미술 개념을 확장시킨 것이다. NFT도 이처럼 예술의 패러다임 전환을 가져오는 혁신이다."

2022년 전병삼은 〈스핀 Spin〉이라는 NFT 프로젝트를 시작했다. 스핀은 소유자가 직접 디지털 그림을 그릴 수 있는 세계 최초의 '페인터블 NFT Paintable NFT'이다. 나 역시 스핀을 체험해볼 기회가 있어 직접 탐색해보았는데, 빈 그림판에 전병삼의 작품 세계를 반영한 각각의 독특한 브러쉬가 배정되어 자신이 원하는 대로 그림을 그릴 수 있다. 스핀의 세계관에서 컬렉터는 작품을 감상하고 소장하는 위치를 넘어 창작자의 지위를 얻으며 작가의 세계관에 동참하게 된다. 스핀은 총 1,000점의 한정판 NFT 아트 컬렉션으로 구성되었으며, 컬렉터는 자신이 창작한 콘텐츠에 대한 상업적 목적의 2차 저작권까지 소유한다. 마치 BAYC가 NFT 소유자에게 IP 활용 권한을 이전하는 것처럼 NFT를 상업적으로 재창작해 활용하는 권한까지 양도받게 되는 것이다.

스핀 디스코드에는 그의 작업을 지지하는 수천명의 사람들이 모여 있으며 작가는 이들과 직접 소통하며 NFT 프로젝트를 운영하고 있다. 최근 전병삼은 NFT 작품 〈스핀〉과 〈로스트〉를 소유한 컬렉터들을 위한 오프라인 VIP 파티를 개최했다. NFT 컬렉터 파티장 입구에서 자신의 메타마스크로 로그인해 보유한 NFT를 확인하고 입장할 수 있었는데 진정 새로운 경험이었다. 파티 공간에는 실물 미술 작품이 전시되어 있어 작품을 감상하며 파티를 즐길 수 있었다. 전병삼은 NFT 아트의 가치가 컬렉터와의 유기적 관계 형성에 있다는 점을 명민하게 인지하고 있는 작가이다. 앞으로 그의 행보를 주목할 만한 이유 중 하나이다.

"NFT는 미래 예술의 신세계다"
메타버스 NFT 뮤지엄의 아티스트 디렉터 이윰

이윰은 2021년 한국 최초로 퍼포먼스 아트 NFT를 선보인 현대미술가이자 행위예술가이다. 작가는 홍익대학교 조소과 및 동 대학원 조각과를 졸업하고 90년대 영상매체시대의 X세대를 대표하는 스타 작가로 활동했다. 이윰은 자신이 만든 조각품을 직접 입고 살아있는 조각이 되어 〈빨간블라우스〉(1995), 〈살아있는 조각〉(1996), 〈하이웨이〉(1997)를 선보였다. 국내 주요 갤러리인 갤러리 현대에서 개인전 《매란국죽》(1998)을, 국립현대 미술관의 추천으로 후쿠오카 아시안아트 트리엔날레에 한국 대표로 참여하였다. 이후 일본 미술수첩에서 밀레니엄을 이끌 세계 100대 아티스트 선정(2000), 성곡미술대상 수상(2002), 국립현대미술관이 주관한 《한국미술 100년전》에 참여하는 최연소 작가로 선정되었다(2005). 주요 컬렉터로는 후쿠오카 아시아 미술관, 국립현대미술관, 코리아나 미술관, 쌈지 아트 컬렉션 등이다. 이처럼 화려한 이력을 갖춘 중진 작가가 커뮤니티를 기반으로 하는 NFT 아트씬에 자신의 몸으로 직접 부딪치며 하나하나 필요한 기술과 지식을 익혀나가는 경우는 흔치 않다. 그렇기에 NFT를 향한 작가의 목소리는 남다른 울림을 지닌다.

NFT 작업을 시작하게 된 이유는 무엇인가?

NFT는 예술-기술-경제의 융합지점에서 미래 예술의 새로운 영토를 만들어 갈 수 있는 기술이자, 포스트 코로나의 변화된 패러다임 가운데 떠오른 시대적 요구이다. NFT가 메타버스와 만날 때 예술가들에게 현실의 제약을 뛰어넘는 새로운 기회를 열어줄 수 있다고 생각했다. 나는 이윰액츠IUMacts 라는 소셜벤쳐 창업을 통해 예술의 사회적 미션을 실행한 바 있다. 그리고 청년 예술가들의 아티스트 멘토이자 커뮤니티 파운더로 십수년간 활동했다. 블록체인의 탈중앙화 정신과 커뮤니티 중심으로 이뤄지는 활동은 나의 예술적 가치관과도 상통한다.

NFT는 투자 목적이 짙은 디지털 자산이다. 작가 입장에서 NFT를 어떻게 바라보고 접근하고 있는가?

NFT 아트는 현대예술계에서 처음 시작된 것이 아니라 '예술-기술-경제'가 만나는 보다 큰 융합적 영역에서 탄생했다. 오히려 예술 개념은 NFT 전체 분야 중에 한 섹터에 불과하다. 예술을 통한 투자의 속성이 강하다는 점을 전제하여 이 기술을 이해하고 예술가의 관점에서 자기만의 철학을 세우지 않으면 NFT 시작점에서부터 인식과 개념의 오류가 생길 수 있다. 예술가들은 예술의 울타리 안에서만 머물러서는 안된다. 예술가들이 경제와 기술 영역까지 파고 들어가 어떻게 기술을 미학적 가치로 승화시키고 투자마저 예술이 되게 할 수 있을지를 진지하게 고민해야 한다.

NFT 아트가 예술가에게 주는 가치와 기회 요소는 무엇인가?

실물 작업은 물리적 공간이 필요한데 많은 작가들이 작업실을 가지기 어렵고, 작품을 보관하는 온도와 습도가 최적화된 넓은 수장고를 가지기가 현실적으로 어렵다. 전시 공간을 구하기 위해서는 많은 비용의 대관료를 내야 하며 상업 화랑과 일을 하기 위해서는 일종의 커넥션이나 스펙이 필요한 것이 현실이다. 화랑에 소속된 작가가 되더라도 작품의 판매가 절반 이상을 나눠야 한다. 그런데 메타버스 가상공간에서 이뤄지는 NFT 아트는 작가들에게 열린 기회를 준다. 중요한 창작의 툴은 컴퓨터와 스마트폰이며 디지털 노마드로서 시공간에 얽매이지 않고 작업할 수 있다. 온라인 갤러리에서 작품을 전시할 수 있고, 클럽하우스나 트위터 스페이스에서 국내외를 마론하고 작업을 소개하고 컬렉터나 예술애호가들과 직접 소통하며 직거래할 수 있다.

몸을 매개로 하는 퍼포먼스 작업의 본질적 특성을 고려할 때 메타버스에서 작가로서 추구하는 작업의 완성도가 충분히 발현될 수 있을까?

〈레드디멘션Red Dimension〉 작업의 경우, 나의 몸을 3D 스캐닝하여 디지털 휴먼의 신체를 만들고 치수에 맞는 의상을 디자인해 3D 모델링을 하고 3D 프린팅 의상 조각을 출력했다. 그 의상을 입고 퍼포먼스를 촬영한 후 다시 디지털 세계로 가져와영상 편집과 사운드 작업을 덧입혔다. 물리적 몸과 현실 환경의 한계를 넘어서서 메타버스에서 더 풍부한 상상력을 펼치며 완성도 있는 작품을 창작할 수 있었다. 일례로, 3D 프린팅으로 출력한 메타버스 드레스를 입고 퍼포먼스를 한 NFT 영상 작품이 있는데 평면 일반 디스플레이가 아닌 홀로그램 디스플레이로 시연하는 것을 유튜브 영상에 담았다.

NFT 주요 작업은 무엇인가?

오픈시에 처음 선보인 NFT 작품명은 〈레드디멘션Red Dimension〉이다. 레드디멘션은 피, 생명, 사랑을 상징하는 빨간빛의 세계이며, 회색빛 현상 세계에서 잃어버린 개인의 고유 원형인 '자기다움'이 보존된 창조의 세계이다. NFINon-fungible Identity를 추구하는 나의 NFT 미학을 보여주는 작업이다. 이 작품은 2016년에 서울시립미술관의 《X: 1990년대 한국미술》 전시에서 아트북, 사진, 인터랙티브 영상과 설치미술 형태로 처음 발표했다. 이후 2019년 이음 스튜디오에서 설치, 영상, 사진 작업으로 심화했고, 2021년에 비로소 메타버스 아트에 최적화된 NFT 작품으로 완성하게 되었다. 특히 제작 과정 전반에 디지털 휴먼과 리얼 휴먼으로 가상과 현실을 오고 가는 메타버스의 상상력을 담고 있는 작업으로 NFT 예술의 미학을 구현하고자 했다.

NFT 기술에 대한 어떠한 철학을 가지고 작업을 진행하나?

NFT는 대체 불가능한 토큰으로서 희소성으로 인한 소유 가치가 생기는 것인데, 진짜 대체 불가능한 것은 토큰보다 우리의 존재 그 자체이다. 대체 불가능한 개인의 고유 정체성을 블록체인상에 기록하는 예술인 NFI Non-fungible Identity 작업으로 진정한 소유 가치를 부여하고자 한다. NFT는 커뮤니티가 중요하다. 커뮤니티에 예술가가 선한 가치를 심고 마음과 마음을 연결하는(heart to heart) 예술로 승화시킨다면 블록체인은 단순히 거래장부로서의 블록체인이 아닌 Heart Chain이 될 수 있다. 선한 가치에 대한 소유의 갈망과 영감을 부여하며 자본의 선순환을 가져오는 가상경제를 창조할 수 있을 것이다.

메타버스 미술관을 소유하고 있다. 어떤 곳인가?

'온사이버 oncyber'라는 메타버스에 위치한 IUM NFT MUSEUM으로 NFT 작품 전용 메타버스 뮤지엄이다. 나는 이 곳의 아티스트 디렉터로서 NFT 전시 프로젝트를 진행하고 있다. 작업과 결이 맞는 메타버스 공간은 세계관을 바탕으로 작업하는 나에게 이야기에 담긴 상상력을 증폭시킬 수 있는 중요한 요소이다. 그래서 무엇보다 작가로서 내가 추구하는 NFT 아트의 형태를 메타버스에 구축하고자 했다. 또한 감상자가 온라인으로 VR 헤드셋을 끼고 몰입형 작품 감상을 할 수 있도록 전시 경험을 디자인했다. 실물 전시는 전시관 대관, 작품 제작, 포장, 운반, 설치, 철수 등의 모든 과정에서 많은 수고가 필요하다. 그러나 메타버스 뮤지엄은 모든 과정을 수월하게 진행할 수 있으며 글로벌 전시를 개최하는 것도 어렵지 않아 이 모든 것이 너무나 매력적이다.

어떠한 NFT 커뮤니티에서 활동하고 있는가?

애틱 NFT 아트 Attic NFT ART 커뮤니티는 국내 최대 작가 커뮤니티인 '클하 NFT'에서 만난 작가들과 결성한 소규모 커뮤니티이다. 다락방같이 아늑

한 메타버스 공간에서 정서적 교감과 신나는 모의를 나누고 있다. 나는 커뮤니디 파운더인데 현대미술 작가 외에 컴퓨터 그래픽, 일러스트 디자인, 모션그래픽, 픽셀, 동화책, 회화 등 다양한 작업을 하는 아티스트들이 함께 모여 있다. 애틱 NFT 아트 커뮤니티는 NFT 아트의 미학적 담론과 작가정신을 세워나가는 활동에 주력하고 있다. 클럽하우스와 디스코드에서 매주 다락방 살롱을 개최해 NFT 작품 세계관을 구축하기 위한 상호 대담을 진행하기도 하고, 줌으로 NFT 분야에서 습득해 나가야 하는 새로운 기술도 연구한다. 아티스트들은 이런 활동을 기반으로 구축한 멤버십을 통해 커뮤니티 프로젝트에서 협업한다. 최근 진행 중인 프로젝트는 《NFTis 느프트이즈》 전시인데, 커뮤니티 기반 활동 경험을 지닌 NFT 아티스트로서 자신만의 고유한 NFT 철학을 담은 NFT 작품을 메타버스 IUM NFT MUSEUM_ATTIC 전시관에서 전시했다. 이는 NFT 작가의 대체 불가능한 정체성을 선언문 형태의 작품으로 표현한 실험 예술이다. NFT 컬렉터는 실물 작품도 소유할 수 있다. 작가들이 직접 부딪히며 경험한 NFT 아트의 실체를 블록체인에 영원히 기록하여 살아있는 예술인문학을 구축하고자 했다.

작가로서 경험한 NFT 아트와 현대미술의 차이점은 무엇인가?

NFT 아트는 철저히 커뮤니티 중심이라 자기만의 세계에 몰입하여 그 정수를 작업으로 옮기는 현대미술과는 확연히 다르다. 오히려 힘을 빼고 마음을 열고 사람들과 관계할 준비를 하고 즐겁게 놀이하듯 할 때 지속할 수 있다. 특히 중요한 것은 작품을 창작하는 스피드이고 또 꾸준히 그 작품을 민팅하는 것이 중요하다. 컬렉터들과 적극적으로 소통할 수 있는 커뮤니티를 스스로 만들어내고 자신의 작업에 대한 세계관을 가지고 소통하는 능력이 필요하다. 작업 방식도 NFT 라는 장르의 특성과 결에 맞는 작업을 하는 것이 중요하다. 플랫폼의 특성에 따라 업로드가 가능한 40-100메가 사이의 용량 안에서 완성도 높은 작품을 만들어야 한다. 또한 작가 자신의 관점뿐만 아니라 컬렉터의 입장에서도 관심이 갈 수 있는, 접촉점과 소유 가치가 높은 작품을 만들 수 있어야 한다.

NFT 아트는 어떠한 예술인가?

NFT는 커뮤니티가 핵심이다. 커뮤니티에 소속되지 않은 채 밖에서 본다면 실체가 없는 예술이라 여길 수 있다. 커뮤니티에서 NFT라는 새로운 영토를 함께 개척해나가는 동료 작가들과 함께 하며 NFT 아트는 '사람'과 '관계' 중심의 예술이라는 걸 깨닫게 되었다. NFT는 작가와 컬렉터 등이 함께 만들어가는 공감과 소통의 예술이다. NFT를 그저 고가의 작품 거래를 가능하게 해주는 수단이라 생각한다면 그것은 큰 오류이다. 직접 NFT 아트 세계를 경험하고 커뮤니티의 일원이 되어 살아가는 문화적 경험을 배제한 채 NFT를 시도한다면 기술의 본질과 철학을 이해하는 경험을 스스로 배제한 것이다.

NFT 아트에 관심을 갖고 있는 현대미술가에게 하고 싶은 말이 있다면?

NFT에 관심은 있지만 자신이 직접 부딪치기보다 작업을 대신 NFT화해 판매해줄 누군가를 찾고 있는 것처럼 보일 때는 안타까운 마음이 든다. 변화된 시대정신 앞에 작가는 스스로의 정체성 갱신이 필요하다. 물론 중간 에이전시의 역할과 협업도 필요한 경우도 있다. 하지만 그전에 작가 정신을 발휘해서 이 세계에 직접 뛰어들어 경험해보고 그것을 바탕으로 작가의 철학을 반영해 NFT화해보길 권하고 싶다. 그 과정에서 단순히 새로운 기술에 대한 이해 이상으로 NFT 아트가 무엇인지 깨달으며 이 속에 담긴 살아있는 인문학을 경험할 수 있을 것이다. 무엇보다 NFT 아트에 대한 작가의 철학과 정체성을 발견하게 될 것이다.

모준석

모준석은 10여 년 이상 실물 조각 작업을 해온 파리, 서울 기반의 현대미술가이다. 그는 2021년 3월 오픈시에 첫 민팅을 한 후, 4월에는 가상현실VR 드로잉으로 조각하는 법을 익혀 한국 조각가 최초로 '증강현실AR NFT 조각'을 선보였다. 작가는 최근 이더리움 기반의 메타버스 플랫폼 '크립토복셀Cryptovoxels'에서 가상 토지를 매입해 '모준석 조각 공원'을 개장했다.

모준석은 동선銅線과 스테인드글라스로 만든 여러 채의 작은 집들을 연결하여 하나의 건축물을 조형하며 공존의 의미를 성찰해왔다. 그는 현실과 가상의 경계가 뒤섞이는 메타버스에서 NFT를 매개로 피지컬과 디지털 조각을 병행하며 공존에 대한 세계관을 확장해나가고 있다.

NFT를 언제 처음 알게 되었나?

클럽하우스에서 한국 작가들과 대화를 나누다가 블록체인, NFT, 민팅과 같은 생소한 단어들을 듣게 되었다. 당황스러웠지만 계속해서 듣다 보니 새로운 기술에 호기심이 생겼다.

가상현실VR 드로잉 조각을 시작한 이유는 무엇인가?

2021년 4월 오픈시에 VR 드로잉 조각 NFT 작품 〈Beyond the wall〉을 선보였다. 그간 전혀 디지털 작업을 하지 않았기에, NFT 시도 이전에 어떻게 디지털 작품을 창작할 수 있을지부터 고민했다. 당시는 새로운 재료를 통해 작품세계를 확장하고자 했던 시기이기도 했다. 때마침 NFT 작가 커뮤니티에서 만난 킹비트님의 제안으로 메타버스 공간을 경험하게 되었다. 중력과 공간의 한계를 가지고 있는 조각이 VR이라는 새로운 재료를 만나 그 한계를 뛰어넘을 수 있을 거라는 가능성을 발견했다. VR은 가상현실假想現實인데 이때 '거짓 혹은 임시 가假'를 사용한다. 하지만 내게는 그 단어가 '새로운 세계를 더한다'는 '더할 가加'의 의미로 다가왔다. 새로운 현실을 받아들이면 작품세계를 더욱 확장할 수 있다.

실물 작업과 디지털 작업을 병행하는 과정에서 어려움은 없는가?

어려움보다는 보완되는 지점이 많다. 조각은 중력과 공간의 한계를 지닌다. 게다가 나는 '용접' 기법으로 작업하기에 반드시 작업실이 있어야 한다. 하지만 디지털은 작업 결과물 자체가 중력과 공간의 한계를 뛰어넘을 수 있고, 작업 환경도 제약이 극히 적어서 어디서나 작품 창작을 할 수 있다는 점이 큰 매력이다. 나는 아이디어 스케치 후, 흙 모형을 만드는데 중력의 한계로 생각보다 자유로운 형태를 만들기가 어렵다. 하지만 VR 공간은 중력이 없어서 마치 허공에 흙을 붙여나가는 방식으로 모형을 만들어낼 수 있다. 그래서 좀 더 과감하고 자유로운 형태를 구현할 수 있다. 하지만 디지털 작업은 '실제로 만질 수 없다'는 한계가 있다. 나는 여전히 물성을 가진 재료를 손으로 만지는 것을 좋아한다. 조각 작품을 전시할 때에 종종 관람객에게 작품을 만지게 하고 단조(鍛造, 금속을 두드리거나 눌러서 필요한 형체로 만드는 일)한 동선의 질감을 체험하게 한다. 이렇게 작품을 만지는 것은 창작자가 작품을 만드는 과정을 잠깐이나마 느낄 수 있는 기회이기도 하다. 이렇듯 디지털과 실물 작품이 지닌 각각의 한계점들은 두 매체의 공존을 통해 보완될 수 있다. 서로 다른 두 매체를 병행하여 작업하는 것은 서로 다른 두 세계를 경험하는 것이고 이러한 다양한 경험이 창작에 도움이 된다.

아날로그의 물성에 익숙한 감각을 지닌 예술가들이 블록체인과 메타버스로 창작의 지평을 넓히기 위해서는 무엇이 필요할까? 디지털 창작 도구를 익숙하게 다루지 못했을 경우에는 막연한 두려움을 가질 수도 있다.

나처럼 오랜 시간 디지털로 작업을 하지 않은 사람에게 와 닿는 질문이다. 처음에는 손으로 만질 수 없는 디지털로 어떤 작품을 만들 수 있을지 의문이 들었다. 불과 2021년 4월까지만 해도 나는 디지털과는 거리가 먼 사람이었다. 하지만 새로운 재료에 대한 호기심과 탐구를 통해 이전에는 상상도 하지 못했던 작품들을 하고 있다. 아날로그 물성에 익숙한 작가들이 디지털도 하나의 물성을 가진 재료라고 이해한다면 조금 더 쉽게 접근할 수 있을 것이다. 특히 조각가에게 재료는 정말 중요하다. 때로는 조각 작품에서 재료가 작품의 해석에 많은 영향을 미치기도 한다. 작품에 대한 주제의식은 유지하며 새로운 재료를 사용해 보는 것은 작가에게 색다른 시각과 표현의 확장을 가져다 줄 것이다. 굳이 디지털이 아니더라도 재료와 물성에 대한 연구는 계속되어야 한다.

프랑스의 NFT 아트 동향은 어떠한가? 프랑스의 전통미술시장이나 현대미술계에서 NFT 아트를 어떻게 인식하고 접근하고 있는가?

파리는 프랑스에서 가장 빠르게 문화가 집중되는 곳이다. 그럼에도 2021년 초, 한국이 빠른 속도로 NFT에 대한 이해가 생기고 있을 때 파리에서는 소수의 사람들에게만 더딘 속도로 정보가 공유되고 있었다. 하지만 이제는 제법 많은 사람들이 관심을 가지고 있다. 일례로, 내가 속해 있는 메종데아티스트Maison des artistes라는 협회가 있다. 이 협회는 프랑스에서 활동하는 다양한 예술가들이 회원으로 있는 곳이다. 이곳에서 최근 프랑스 작가들의 요청으로 'NFT Q&A' 행사를 진행했다. 생각보다 질문과 답이 구체적이고 실제적이었다. 프랑스도 작가들이 주도적으로 관심을 가지고 NFT 작품 활동을 할 것이라 예상한다.

프랑스에서 어떠한 NFT 전시에 참여했나?

2021년 9월 8일~30일 파리 4구 소재 이함 갤러리Galerie IHAM에서 '2021 파리 디자인 위크Paris Design Week' 기간에 연계하여 열린 《NFT & Design》 전시에 참여했다. NFT 디지털 작품과 피지컬 조각을 최초로 동일한 공간에서 함께 선보인 전시였다. 두 가지 다른 매체를 함께 보여주는 첫 시도였기에, 주의를 기울여 오프닝에서 많은 사람들과 대화를 나누며 관람객들의 반응을 보았다. 두 매체의 작품이 상호작용을 하며 관람객들의 감상을 도왔다. 피지컬 작품은 디지털 작품을, 디지털 작품은 피지컬 작품을 이해하는 데에 일조했고, 결과적으로 나의 작품세계를 더욱 잘 이해할 수 있었다는 의견을 확인할 수 있었다.

NFT 전시가 현실과 메타버스 갤러리에서 동시에 열리며
온라인과 오프라인이 결합하는 '피지털(Phygital: Physical + Digital)'
트렌드가 이어지고 있다. 이 중 기억에 남는 NFT 전시가 있다면?

2021년 12월에 열린 NFT 작가 133명의 단체전 《Maison de Noël》 전시(이하 노엘 전)는 프랑스 작가 5명, 한국 작가 128명이 참여하는 큰 전시였다. 전시는 파리 소재의 이함 갤러리와 메타버스 갤러리인 KOREAN NFT 크립토복셀(Cryptovoxels)에서 동시에 진행했다. NFT 생태계에서 갤러리의 역할은 무엇인지 그 가능성을 엿볼 수 있는 기회였다.

파리 제1대학 팡테옹 소르본(Université Paris 1 Panthéon Sorbonne)
예술대학 조형예술학과(Arts plastiques)에서 강의를 하고 있다.
NFT 작가로서의 경험이 후학을 양성할 때 어떠한 영향을 끼치는가?

예술가는 유연한 사고와 새로운 방식을 통해 자신의 문제의식을 작품으로 엮어내는 존재다. NFT를 통해 디지털이라는 길목을 지나며 지금껏 스스로 정의했던 조각을 새롭게 생각하고 바라보게 되었다. 나는 일방적으로 가르치기보다 각자의 생각을 시각언어로 풀어내는 과정에 동행하며 학생들의 이야기를 들어주는 역할을 하고 있다고 생각한다. 지금 내가 시도하는 다양한 실험과 생각들을 공유하고 때로는 권유하며, 그들이 좋은 예술가로 성장할 수 있도록 돕고 싶다.

김혜경

NFT는 세계 미술 시장에 한국의 미학을 전할 수 있는 주요한 매체가 될 수 있다. 동양의 미학을 구현한 작품으로 호평을 받아온 미디어 아티스트 김혜경은 NFT 아트로 작품 세계를 확장했다.

김혜경은 한국의 아름다운 전통과 동아시아 고미술이 지닌 현대적 요소를 탐구하고, 이를 디지털 기술에 접목해 새로운 미디어 예술로 재창조하는 작업을 해온 미디어 아티스트이다. 도자기, 고가구 등 전통 공예품에 프로젝션 매핑 기법Projection Mapping을 활용해 빛과 사운드, 움직임을 가미한 인터렉티브 미디어 아트Interactive Media Art을 비롯하여 디지털 산수화를 상영한 미디어 파사드Façade에 이르기까지 폭넓은 예술적 독창성을 선보이고 있다.

작가는 홍익대학교 디지털 미디어 디자인학과에서 석사 학위 취득 후, 한양대학교 비주얼과 멀티미디어 디자인Visual & Multimedia Design 분야 박사과정을 수료하고 성균관대, 숙명여대, 성신여대, 세종대, 한양대 등에 출강하였다. 문화재청 초대로 2020 두바이 엑스포 한국관 미디어 파사드 전시를 비롯, 워싱턴, 뉴욕, 오사카 한국문화원, 문화체육관광부, 서울문화재단, 국립중앙박물관등 국내외 기관 및 미술관 초대로 17여회 초대 개인전을 열었으며, 평창 비엔날레, 청주공예 비엔날레, 경기세계도자비엔날레, 숙명여자대학교 박물관, 뉴욕주립대 미술관, 사우스 플로리다대학 미술관, 아트센터 나비, 경기창작센터를 포함한 국내외 미술관 초대로 50여 회의 그룹전에 참여하였다. 숙명여자대학교 박물관, 전주 현대미술관, VM아트미술관에서 작품을 소장하고 있으며, 2016년 레드 닷 디자인 어워드에서 레드닷을, 2015년 경기 세계도자 비엔날레 국제공모전에서 Honorable Mention을, 홍콩 New Art Wave International Artists Award에서 Finalist를 수상하였다.

2022년 국립현대미술관 기획 초대전《생의 찬미》, 대만 도자비엔날레, 창원국제 조각비엔날레, 국가홍보처 도쿄 한국문화원 파사드, 엘지 시그니처등에 초대되었다.

김혜경은 NFT 아트가 글로벌 시장에 한국 작가들의 작품을 소개할 수 있는 기회가 될 수 있다고 말한다. 세계인이 사용하는 블록체인 플랫폼에 작가가 NFT 작품을 민팅하자마자 글로벌 시장에 작품을 알릴 수 있는 문이 열리기 때문이다. 실제로 김혜경의 NFT 작품은 대부분 해외 컬렉터들이 소장하고 있다. 이 외에 실물 미술 작품 컬렉터이거나 크립토 영역 종사자인 한국인들도 작가의 NFT 컬렉터이다.

NFT 아트를 언제 시작했나?

기존 미디어 작품인 중국 청나라 콧담배병위 효제문자도 시리즈 중 '염'에 해당하는 1분 분량의 작업에서 10초 정도를 크롭해 2021년 3월 19일 오픈 시에 NFT로 선보였다.

NFT가 디지털 아트에 어떠한 영향을 주었는가?

그동안 원본과 사본의 구분이 없었던 디지털 파일에 NFT는 '원본'이라는 메타데이터 코드를 반영해 디지털 작업에 진품의 '아우라'를 부여한다. NFT는 디지털 아트에 원본의 소유 개념을 도입해 작품의 가치를 보증해준다.

NFT가 창작자에게 준 새로운 기회는 무엇인가?

NFT는 창작자에게 안정적인 작업 활동을 원활하게 해주는 수익성을 제공해준다. 또한 글로벌 NFT 마켓플레이스는 언제 어디서나 나의 작업을 홍보할 수 있는 포토폴리오 플랫폼으로서의 역할도 한다.

어떠한 메타버스 NFT 전시에 참여했나?

메타버스 NFT 전시는 전 세계 작가들을 매우 신속하게 모집해서 대규모로 열린다. 국내 외에서 하는 대규모 NFT 전시에는 거의 다 참여 했다. 미국 마이에미에서 열린 NFT전시, 싱가포르 아트 아시아쇼, 일본, 뉴욕, 한국 메타버스 전시를 비롯 피지컬 갤러리 전시까지 NFT로 다수의 전시 경험을 갖게 되었다. 처음에 3D 아바타를 통해 메타버스 갤러리에서 전시 작품들을 관람하며 마치 게임을 하는 느낌처럼 재미있고 신선했다. 신진작가의 경우 NFT로 인해 글로벌 전시에 비교적 쉽게 진입해 참여할 수 있는 좋은 기회들을 얻을 수 있다.

메타버스 NFT 전시에서 보완해야 할 점은 무엇인가?

전시 관람 경험의 깊이에 있어 모니터나 핸드폰을 통해 작품을 감상하는 것은 실물 작품을 직접 보는 것과 차원이 다르다. 진지한 감상이 이뤄지지 않아 작가인 나조차 메타버스 전시 경험에 관한 기억이 더 쉽게 휘발되는 느낌을 받았다. 가상의 파일을 가상 세계에 전시했기 때문이 아닐까 싶기도 하다.

싱가포르에서 주최한 메타버스 전시회 때 NFT 작품을 소개하며 한 점 판매가 되긴 했지만 글로벌 메타버스 전시에 참여했다는 것이 NFT 작품 판매까지 이어지는 경우는 많지 않다.

실물 갤러리에서 NFT 작품을 전시할 때 아쉬웠던 점은 무엇인가?

NFT 단체전은 작품을 보여주는 디바이스 수에 비해 출품 작품 수가 월등히 많은 경우가 대부분이다. 한 디바이스에 많게는 수십 개의 작품을 돌아가며 보여주는 루핑looping 방식은 한 작가의 작품을 관람객에게 인지시키며 전달하기에는 한계가 있다. 만약 그룹전이 아닌 개인전 형태라면 이 문제는 보완될 수도 있다.

NFT 아티스트에게 커뮤니티는 왜 필요한가?

이 세계에서는 NFT 작품을 적극적으로 홍보하는 데 있어 트위터나 디스코드 같은 소셜 미디어의 역할이 상당히 크다. 커뮤니티에서 작가들이 서로 트위터에 올린 NFT 작품 소개 링크를 공유하며 보다 다양한 사람들에게 작품 소식을 전할 수 있다. 또한 나는 사람을 좋아하기에 초창기 NFT 작가들과 음성기반 SNS 클럽하우스에서 밤새워 이야기를 하며 즐겁게 소통했던 기억을 소중하게 간직하고 있다. 커뮤니티에서 작가들과 서로의 작업 이야기 뿐 아니라 일상을 나누며 정서적 교류를 할 수 있고, 새로운 작업을 위한 영감을 주고 받기도 한다.

08AM(에잇에이엠)

08AM은 자신이 세상에 태어난 시간을 뜻하는 작가명처럼 한국 NFT 아트씬의 탄생 시점인 2021년 2월부터 꾸준하게 활동하며 NFT 작가에게 필요한 경험 지식을 축적해왔다. 작가는 세계 최대 NFT 마켓플레이스 오픈시에서 2021년 3월, 한국 최초로 NFT를 판매했다. 뿐만 아니라 슈퍼레어, 파운데이션 등 다양한 글로벌 NFT 마켓플레이스를 두루 경험하며 실물 페이팅 작업과 디지털 아트 양쪽에서 다양한 창작의 실험을 이어온 현대미술가이다. 푸마, 구구콘, 리그오브레전드, 프링글스 등 국내외 기업과의 콜라보 작업도 활발하다.

08AM은 작가의 철학을 담아 작품에 오리지널리티Originality를 구현하는 방안을 고민하는 작가이다. 그는 블록체인의 기술적 속성과 암호화폐에 담긴 사회적 합의가 어떻게 NFT 아트의 내러티브를 구현할 수 있을지 탐색해왔다.

NFT를 알게 된 계기는 무엇인가?

클럽하우스에서 작가들과 이야기를 나누다가 미국에서 활동하는 이소연 작가가 작품 도용 사례를 겪어 해결 방법을 찾고 있다는 소식을 전해주었다. 누군가 작가 계정을 도용해 작품을 불법 스크랩하여 NFT로 만들어서 NFT 마켓플레이스에 판매한 사건이었다. 이소연 작가는 저작권 침해를 해결해 나가는 과정에서 NFT라는 게 있다는 걸 알게 되었고, 2월에 직접 자신의 첫 NFT 작품을 민팅하며 슈퍼레어SuperRare에 진출했다. 며칠 뒤 미스터 미상 작가도 첫 NFT 작품 〈#01. Odd Dream〉을 슈퍼레어에 선보였다. 이처럼 2021년 2월에 이미 선도적으로 슈퍼레어에 진출한 한국 작가들이 있었다.

작가들이 NFT를 처음 알게 된 2021년 2월부터의 현장 분위기는 어떠했나?

초반에 '맨땅에 헤딩'하며 집단 지성에 의지해서 NFT를 알아갔다. '어? 이거 되네? 이렇게 하면 안 되네?'라고 직접 시도해보면서 실패도 많이 겪고 그러면서 알아낸 정보를 서로 공유했다. 이 작업을 작가들이 잠을 안 자고 새벽까지 계속 했다. 코로나로 실제로 만나 연구를 지속하기는 어려운 상황이있기에, 대신 클럽하우스를 종일 켜 두다시피 하면서 NFT를 알아가기 위한 시행착오를 거듭하며 여기까지 온 것이다.

이소연 작가, 조이조 작가가 '작업도 자만추(작업하는 사람들 자연스럽게 만남 추구)'라는 작업 이야기를 하는 클럽하우스 방을 운영했는데, 점점 NFT 이야기만 하게 되었다. 그래서 하다못해 방 이름에 'NFT 금지'라는 문구까지 붙였는데 서로 대화가 없어졌다. 그래서 결국은 그냥 다시 NFT 이야기를 계속 해나갔다. 이렇게 코로나 시국에 클럽하우스가 NFT를 이야기하는 터전이 되고, 알 수 없는 열기 속에서 작가들이 NFT의 길로 떠나게 된 것 같다.

작가들이 NFT를 알아가는 데 열정을 바치게 된 이유가 무엇이라고 생각하나?

실물 미술 시장에서는 내가 작업을 해서 홍보를 하고 전시회 제안서를 넣고 하면서 적어도 5년, 꾸준하게 10년 이상 경력을 쌓아야 작품이 판매되는 시점이 생긴다. 내 작품의 컬렉터를 만나는 것도 쉬운 일은 아니다. 미대 졸업하고 사회에 나오면 누가 나한테 돈 십만원 써주지 않는다. 작품 판매로 먹고 살 수 있기까지는 진짜 버티기 싸움이다. 돈이 많거나 배경이 좋지 않은 이상 그렇게 되더라.

그런데 NFT는 하자마자 누군가의 취향에 맞으면 팔릴 수 있다. 탈중앙화 내러티브에 부합하거나, 펑크가 섞여 있으면 팔리기도 한다. 그리고 갤러리와 5대 5로 나눠 갖지 않고 판매되는 순간 바로 수익이 나에게 들어온다. 이런 게 어디 있나, 세상에. 작가 입장에서는 본인이 작업을 한 지 1년도 안 되었거나 심지어 한 달 밖에 안된 사람도 그렇게 할 수 있다. NFT는 지속 가능한 작업을 이어갈 수 있도록 창작자에게 새로운 경제적 활로를 마련해줄 수 있다.

NFT 재판매 시 원작자에게 로열티가 지급된다. 실제 경험 사례를 듣고 싶다.

2022년 1월에 오픈시에서 처음 0.06이더에 발행했던 25개 에디션이 완판된 이후에 두번째 2차 판매가 일어났다. 최초 가격보다 높은 0.4이더리움에 재판매 된 것이다. 그런데 며칠 뒤 0.08이더에 완판된 NFT 작품 〈Vomiting Inspiration〉 에디션이 2022년 1월 초에 또 재판매가 되었다. 무려 0.5 이더에 기존 컬렉터가 올려둔 게 판매되었고, 최근 3건의 재판매가 일어나며 NFT 컬렉션 볼륨도 확 뛰었다. 현재도 재판매건에 대해 컬렉션에 설정해 둔 10%가 월렛으로 들어오고 있고, 로열티를 받게 됐을 때는 사명감을 다시 한번 느끼게 된다.

실물 그림 작업을 해오다 NFT 작업을 시도했는데 어려움은 없었나?

기존 작업과 차별화된 NFT 작품만의 내러티브를 어떻게 구축해나갈 수 있을 것인가에 대한 고민을 정말 많이 했다. 기존 작업이 지닌 세계관의 내러티브를 NFT에 그대로 가져가려다 보니 방어 기제가 발동했다. 그래서 NFT는 실물 작업에서 파생된 새로운 이야기로 만들었다. 우선 NFT를 접하면서 실제로 내가 경험하게 된 감정 변화를 작품의 주요 캐릭터와 색깔에 담아 오픈시에 첫 NFT 컬렉션으로 선보였다.

NFT 컬렉션의 주요 내러티브는 무엇인가?

NFT 컬렉션 〈PARAcell in the CryptoWorld!〉는 그간 실물 작업에 등장해 온 '파라셀PARAcell'이라는 영감 세포 캐릭터가 크립토 세계로 넘어와 NFT를 접하고 받은 첫 인상을 시리즈로 담았다. 첫 판매작 〈Thunder Poop!〉은 실물 세계에 살던 파라셀이 크립토 세계에 도착해 화려하고 번화한 크립토 뉴욕 거리를 둘러보는데 모든 것이 새로워 충격을 받는 장면을 묘사한다. 천둥 같은 충격을 받은 파라셀은 그만 메타버스에서 배변을 하게 된다. NFT를 처음 만났을 때의 감정이 '놀람'이어서 빨간색으로 표현했다.

두번째 작품은 〈LIGHTNING Kitty Punch!〉인데, 노란색 파라셀 캐릭터가 크립토키티에게 호된 신고식을 당하는 장면이다. 작품에 블록체인 디지털 고양이 수집 게임 '크립토키티CryptoKitties'가 메타버스 대장으로 등장한다. 실물 세계에 살던 캐릭터가 새로운 크립토 세계에 진입하며 겪는 어려움을 반영했다.

〈CHAOTIC BLUE !?〉는 NFT 작품이 판매되면서부터 시작된 고민들을 파란색 느낌표와 물음표로 표현했다. 주요한 고민은 실물 기반의 순수 예술 세계와 여러 차이점을 지닌 크립토아트에 대한 것이었다. 크립토아트는 사이버펑크, 코인 등 크립토씬의 주요 이슈를 작품 소재로 삼아 새로운 미학을 만들어간다. 그러한 크립토아트의 특성을 나의 작업에 어떻게 반영할 수 있을 것인가에 대한 고민을 이어갔다.

흰색으로 표현한 작품 〈Step by step!〉은 아직도 낯선 크립토 세계를 마주하며 망설여지는 순간도 있지만 한 걸음씩 그 세계에 다가가고 싶다는 설렘과 기대를 담았다.

보라색으로 표현한 〈I Purple you!〉는 하트 형상으로 '여기 정말 마음에 든다'라는 감정을, 검정색으로 표현한 작품 〈Vomiting Inspiration〉은 무엇이든 가능한 크립토 세계가 서로의 영감을 주고 받을 수 있는 장이 되면 좋겠다는 바람을 담았다.

파운데이션에 선보인 NFT 작품에는 어떠한 내러티브를 부여했나?

NFT 작품 〈08 RED BRICK〉 은 메타버스에서 새로운 가치를 창출하는 예술가로서의 정체성을 3D 복셀의 벽돌 형상으로 표현한 '디지털 브릭 시리즈 Digital Brick Series'이다. 안드로이드 스마트폰에서 AR로 작품을 감상하면 관람객의 현실 공간에 작품이 등장한다. 또 다른 NFT 작품 〈08 DNA〉은 무한한 잠재력을 가진 3차원 형태의 유전자로 예술가의 무한한 영감을 표현하고 있다. 〈The Moment: Hopping〉 시리즈는 2021년 10월 전시 앞두고 있던 오일 페인팅 작품에서 영감을 받은 작품이다. 기존 평면회화에서 보여줄 수 없었던 작품의 내러티브를 3D로 구현했다.

요요진 YOYOJIN

요요진은 즉흥성을 동반한 낙서 형태의 두들링을 거리에서 라이브 드로잉으로 선보이며 동시대의 대중과 소통하는 예술을 지향하는 현대미술가이다. 작가는 VR, AR, NFT 등 첨단과학기술과 예술의 융합을 자유자재로 시도하며 경계를 넘어 창의성을 발현하는 작업을 추구한다. 그는 2010년 유네스코 한국위원회Korea National Commission for UNESCO, KNCU 프로그램을 통해 아프리카 잠비아에 파견되어 무려 9년 동안 현지에서 활동했다. 요요진은 '예술을 통한 사회문제해결'을 모토로 하는 아티스트 콜렉티브 Art4art 소속작가로 활동하며 후천성면역결핍증후군HIV/AIDS 이슈를 다루는 애니메이션, 영상, 미디어 작품을 다수 제작했다. 빈부격차와 청년실업, 에이즈 등 전지구적 사회문제의 해법에 관한 예술가로서의 치열한 고민은 이후 사랑과 평화와 같은 보편적인 가치가 투영된 작품 세계관을 형성하였다.

그는 아프리카에서 9년 만에 한국에 귀국해 아무 것도 없는 0의 상태에서 도전을 시작하고자, 구청의 허가를 받고 홍대 거리에 전지 10장을 붙여 라이브 드로잉을 했다. 예술가로 살아가고 싶지만 한국에 그 어떤 갤러리나 네트워킹이 없었기에 절박한 심정으로 거리에서 직접 그림을 그리고 대중을 만나며 차곡차곡 작가로서 이력을 만들어갔다. 요요진은 개인전《9 to 0 Nine to Zero》(Art Arch, 서울, 2020),《Renamed》(I art Seoul, 서울, 2019),《YOME》(Modzi Arts, 잠비아, 2019) 을 열었고, NFT 그룹전《Brave New World》(Theo Art, 서울, 2021),《예술과 화폐의 혼인 동맹》(Gallery Mark, 서울, 2021)에 참여했다. 또한 현대자동차에서 주관하는 아트앤테크 Art & Tech 프로그램 제로원ZerO1ne의 크리에이터 (Zer01ne, 서울, 2020) 로 활동했으며, 과학예술융합 레지던시 〈사이언스 월든〉 (UNIST, 울산, 2021) 과 기술적 상상력과 창의성을 통해 새로운 놀이를 만드는 프로젝트〈Playmakers〉(아트센터 나비, 서울, 2021)에서 활동했다. 브랜드 콜라보레이션으로 Coach 80주년 팝업스토어 이벤트를 진행하고 지오지아, 서울문화재단, 한국공정무역협의회 등과도 협업했다.

요요진은 2021년 3월 14일에 오픈시에 첫 NFT 작품을 민팅했고, 4월 네 번째 개인전《Sound, Drawing》(공장갤러리, 서울, 2021.4.01~4.18)에서 총 34점 출품작 중 NFT

작품 15점 '요요 형상(1~15)'을 포함하며 국내 최초 오프라인 개인전에서 NFT를 선보였다. 작가는 'NFT와 피지컬 아트 작품 중 어느 쪽이 더 가치가 있을까'라는 흥미로운 질문을 던지며 개인전 현장 경매와 오픈시에 민팅한 NFT 판매 결과를 비교하는 실험을 진행하기도 했다.

NFT는 언제 처음 접하게 되었나?

2017년 혹은 2018년이라 기억하는데, 아프리카에 있을 때 NFT를 처음 듣게 되었다. 블록체인 기술에 관심이 많던 말레이시아 친구가 나에게 고양이 그림 하나를 보여주며 얼마인지 맞춰보라고 했다. JPEG 파일로 보여 500원이라고 이야기했더니만 500만원에 거래되고 있다고 알려주었는데 그게 바로 크립토키티였다.

오픈시에서 〈The least trusted coin ever. (Ver2)〉이라는 작품명을 지닌 '요요코인' NFT를 발행했다. 대체 불가능한 존재인 작가 존재의 가치를 코인에 담아보는 시도를 한 이유는 무엇인가? 작가 정신을 NFT에 담아 매력적인 디지털 자산으로 만들기 위한 하나의 시도인가?

나는 실은 보수적인 사람이다. 내가 가장 소중하게 여기는 예술이라는 분야에서 나의 코인을 만들어 작품에 자본주의 색깔을 띠는 것 자체에 반감이 컸다. 그런데 한 번 더 스스로에게 질문해보니, 반감의 이유가 예전부터 교육받은 자본주의에 대한 부정적 생각들이 투영된 것에서 비롯된 것은 아닐까 싶었다. 관점을 전환하여 내가 코인을 만든다면 어떠한 가치와 기능, 작용을 반영할 수 있을까를 생각해보았다. 화폐나 통화도 사회의 약속이다. 나라마다 돈의 가치와 무게가 다 다르다. 그래서 나의 코인을 만드는 재미있는 시도를 통해 옹졸한 보수적인 마음도 풀어보자는 의도로 요요코인을 발행했다. 이 코인은 작품가를 10퍼센트 할인해주는 기능을 가진다. 요요코인을 3D로 프린트해서 수집해주는 분들에게 드리기도 했다. ERC-20이라는 기술을 활용해 코인 발행하는 방법도 공부해보고, 어떻게 하면 예술적으로 재미있게 기능할 수 있는 코인을 만들 수 있을까에 대한 생각을 이어가고 있다.

국내 최초로 NFT를 오프라인 개인전에서 선보였다. 어떤 의도였는가?

첨단과학기술에 관심이 많아 예술 창작에 가상현실VR, 증강현실AR 등 테크 요소를 접목하는 것을 선호한다. 경계를 넘었을 때에만 발견할 수 있는 진리를 창작에 반영하고 싶기 때문이다. 우선 이전에 배운 AR을 전시에 적용해 실재實在하지만 실재하지 않는 경계에서 보여지는 실체를 표현하고자 했다. 처음에는 그림 하나를 파일로 쪼개 USB에 담아서 블록체인의 개념과 가치를 나의 작업에 끌어오는 방법을 모색했다. 당시 블록체인 개념을 공부하면서 작품의 개념을 확장시키고자 개발자와 미팅을 진행하기도 했다. 그러다 2021년 2월에 클럽하우스에서 NFT에 대해 다시 한 번 듣게 되었고, 오픈시에 NFT를 올리는 방법으로 전시에 접목하기로 결정했다. 지금도 처음처럼 작가로서 작업의 연장선상으로 NFT라는 기술에 접근하고 있다.

당시 실물 작품 현장 경매와 NFT 판매 결과를 비교하는 실험을 했는데, 결과는 어떠했나?

솔직히 말하자면 말도 안된다는 심정으로 실험한 것이다. NFT는 갓 시작된 시장이고, 내가 유명한 작가가 아니기에 당연히 원화의 가치가 높을 거라 생각했다. 그런데 결과적으로는 NFT가 2배 이상 더 팔렸다. 당시 이더 시세가 한화로 280만원 정도였으니 실제로는 어마어마하게 차이가 난 것이다.

NFT와 연계한 어떠한 온라인 혹은 오프라인 전시를 경험했는가?

NFT의 특성상 아직 대중들에게 온전하게 다가가기 힘들다. 접근성적인 측면도 있지만 디지털 가상자산의 거래라는 측면에서 시각적으로나 체험적으로 이목을 끌기에 한계가 있다. 그래서 이런 점을 보완하기 위한 메타버스 공간에서의 전시나 게임 등 다양한 시도들이 일어나고 있다. NFT를 접하면서 가상공간에서의 물성이 가지는 의미를 체험하게 된 전환점은 '크립토복셀'을 처음 접하고 나서였다. 암호화폐 경제시스템을 적용한 3D 메타버스 공간을 경험하며 나의 삶과의 밀접한 연관성을 발견했다. 메타버스에서 땅을 거래하고 다양한 이웃을 만나며 새로운 표현을 시도할 수 있었다. 메타버스 공간에서 전시와 공연을 체험하는 과정도 재미있었고, NFT를 통해 자산을 공유할 수 있다는 점도 매우 흥미로웠다.

작가로서 바라보는 NFT 시장에 대한 전망은?

NFT는 앞으로 더욱 우리의 삶과 밀접해질 것이다. 지금 블록체인, 메타버스와 관련한 다양한 사업과 프로젝트들의 새로운 시도가 폭발적으로 일어나고 있다. 예술 영역에서도 이러한 시도를 해나갈 수 있다. 단순히 플랫폼 이용자로서 NFT 시장에서 활동하는 것도 물론 중요하다. 그러나 NFT를 자신의 영역을 확장하는 좋은 작업도구로서 활용할 수도 있다. 결국 작업은 매체를 뛰어넘어 연결된다. 작품을 대중과 공유하는 것은 변함이 없을 것이고 그것이 NFT든 기존에 해왔던 작업이든 그 안에서 이야기하고 싶은 것들을 계속 만들며 작가는 성장해가면 된다. 변화하는 환경을 마주하며 지속적으로 새로운 시도를 해나가는 작가들을 응원한다. 앞으로 NFT 시장을 향한 대중의 관심이 높아져 예술이 발전해나가는 데 NFT가 주요한 획을 그었으면 좋겠다.

박상혁

박상혁은 독일 브라운슈바익 국립조형예술대학교[HBK] 졸업 후 2003년 어른과 아이의 경계에 선 듯한 '네모나네'라는 캐릭터를 창조해 작품 활동을 이어가며 풍경을 재해석한 회화 작업도 진행하고 있다. 그는 무수한 시간의 흐름 속에 그리움과 애잔함으로 남은 소중한 순간들의 가치를 회화, 애니메이션, 디지털 아트, NFT 로 변주한다. 작가의 자화상을 투영한 '네모나네'는 작지만 동그란 눈으로 정면을 응시하고, 무표정하나

꾹 다문 입술로 차마 다 표현하지 못한 감정을 삼키고 있는 듯하다. 내면의 응축된 감성은 다채로운 색감과 선묘로 표현한 배경에 시적으로 표현되어 있다.

경기도 양평의 한적한 작업실에서 아침부터 밤까지 작업에만 몰두하는 중진 작가가 NFT를 마주하게 된 이유는 무엇인지가 궁금했다. 박상혁은 실물 작품 뿐 아니라 디지털 작품을 꾸준히 작업해왔으나 현실적으로 디지털 아트 전시 기회를 찾는 것은 쉽지 않았다고 한다. 작가는 NFT를 매개로 디지털 아트의 메타버스 전시라는 새로운 기회 요소를 발견했다. 국경과 장소를 초월한 글로벌 시공간에 그동안 세상에 선보이기 어려웠던 디지털 아트 작품들을 꺼낼 수 있게 된 것이다.

NFT를 언제 처음 알게 되었는가?

2020년에 서울옥션 관계자를 통해 NFT에 대해 처음 알았다. 양평에 작업실이 있어서 서울에 갈 때마다 그분을 통해 NFT 이야기를 조금씩 듣게 되었다. 시대가 변하고 아트 쪽도 변화가 있을 거라는 이야기였다. 크립토아트에 대해서는 아예 개념이 없었던 상태였지만 디지털 작업은 관심이 많아 NFT를 시도해봐야겠다고 생각했다.

NFT를 해야겠다고 마음 먹게 된 특별한 이유가 있을까?

디지털 그래픽과 디지털 모션, 애니메이션 등 디지털 아트 작업은 계속 했지만 전시를 할 수 있을 거라고는 생각하지 못했다. 실물 작업인 페인팅과 조각만 전시할 수 있었다. 그래서 디지털 작품의 전시 공간에 대한 고민이 있었다. 만약 디지털 작업으로 활발하게 작품 활동도 할 수 있고, 디지털 작품을 선보일 수 있는 플랫폼이 있으면 어떨까 생각했는데 NFT에서 그 가능성을 발견했다.

디지털 작품의 전시 기회 확장이라는 측면에서 NFT에 매력을 발견하게 된 것인가?

미술은 오프라인 공간에서만 전시해야 한다는 것은 따분한 생각이다. 물론 그게 허용이 안되는 작가들도 있다. 하지만 오프라인 전시 공간은 작가가 하고 싶다고 해서 사용할 수 있는 것이 아닌 게 현실이다. 그런데 NFT는 누구든 자신의 작품을 전시할 수 있다. NFT 마켓플레이스에 민팅하면 디지털 아트 작품을 포트폴리오처럼 선보일 수 있고, 다양한 메타버스 전시 공간이 생겨나고 있기에 NFT 작품을 국경과 장소를 초월해 글로벌 공간에 전시할 수 있다. 디지털 아트 작업을 꾸준히 해왔던 작가로서 이 부분이 상당히 매력적으로 다가왔다.

처음 시도한 NFT 작업은 무엇인가?

2021년 4월경에 NFT 작품 창작에 돌입하여 7월에 NFT 컬렉션 〈Projected Nemonane Animation〉으로 오픈시에 민팅했다. NFT는 실물 작품에 등장하는 캐릭터 '네모나네'의 디지털 아트 영상 버전이다.

어떠한 메타버스 NFT 전시에 참여했나?

2021년 7월 1일부터 25일까지 첫 NFT 작품을 서울옥션 자회사 프린트베이커리의 NFT 기반 디지털 아트 특화 브랜드인 에디션eddysean에서 주최한 메타버스 전시 〈The Genesis : In the beginning〉에 출품했다. 'The Genesis'는 기원, 창세기를 뜻하는데 참여 작가들의 최초 발행 NFT 작품으로 구성된 메타버스 전시이다. NFT가 동시대 미술의 기원이 되기를 바라는 의도가 담겨있다. 전시장소는 메타버스 플랫폼 크립토복셀에 지상 2.5층으로 건축된 eddysean 갤러리였다.

NFT를 경험하면서 작가로서 어떠한 생각을 하게 되었는가?

NFT는 그동안 하던 작업을 계속할 뿐이라는 식의 태도로는 창작을 지속할 수 있는 동력이 턱없이 부족할 수 있다는 걸 알게 되었다. NFT가 기존 미술 활동과 분명 차이가 있다는 뜻이다. 지금까지는 미술관이나 갤러리,

옥션 등이 작가와 대중을 매개하는 역할을 해왔다. 또한 아트 딜러, 큐레이터, 평론가 등 다양한 미술 분야 전문가들이 작가와 대중을 연결했다. 이러한 다양한 중개자의 존재가 때로는 벽을 만들기도 했고 미술의 중심을 이루기도 했다. 그런데 NFT는 작가와 대중을 바로 연결한다. 코로나19가 세상을 강제로 변화시키는 사이 패러다임이 전환되어 새로운 강물이 흐르고 있다는 게 나처럼 변방에서 작업하는 작가에게도 보일 정도였으니 말이다.

블랙선 Blacksun

블록체인은 탈중앙화 가치 실현을 위해 익명성을 보장한다. 블록체인에서 이루어진 거래 내역은 모두 공개된 분산 장부에 투명하게 기록되어 확인이 가능하지만 거래 당사자들의 신원은 직접적으로 드러나지 않는다.

메타버스에서 살아가는 아바타는 본인이 원한다면 익명성을 띨 수 있다. 메타버스에서의 자아는 현실과 달리 자신의 배경과 이력, 성별과 나이 등을 구체적으로 드러내지 않아도 된다. 익명의 존재는 양면성을 지닌다. 구체적인 실체를 감추고 있기에 그 사람의 숨은 의도가 무엇인지 분별해야 한다는 위험성이 있다. 반면 익명성은 한 사람의 진실을 발견하고 편견 없이 다가가는 소통을 촉진시키기도 한다.

블랙선 작가는 편견 대신 존재의 진실을 발견하는 익명성의 가치를 자유롭게 부유하는 복면과 가면을 쓴 캐릭터로 묘사한다. 작가의 세계에서 이들은 현실의 한계와 편견을 초월한 무의식의 몽환 세계에서 살아가며 목적 없이 순간에 몰입하며 유희한다.

블랙선은 홍익대학교 미술대학 회화과 졸업 후 2019년 KB청춘마루 아티스타 공모전에 당선되어 개인전 《Eternal moments》를 열었고, 2021년 8월 카이스트 경영대학에서의 개인전 《Blink》에서는 NFT를 포함한 페인팅 신작들을 선보였다.

작가가 국내외 전시에서 선보인 NFT 컬렉션 〈뒤틀어진 세계Twisted world〉는 꿈 속의 순간들에 대한 연작이다. 현실로부터의 도망 끝에 도착한 뒤틀어진 세계는, 나이도 성별도 모호한 복면 인간과 복면 개에게 불완전한 대피소가 된다. 이곳에선 그 어떤 책임도, 목적도 없이 자유롭게 존재할 수 있다. 그저 그들에게 주어진 순간을 만끽하며 정처 없이 유랑할 뿐이다.

'블랙선Blacksun'이라는 작가명은 무슨 뜻인가?

검은 해를 뜻한다. 태양은 늘 밝지만 이면에 어둠이 있을 수 있다. 사람들은 그 어둠을 잘 보려고 하질 않는다. 나는 작업의 영감을 얻을 때 밝고 따뜻한 것들보다는 그 이면의 어둠에 담긴 슬픔이 마음에 많이 남는다. 그러한 결핍이 작업의 원동력이 된다.

작가로서 경험한 NFT의 가치는 무엇인가?

2021년 3월 초 클럽하우스에서 NFT를 알게 되었다. 작가들은 소득이 불안정한데 NFT로 작가가 직접 수익을 창출할 수 있고 작품의 소유권을 인증할 수 있다는 점이 신세계처럼 다가왔다.

첫 NFT 작품은 무엇인가?

오픈시에 민팅한 〈Twisted World_No destination〉 이다. '뒤틀어진 세계'를 담은 컬렉션은 2020년 8월부터 구상했다. 코로나 19로 전시도 연기되고 슬럼프가 와 그림을 못 그릴 정도로 힘들었던 시기였다. 작업실에 멍하니 앉아있다가 어느 날 손 가는대로 드로잉을 하던 중 도피처이자 대피소가 될 수 있는 꿈 속의 세계를 그려 냈다. 언젠가는 다시 현실로 돌아가야 하는 불완전한 도피처라 Twisted World 라고 칭했다. 이 세계에서 일어날 수 있는 기이한 일들을 작품에 담고 있다.

현실을 살 때는 목표가 있어야 하고 그것이 없으면 도태된 사람이 된다. 그러나 이 세계에서는 경쟁이나 목표 없이 자유롭게 돌아다니며 살아갈 수 있고, 현재의 그 순간에 몰입해 존재할 수 있다. 타인의 시선으로부터 해방된 채 오롯이 나 자신으로 존재할 수 있는 세계를 그리며 내 자신이 치유가 되었다.

복면을 쓴 캐릭터가 작품에 지속적으로 등장하는 이유는 무엇인가?

작품에는 전반적으로 얼굴이 가려진 인간들이 등장한다. 색면으로 얼굴이 가려진 인간이 '아무 것도 하지 않아도 되는 곳'에서 유유자적하는가 하면, 복면으로 얼굴이 가려진 인간이 뒤틀어진 세계를 정처 없이 유랑한다. 이들의 나이나 성별 등은 관람자의 시선을 통해 그저 유추할 수 있을 뿐, 정보가 한정적이다. 이러한 익명성은 그들이 어떤 상황에서도 남들의 시선에 얽매일 필요 없이 그저 하고 싶은대로 자유롭게 존재하면서 주어진 순간을 만끽할 수 있게끔 한다.

실물 회화 작업을 하다가 디지털 아트인 NFT 작업을 하는 것이 어렵지는 않았나?

나는 회화과 전공으로 아크릴과 오일 파스텔 등의 회화 재료를 사용한 평면 작업을 주로 해왔다. 오래 전부터 인물과 상황을 설정해 스토리텔링을 가미한 작업에 애니메이션 효과를 넣어 그림을 움직이게 하면 재미있겠다는 생각을 했었다.

디지털로 작업하는 방법은 대학생 때부터 익혀왔고, 디자인 회사에 근무할 당시에도 디지털 창작을 이어갔기에 NFT로 넘어가는 것이 크게 어렵지는 않았다. 그러나 작품의 완성도를 위해 디지털 매체를 활용해 창작하는 배움은 꾸준히 이어가고 있다. 현재는 영상이나 2D, 3D 툴을 이용하여 애니메이션, AR과 같은 형태의 작품 창작을 시도하고 있다.

블록체인 NFT 기술이 창작자 경제creative economy에 어떻게 기여했나?

신진작가가 자신의 작품을 선보이기 위해서는 공모전에 도전하거나 전시 공간을 스스로 찾아나서야 한다. 나 역시 미대 졸업 후 각종 공모전에 도전하고 전시 기회를 찾아보았지만 쉽지 않았다.

그런데 NFT는 작가가 직접 판매와 홍보를 할 수 있다는 점이 매력적으로 다가왔다. 작가로서 무력감을 느껴보고 막막해하다 NFT를 만났다. NFT를 시작하며 작가가 주체가 되어 작품을 선보일 수 있는 길을 발견하게 되었다. 또한 NFT 작품이 재판매될 때마다 일정 부분 원작자에게 로열티를 지급하는 '추급권(追及權, artist's resale right)'의 보장 또한 창작자에게 매력적으로 다가왔다. NFT를 시작한 이후로 오히려 갤러리에서 먼저 전시 제안을 해오며 나의 작품을 주목해주는 일이 생겼다.

예술의 경계를 확장하다

NFT 아트의 주요 참여 주체인 창작자는 다양성을 지니고 있다. NFT 작가들의 배경을 살펴보면 예술 전공자뿐 아니라 IT 업계 종사자, 게임 제작자, 마케터, 프로그래머, 모션 그래픽 아티스트, 콘셉트 아티스트 등 다양하다. 이들에게 작가의 지위를 부여하는 주요 주체는 MZ세대를 주축으로 하는 새로운 컬렉터층이다. NFT는 새로운 유형의 작가군과 다양한 형태의 작품 스타일을 예술 영역으로 진입시키고 있다. 역동적으로 활동하고 있는 다양한 NFT 작가들의 이야기를 경청하는 것은 NFT 아트의 다채로운 양상을 파악해나가는 데 있어 필수불가결한 과정이다.

레이레이 LAYLAY

레이레이는 IT 게임디자이너로 디지털콘텐츠를 기획하고 제작해 온 역량을 바탕으로 NFT 전업 작가의 길을 선택했다. “국내 주요 IT 게임회사에서 게임디자이너로 근무했다. 게임이란 매체는 콘셉트, 스토리, 아트, 인터렉티브 요소, 사운드 등 다양한 영역을 포괄하는 종합 예술이다. 디지털 콘텐츠라는 면에서 NFT와 게임은 공통점을 지니고 있다.”

그는 하루에 20만 명이 접속하는 게임 프로젝트를 기획할 때 커뮤니티에 올라온 글을 하나하나 살펴보며 사용자들이 무엇을 원하는지 분석하는 업무를 담당하며 매출 향상 등 좋은 결과물을 낳기도 했다. 레이레이는 게임 디자이너로서의 직무 역량이 NFT 작가로 활동하는 데 큰 도움을 주었다고 말했다. “스타트업 게임사에서 모바일 게임 프로젝트를 이끄는 디렉터로 근무하기도 했다. 게임 제작은 다양한 요소를 고려해 만들어야하기에 하나하나 창작할 때 맞물려 고민할 것이 많은 어려운 작업이다. 매 순간순간이 선택의 연속이고 그 결과물에 책임도 져야 한다. 하지만 방향을 설정해 주체적으로 디지털 콘텐츠를 만들어가는 역량을 쌓아갈 수 있는 시간이었다. 특히나 개발팀원들 간의 의사소통이 정말 중요하다. 이러한 게임업계에서의 경험이 자산이 되어 현재 NFT 전업작가로 창작하는 데 큰 밑거름이 되어주고 있다."

레이레이는 VR 개발 회사에서 근무하기도 했는데, 거의 모든 VR 콘텐츠를 다운받아 직접 실행해보며 치열하게 탐구했다고 한다. 가상 세계에서 VR로 어떻게 몰입감과 즐거움을 줄 수 있는지 사용자 경험과 VR 콘텐츠 개발 방법에 대해 연구했고, 4개 정도의 VR 게임을 출시한 뒤 그는 오래 전부터의 꿈인 아티스트의 길을 걷기 위해 과감히 퇴사했다. "나만의 작품을 만들고 싶다는 갈증이 해소되지 않았다. 퇴사 후 2년 동안 창작 활동에 몰두하며 홀로서기의 시간을 보냈다."

2년 후인 2021년 3월, 레이레이는 세계 최대 NFT 마켓플레이스 오픈시를 처음 살펴본 지 2~3분 만에 'NFT는 콘텐츠의 미래다'라고 직감했다. 오픈시에서 완판된 레이레이의 NFT 컬렉션 〈MINOR HEROES〉는 소시민의 잠재력이 지닌 가능성을 동심 어린 상상과 위트로 조명하며 화려하지 않지만 사소한 초능력을 지닌 사람들에 대한 이야기를 전하고 있다. "보잘 것 없는 사람 없이 모든 사람은 다 소중하다는 메시지를 작품에 담고 싶었다."

작가는 모든 캐릭터마다 이야기가 있기에 컬렉터블 느낌으로 재미있게 모을 수 있는 NFT 콘텐츠를 기획했다. 작품의 형태는 픽셀아트인데 픽셀Pixel은 픽처 엘리먼트Picture Element의 줄임말로 디지털 화면의 최소 단위를 말한다. 작가의 픽셀아트는 1980~90년대 레트로 게임의 감성을 떠올리게 하는 내러티브를 지니고 있어, 어린 시절 게임을 즐겼던 블록체인 업계 사람들의 뜨거운 호응을 이끌며 그들을 NFT 주요 컬렉터로 끌어들였다. 그는 카카오 NFT 거래 플랫폼 '클립드롭스[Klip Drops]'에서 〈어센션[ASCENSION]〉의 에디션 414점이 판매되었는데 본인의 4월 14일과 동일해 '새로 태어난 기분'이라고 소감을 전하기도 했다.

2022년 레이레이는 클립드롭스 하이라이트 연작 참여 작가로 블록체인 특징을 담은 4부작 시리즈를 선보였다. 그가 다룬 주제는 커뮤니티 기반으로 NFT 창작 활동을 해나가며 깊숙하게 생태계 전반을 체감하고 있는 상태라야 작품으로 풀어낼 수 있는 내용들이라 더욱 주목할만 하다. 4부작 연작의 첫 번째 작품 〈PROFILE PICTURES〉은 NFT의 시대에 나타난 PFP[Profile Picture]의 구조를 표현한다. 픽셀 아트 작품에 PFP의 제작, 로드맵, 민팅, 2차 판매, 커뮤니티, 이벤트 등의 요소가 유기적으로 담겨 있다. 두 번째 작품 〈GAS FEE CHAOS〉는 이더리움의 가격 변동성으로 인해 가스피가 높아 NFT 구매와 판매에 있어 NFT 작가와 컬렉터가 어려움을 겪고 있는 시기를 표현한다. 세 번째 작품 〈SCAM WAR〉는 NFT 씬에 발생하는 스캠의 종류를 묘사하며 이를 제거하는 레트로 게임의 내러티브를 도입했다. "스캠은 SNS에서 DM 보내기, 해킹 파일 설치, 가짜 NFT 컬렉션 발행, 스캠 이메일 등 다양하다. 그동안 많은 NFT아티스트와 컬렉터들이 스캠 피해를 보았고 마음의 깊은 상처를 입었다. 스캠이 더는 일어나지 않았으면 하는 소망을 작품에 담았다." 네 번째 작품 〈DOUBLE WORLD〉는 블록체인 세계와 현실 세계가 공존하는 현 시대를 묘사하며 두 세계의 통합이 가속화되어 변화할 미래의 새로운 삶의 방식을 표현한다.

레이레이는 IT 기업에 근무해온 경력이 1인 기업가와도 같은 NFT 전업 작가로서의 역량을 발휘하는데 실제적인 도움이 되었다고 말했다. "외부 기업과의 협업 시 발빠르게 상대의 필요를 파악하고 SNS를 통해 사람들과 의사소통하는 일은 IT 기업에 근무하면서 오랫동안 경험했던 부분이다. 이러한 역량이 의사소통 능력이 중요한 NFT 작가로서의 삶에 긍정적으로 작용하고 있다. 현재 작품 창작뿐 아니라 국내외 NFT 작가 및 컬렉터들과 소통하는 과정을 즐기고 있다. 또한 작품 콘셉트 및 캐릭터 스타일을 기획해 엑셀 시트 등을 활용해 나만의 문서화 방식으로 정리해두는 것은 나에게 자연스러운 일인데, 이 부분도 기업과 협업 관련 소통을 진행할 때 도움이 된다." 레이레이는 BC카드 첫 단독 NFT 협업 작가로서 BC카드 창사 30주년의 NFT를 창작했다. 작가가 편의점 업계 1위 CU와 함께 화이트데이를 맞아 선보인 히어로 콘셉트의 NFT 작품을 소유하고 싶어 2만 명 이상이 NFT 응모 이벤트에 참여하기도 했다.

뿐만 아니라, MBC 예능프로그램 '무한도전 NFT' 프로젝트의 협업 작가로 참여하며 《무한도전 X LAYLAY NFT》 개인전을 진행했다. 작가는 무한도전 '극한 알바' 편을 모티브로 극한 알바의 고충을 해결하는 20종의 히어로 캐릭터가 등장하는 NFT 작품 〈Infinite Character〉를 10개 에디션으로 만들어 디지털 아트 플랫폼 아트토큰arttoken에서 판매했다. 모든 캐릭터가 등장하는 작품 〈Infinite Champions〉는 단 1개의 NFT로 발행되어 일주일 동안 경매를 진행했으며, NFT를 소장한 컬렉터에게는 20개의 Infinite Champions 스페셜 토큰을 랜덤으로 에어드롭했다.

레이레이는 국내외 NFT 아트 작품을 1,000점 넘게 보유한 NFT 메가 컬렉터이기도 하다. NFT 컬렉팅을 시작하게 된 계기는 도대체 NFT를 왜 사는지 그 이유와 이점을 직접 체험하며 알아가고 싶은 호기심 때문이었다고 한다. 그는 NFT 아트 컬렉팅이 생각보다 더 재미있고 해당 작가와 작품 세계에 대해 더 깊게 알아갈 수 있도록 해주었다고 말한다.

"아트 컬렉터들과 NFT 아티스트들이 NFT 아트 작품을 사고 있다. 이유는 3가지라고 보고 있는데, 첫째, 작품 자체가 좋아서, 둘째, 미래가치를 보고 후일에 웃돈을 얹어 판매해 차익을 실현하기 위해서, 셋째는 작가가 인간적으로 좋아서이다. NFT 씬은 글로벌 무대에서 항상 소통할 수 있는 세계이다. SNS를 통해 NFT 작가의 작품 활동을 살펴볼 수 있고, 그 작가 트위터에 댓글을 달거나 DM을 통해 서로 이야기를 주고받으며 아티스트가 성장하는 모습을 지켜볼 수 있다. NFT 아티스트와 이야기를 나누며 함께 성장해나간다는 것은 무척 재미있는 경험이다. NFT를 사고파는 사람들이 서로 영향을 주고받으면서 NFT 생태계를 조성해가고 있다."

김지현

김지현 작가는 디지털 일러스트레이터 활동과 실물 아크릴 페인팅 작업을 겸하면서 자신이 늘 경계에 있다고 생각했다. 작가는 숙명여대에서 시각디자인을, 홍익대학교 대학원에서 일러스트레이션을 전공한 후 교보생명 캘린더(2010), 현대모터스 사보 표지작업(2013), KOTRA 아트콜라보레이션(2016)을 비롯해 두산동아, 천재교육, 한솔교육, 웅진씽크빅 등 다수의 출판사의 일러스트레이션 작업을 진행했다. 2012년 서울디자인재단 공모를 통해 개인전《Hakuna matata》을 시작으로 2022년 개인전《하루만큼의 여행》까지 꾸준한 전시 활동을 이어왔다. 그러나 회화, 영상, 일러스트레이션 등 여러 영역의 작업을 해오며 본인이 어디에도 속하지 않은 작업을 하고 있다고 생각했고, 작가로서의 핵심 정체성을 어떻게 규명해야 할지에 대한 고민을 가지고 있었다.

그런 상황에서 2021년 3월 NFT를 만나며 실물과 디지털 작업을 병행할 수 있는 작가의 역량은 빛을 발하기 시작했다. 김지현은 "NFT로 장르의 경계를 뛰어넘는 창작을 시도하며 작품 자체로 말할 수 있는 자유를 발견했다"고 말했다.

김지현은 디지털 자산으로서의 NFT의 가치를 인정하면서도 작가 입장에서 "NFT는 하나의 작품이라 생각하며 시장에 내놓는다"고 말한다. "NFT에 적합한 창작 방식은 무엇인지 끊임없이 탐색하며 시도하고 있다. 또한 사람들에게 NFT 작품으로 어떠한 이야기를 전달하고 싶은지 작품의 세계관에 대한 부분도 생각한다."

김지현의 NFT 작품들은 10년 전부터 해왔던 디지털 작업들을 영상으로 재창조한 것이다. 작가는 이를 짧게 끊어 올리는 방식을 택하지 않고, 기존 디지털 작품에 마치 새 옷을 입히는 것처럼 NFT에 적합한 형태로 새롭게 작업했다. 작가는 지금까지의 창작 방식에 안주하기보다 NFT 작품의 완성도를 위해 영상 공부를 시작하고, 프로그램을 익혀 직접 음악을 만들어 작품에 삽입하는 등 꾸준한 배움과 도전을 이어가고 있다. 그녀는 새벽에 일어나 자신을 정화하며 먹으로 그린 그림을 NFT로 만들어 민팅하기도 했다.

김지현은 자신이 그림을 지속하게 하는 힘이 무엇인지 작가로서의 지향점은 어디인지에 관해 성찰하며 장르의 귀속이 예술의 본질적 가치를 결정하지 않음을 깨달았다. 작가는 '나는 그림을 왜 그리는가? 또 그림으로 사람들에게 어떤 도움을 줄 수 있을까?' 라는 질문 끝에 자신의 그림이 사람들을 따뜻하게 위로해주는 마음의 치료제가 되기를 바라게 되었다. 김지현의 작품은 실물과 디지털 아트를 넘나들며 먼저 가까이 다가가는 손길처럼 대중을 위한 예술의 위안을 실천한다.

그리다 GRIDA

프랑스를 기반으로 한국, 이탈리아, 두바이 등에서 활동하는 그리다는 국가와 인종의 경계를 초월한 NFT 시장의 역동성을 삶으로 보여주는 NFT 작가이다. 그리다는 홍익대학교 대학원에서 미술교육을 전공하고 10여년간 「보그VOGUE」, 「바자BAZAAR」, 「마리끌레르marie claire」, 샤넬CHANEL 등의 패션·뷰티 매체 및 브랜드에서 패션일러스트레이터로 활동했다. 그녀는 2021년 2월 클럽하우스에서 NFT를 처음 접한 이후, 상이한 문화가 혼용되어 빚어내는 다양한 정체성에 대한 성찰을 '하이브리드 정체성Hybrid identity'이라는 테마로 NFT 작품에 담고 있다. 활동의 지평을 전방위적으로 넓힌 작가는 현재 파리 최초 NFT 전문 갤러리 이함갤러리Galerie IHAM 갤러리스트이자, 한국 최초 온체인 NFT 마켓플레이스 클럽스klubs 아트디렉터이다. 또한 그리다는 세계 도시를 순회하며 전시하는 글로벌 NFT 아티스트 커뮤니티 'Global Art ExhibitionGAE'에서 한국과 프랑스를 대표하는 NFT 작가로 활약하고 있다.

'그리다'라는 작가 명은 무슨 뜻인가?

'그림을 그리다'와 '그리워하다'는 이중 의미로, '그리워하는 것을 그리는 게 그림' 이라는 철학을 담았다. 고국을 향한 그리움도 깊다. 몸이 떨어져 있으니 마음이 더 그쪽으로 가더라. 내 나라에 있을 때는 안보였던 것들이 타국에 오니 보였다. 우리나라가 얼마나 아름다운 곳인지 우리 문화가 얼마나 소중하고 훌륭한 것인지 발견하게 되었고, 한국의 문화와 예술의 아름다움에서 영감을 받아 전통 미술 작품을 재해석한 픽셀 컬렉션 작업을 진행하기도 했다.

국보DAO 프로젝트와 연관하여 NFT 컬렉션을 선보이기도 했다. 어떤 작품인가?

국보DAO에 함께한 이들에게 감사를 표하기 위해 샤이니타이거ShinyTiger 작가와 함께 NFT 작품 〈Bohosin〉을 창작했다. '보물수호사방신'을 뜻하는 이 작품은 우리의 보물을 지키는 여섯 마리의 수호신을 픽셀 아트로 형상화한 것이다. 구체적으로 날씨를 다스리는 동쪽의 청룡, 불을 다루는 남쪽의 주작, 힘이 센 서쪽의 백호, 땅을 지키는 북의 현무, 태양의 빛을 가진 까마귀 삼족오, 언제나 뜬 눈으로 당신을 지키는 나무 물고기 목어를 담고 있다. '이들이 모든 시간, 어디서든 당신을 지켜줄 것이다'라는 의미를 담았다.

NFT의 가치는 무엇이라고 생각하는가?

2021년 2월 클럽하우스에서 NFT에 대해 처음 듣고 메타버스 세계에 들어와 NFT 항해를 시작한지 일년이 지났다. 초반에는 NFT가 가진 현상 자체에 환호했지만 지금은 NFT의 실제 가치가 '커뮤니티'에 있다는 걸 깨달았다. 크립토 세계에서 3곳의 NFT 고향이 생겼는데 바로 한국, 프랑스, 글로벌 커뮤니티다.

작가로서 경험한 한국과 프랑스 NFT 커뮤니티의 차이는 무엇인가?

나에게 한국 NFT 커뮤니티는 항상 마음이 가는 친정같은 곳이다. 힘든 일이 있을 때 언제든지 두 팔 벌려 반겨준다. 프랑스 NFT 커뮤니티는 독특하다. 2021년 한국에서 NFT 씬이 확장될 때도 프랑스에서는 'NFT란 무엇인가'에 대해 꽤 오랫동안 토론하는 분위기였다. 그런데 어느 시점을 기점으로 프랑스에서도 NFT가 폭발적으로 발전하고 있다. 전시와 살롱 문화가 발달한 예술의 나라라는 점도 NFT 성장에 영향을 미친 것 같다. 나이와 출신, 성별을 따지지 않고 반대 의견도 편하게 교류할 수 있는 자유로운 분위기에서 재미있는 협업이 펼쳐지기도 한다.

글로벌 NFT 아티스트 커뮤니티 GAE에서 어떠한 활동을 하고 있나?

'Global Art Exhibition[GAE]'는 세계 도시를 순회하며 전시를 하는 글로벌 NFT 아티스트 커뮤니티로, 나는 한국과 프랑스를 대표하는 NFT 작가로서 함께하고 있다. 2021년 10월 홍콩을 시작으로, 2022년 1월 로마와 3월 두바이에서 《Global NFT Exhibition》 전시와 NFT 세미나를 개최한 바 있다. NFT로 인해 만나게 된 세계 여러 나라의 아티스트들과 소통하며 다양한 문화의 아름다움을 느끼고 있다.

프랑스에서 이민자로서 살아가는 일상은 작품 세계에 어떠한 영향을 미치고 있는가?

한국인으로서 경험한 문화를 간직한 채 결혼 후 프랑스에서 가정을 꾸리고 살아가며 상이한 문화가 섞이는 과정을 겪게 되었다. 주위를 둘러보면 프랑스인 아빠와 한국인 엄마 사이에서 태어난 우리 아이들처럼 다양한 배경을 지닌 사람들이 많이 있다. 콜라주 기법의 〈Portrait of JUN-HO〉는 서양인인 남편의 눈과 동양인인 나의 눈을 사진으로 찍어 돌을 맞은 아이의 초상화를 표현한 작품이다. 눈은 문화를 이해하는 시각을 상징한다.

첫 NFT 컬렉션 〈하이브리드 부케 Hybrid Bouquet 〉는 어떤 작품인가?

제각각 서로 다른 곳에서 모인 꽃들이 부케를 이루어 만개한 형상을 지니고 있다. 이러한 꽃들은 상이한 문화적 배경을 지닌 사람들의 다양한 정체성이 공존하는 현대사를 상징한다. 뿌리가 잘린 채로 활짝 핀 꽃은 간절하고 치열하게 마지막 순간을 살아내는 듯하다. 어떻게 죽을 것인가 그리고 어떻게 살 것인가에 대해 꽃들은 해답을 알고 있다. 블록체인에 새긴 꽃은 영원히 시들지 않고 생명력을 발한다.

지과자

지과자는 시각디자인을 전공한 후 게임 회사에서 게임 콘셉트 아티스트로 활동하다 독학으로 유화를 익혀 순수미술 작업으로 전향한 현대미술가이다. 작가는 개인 작업 외에도 하겐다즈, 앱솔루트 보드카, 브루클린 브루어리 등과 같은 기업과의 협업 작업과 시디즈, 르노삼성 QM3, LX홀딩스 등 광고 작업도 꾸준하게 해오고 있다. 그녀가 그린 박찬욱 감독의 영화 '아가씨'의 팬아트는 영화 전문 잡지 「씨네 21」에 실리기도 했다. 작가는 2021년 4월부터 오픈시에서 디지털 화면을 뚫고 나올 듯한 드로잉의 매력을 미학적인 형태로 구현한 NFT 아트 작품을 선보이고 있다.

"게임 콘셉트 아티스트는 게임 기획에 맞춰 캐릭터, 배경, 무기 등에 관한 콘셉트를 다양한 디자인으로 표현한다. 게임에 나오는 모든 시각적인 작업은 게임 콘셉트 아티스트의 손을 거친다고 해도 과언이 아니다. 이러한 그림은 게임에서 최종적으로 2D나 3D 형태로 구현된다." 이렇게 게임 콘셉트 아트 작업을 해오던 지과자는 미시시피 주립대 초청으로 시카고 전시와 강연 참여를 기점으로 순수미술 작가로 활동하게 된다. 작가는 주로 연필과 콩테와 같은 건식 재료로 그린 인물 드로잉에 과슈와 유화로 페인팅하는 방식으로 작업한다.

"2017년 국내 첫 개인전에서 페르소나 이미지를 작업의 아이덴티티로 선보였다. 주로 인물을 그리는 이유는 인간 존재에 대한 질문을 던지며 내면을 탐구하고 자아를 성찰하는 작업을 지향하기 때문이다." 작가는 얼굴과 인체를 분해 조합하고 주변의 컬러가 들어간 다양한 오브제를 통해 감정과 내면, 자아의 다양한 이야기를 풀어낸다. 지과자의 NFT 컬렉션 〈GWAJA's Pencil Edition〉의 작품들에는 연필의 사각거리는 소리가 지닌 아날로그 감성이 물씬 녹아있다. 작가는 근육의 움직임이 자아내는 변화가 어떻게 형태적 미학으로 구현되는지 오랫동안 종이에 드로잉을 하며 치열하게 작업해왔다. 매일 오랜 시간 그림을 그리며 연구한 작가 정신은 오픈시에 선보인 100개의 NFT 드로잉 컬렉션 〈100 Unique drawings of Gwaja〉에도 반영되어 있다. 작가는 하루에 한 점씩 100일 동안 NFT 아트 드로잉 작품을 오픈시에 선보였다. 이 중 4번째 작품인 〈Gwaja drawing #004〉은 인간 본연의 모습인 누드의 형태를 분해하고 조합하여 표현한 드로잉이다. 쪼개진 인체는 토르소 형태를 연상하게 하며 인체의 움직임을 역동적으로 보여준다. NFT 아트 작품의 최초 컬렉터는 지과자의 실물 작품인 원화를 소장할 수 있다. 작가는 "드로잉이 또 다른 작업을 위한 스케치에 그치는 것이 아니라 완성도를 지닌 하나의 작품이 될 수 있다"라고 말한다. 과감한 선으로 자유로운 에너지를 담은 드로잉은 살아서 춤추고 있다는 느낌을 전해준다.

동굴맨(leone_cave)

동굴맨은 깊은 심상의 동굴에서 사유한 동양의 미학을 디지털 핸드드로잉으로 표현한다. 빠르게 변화하는 메타버스 세계에서 작가는 구도자의 시선으로 묵묵히 인간과 자연, 비움과 느림의 가치를 조명한다. 동굴맨은 시적인 은유로 자신이 경험한 NFT는 '또 다른 동굴'이라고 말한다. "동굴은 은신처이자 태초에 보호받던 자궁이다. 동굴 속 심연의 어둠은 죽음, 고통, 파괴이며 고난이다. 고난은 또 다른 세계로 향하기 위한 통과 의례이다. 동굴에서 나올 때 동굴은 깨달음의 장소이다. 세계의 중심이며 우주이다. 나의 심장이다. 그리고 창조의 근원이다. 그래서 동굴은 하나가 아니다. 또 다른 동굴이다. 우주 그 자체이자 다른 우주로의 통로다. 그래서 무한히 연결되며 확장한다."

동굴맨은 NFT 밋업 메타서울-테조스2021 (TZ APAC, Nonce-classic, HanDao, 2021)과 블록체인 컨퍼런스 NFT 부산 2021 온라인 세션에 연사로 참여한 바 있다. 또한 NFT 프로젝트 한다오 DOSA Project PFP 와 루디움 dOriginal Project와 협업했으며, 다양한 메타버스 NFT 그룹전에 참가했다.

작가는 일전에 연세대학교 생활디자인과 재학 당시, 토탈디자인솔루션 스타트업을 창업한 바 있다. 그는 "창업가로서 스타트업 운영의 경험이 NFT 작가로 활동하는데 상당한 도움을 주고 있다"고 말했다. "NFT 전업 작가에게 작품 활동의 의미는 단지 창작에 해당하지 않는다. 이뿐 아니라 기획부터 마케팅, 개발, 창작, 판매, AS까지 넓은 영역에서의 역량을 요구한다."

동굴맨은 건강한 크립토 생태계의 성장을 위한 교육 커뮤니티를 표방하는 크립토 협객 양성소 '해태파'를 창설해 운영하고 있다. 그는 현재 NFT 시장을 향한 문제의식을 공유하며 해태파를 창설한 이유를 말했다. "NFT 시장은 진입장벽이 낮고 익명성 뒤에 숨어 활동할 수 있다. 그래서 '스캠' 과 '러그풀' 등의 위험이 항상 도사리고 있다. 악의를 가지고 의도적으로 '한 탕 해보자'는 생각으로 저지르는 몰양심한 경우도 있다. 하지만 의도와 관계없이 무지에 기인하여 저지르는 저작권 침해 등으로 다수의 피해자를 만들고 시장에 대한 부정적인 인식을 심는 경우 또한 많다. 해태파는 건전한 NFT 생태계를 만들어나가기 위해 NFT 창작자들부터 저작권 기본 개념을 비롯한 크립토 세계 전반의 내용들을 공부하고 연구하는 활동을 진행하고 있다. "NFT 시장에서 선한 영향력을 내 주변부터 확산시키고 싶다."

낙타 NAKTA

한국 NFT 아트씬의 초창기라 할 수 있는 2021년 2월 무렵부터 NFT를 알아가기 시작한 그래픽 아티스트 낙타는 "NFT는 디지털아트를 예술로 바라보는 컬렉터를 만나게 해주었다"고 말한다.

원래 아티스트가 꿈이었나?

항상 크리에이터로 살아가는 걸 꿈꿨다. 어렸을 때 만화가가 꿈이어서 계속 그림을 그렸고, 고등학교 때 디자인과여서 컴퓨터 그래픽을 배우며 포토샵을 접했다. 인테리어 전공으로 대학 졸업 후 회사에서 웹 디자이너로 일했다. 외주를 받는 형태로는 저의 것을 창작하고 싶다는 갈증이 사라지지 않아 회사를 그만두었고, 프리랜서 그래픽 디자이너로 일하던 시기에 NFT를 알게 되었다.

NFT를 언제 어떻게 알고 시작하게 되었나?

2021년 2월에 클럽하우스에서 많은 작가들을 만나게 되었다. 그때 알게 된 미국에 있는 이소연 작가를 통해서 NFT에 대해 듣게 되었다. 미국에선 NFT를 시작하는 분위기이고 내가 디지털 작업을 하고 있으니 해보는게 어떻겠느냐고 제안해주셨다. 조언을 토대로 부딪히며 도전해보자는 마음으로 슈퍼레어, 니프티게이트웨이, 메이커스플레이스에 지원해보았다. 당시 요요진 작가와 김용오 작가와 함께 NFT 플랫폼을 알아보며 정보를 주고받았다. 해외에 비해 국내에서는 NFT 정보를 얻기 어려웠는데 선우진 작가가 클럽하우스에서 한국어 NFT 방을 만들어 거의 매일 NFT의 가치와 기회에 대해 알려주었다. 매일 새벽까지 작가들과 클럽하우스에서 NFT에 대한 이야기를 나누었다. 오픈시에서 에디션 발행하는 방법을 알아내기 위해 밤을 새서 발견한 정보를 다른 작가들과 공유했다. 이렇게 수많은 시행착오를 겪으면서 하나하나 NFT 사용법을 익혀갔다.

굉장히 도전적으로 부딪치고 경험하면서

NFT 관련 지식을 쌓아갔다. 시행착오도 많았을 것 같다.

2021년 3월 14일 요요진 작가가 조용히 오픈시에 민팅을 시도하며 가스피도 꽤 날리고 여러 시도를 하시면서 실패도 겪고 있었다. 그러던 중 킹비트님이 메타마스크 설치법을 알려주셨다. 다양한 정보를 서로 모으고 공유해 잘못된 정보를 수정해서 또 NFT를 민팅해 보고의 반복이었다. 오픈시에서 에디션을 발행하는 방법을 아는 사람이 없었기에 내가 하루 밤을 새서 새롭게 정보를 알아내기도 했다. 당시 08AM 작가도 그 문제에 부딪쳐 내가 밤새 알아낸 것들을 공유해드렸더니 무사히 첫 판매 후 추가적인 에디션 리스팅을 완료할 수 있었다.

그 때 기분이 어떠했나?

부럽기도 했지만 함께 연구하며 알아낸 정보를 공유해서 잘된 것이라 당시 작가들이 마치 자신의 일처럼 무척 좋아하면서 축하했다. 오픈시에 NFT를 올리면 판매가 될는지 불확실하던 상황에서 08AM 작가가 처음 판매 되었다는 소식을 듣고 다같이 만세 소리를 질렀다. 그럼 우리 다 여기에 민팅해도 되겠구나 확신이 드니 가속도가 붙어서 많은 한국 작가들이 오픈시에 민팅을 하게 되었다. 며칠 지나지 않아 나도 첫 NFT 작품이 판매됐다.

누군가 겪은 시행착오의 경험과 NFT 정보를 잘 정리해 공유하고 뒤이어

NFT를 시작한 작가들에게 도움을 주며 서로 격려하는 모습이 인상적이다.

이러한 한국 NFT 아티스트 커뮤니티 문화의 토양을

초창기 멤버 분들이 잘 마련해주신 것 같다.

우리가 시행착오를 겪으며 축적한 경험과 지식들이 뒤이어 NFT를 하기 위해 들어오시는 분들에게 도움이 되면 좋겠다.

낙타라는 이름이 NFT 아티스트 커뮤니티에서 밈Meme 문화를 만들고 메타버스 갤러리에서 낙타 팬아트 전시가 열리기도 했다.

2021년 11월 5일 '크립토복셀'에 위치한 Korean NFT 갤러리에서 개인전을 열기로 했는데, 오픈카톡방에서 작가들과 이야기를 나누던 중 한 작가가 즉흥적으로 낙타 백봉에 타고 싶다고 말했다. 다른 작가가 바로 백봉 낙타 그림을 그려 카톡에 올렸고, 한 사람씩 자신의 작품 속에 등장하는 캐릭터나 디지털 아바타를 낙타 등에 태우는 놀이가 시작되었다. 그러던 중 수 작가가 LP판 형태의 원형 백봉 낙타를 만들어 다른 작가들이 한 명씩 자신을 대변하는 이미지를 드리면 낙타 등에 태워주었다. 처음에는 놀이였는데 그 하루 꼬박 수 작가가 수고해주셨고, 즐겁게 동참한 커뮤니티 작가들 덕에 멋진 낙타 개인전 포스터가 완성되었다. 1층에는 작가들이 자신의 작품체로 재해석한 낙타 팬 아트를, 2층에는 나의 NFT 작품을 전시했다.

어떤 NFT 마켓플레이스를 선호하나?

오픈시, 파운데이션, 메이커스플레이스, 노운오리진, 칼라민트, 캔버스에 진입했다. 오픈시는 NFT 작가가 처음 시도하면서 기본적인 역량을 쌓아갈 수 있는 근본 플랫폼이다. 개인적 취향으로는 파운데이션이 플랫폼 접근성과 UI가 좋고 경매 시스템이 재미있어 매력적이다.

파운데이션에 선보인 작품의 첫 NFT 컬렉터는 누구인가?

2021년 4월 4일에 파운데이션에 〈View〉라는 작품을 처음 민팅했다. 밖을 내다보면 상하가 반전된 빌딩들이 보인다. 새로운 관점은 그동안 보지 못했던 것들을 바라볼 수 있게 해주고 또 다른 감정을 느낄 수 있게 해줄 거라는 의미를 담았다.

작품은 4월 16일에 markus라는 컬렉터가 1이더에 구매했다. 그는 2017년 무렵부터 크립토 업계에 몸담고 있었던 걸로 보였다. NFT 컬렉터와 작가는 트위터로 대화를 나누며 소통하는 문화가 있다. 컬렉터가 '지금 잘하고 있고 앞으로도 기대하고 응원한다'며 힘이 되는 좋은 말씀을 해주었고 내 작품을 '예술'로 봐주셨다는 점이 무척 감사했다. 작품과 어울릴 것 같다며 노래를 보내주시기도 했다. 이런 게 컬렉터와의 만남이라는 것을 처음 느끼게 된 순간이어서 아직도 그때의 감동이 남아 있다.

NFT 작가로 활동할 때 무엇을 중요하게 생각하는가?

NFT를 시작하고 판매가 될 때까지 기다림의 시간을 버티는 게 힘이 들 수 있다. 어떠한 NFT가 인기를 얻고 있는지 파악하는 건 필요하다. 그러나 작업 세계관이 정립되지 않은 상태에서 당장 돈이 되는 트렌드를 따라가는 것은 경계해야 한다. 당장 작품이 팔리지 않아도 그 시간을 견디면서 자신의 작업 세계관을 잘 보여줄 수 있을 때까지 작가는 묵묵히 꾸준히 작업하고 민팅하는 것이 중요하다.

작품에 일상의 공간에 침투한 환상의 세계를 담고 있다. 어떤 의도인가?

반복되는 일상에 지쳐갈 때 주변의 모든 사물이 생기를 잃은 회색빛으로 바래져 가는 것 같았다. 모두의 매일이 더 아름답고 선명한 색깔로 빛나게 되기를 바라는 마음을 작품에 담고 싶었다.

NFT 아트를 시작하려는 사람들에게 해주고 싶은 말이 있다면 무엇인가?

NFT를 하려고 마음먹었다면 너무 많은 걸 공부하기보다 일단 한 단계씩 바로 도전해서 시작해보길 바란다. 무언가를 시도하기 전에 많이 고민하기에 NFT 씬의 시간은 너무 빨리 흘러가 버린다. 또한 NFT 작가에게 커뮤니티는 중요하다. 자신이 부딪쳐서 시도하다 문제가 생겼을 때 커뮤니티에서 정보를 공유받고 해결 방법을 찾을 수 있다. 응원과 지지를 보내주는 커뮤니티에서 도움을 주고받으면 새로운 세계에서 두려움을 뛰어넘어 계속 도전할 수 있다.

NFT 아트가 현대 예술의 새로운 흐름으로 자리하기 위해 무엇이 필요하다고 생각하나?

NFT 아트를 이해하고 참여하는 사람들이 많아지고, 진정성 있는 NFT 아트 작업을 꾸준하게 해나가는 창작자가 많아져야 한다. 그리고 예술로 인정받는 작품이 많아져야 현대 예술의 새로운 흐름을 만들어갈 수 있다. 그렇지 않으면 NFT는 투자나 투기에 그치고 말 것이다.

NFT 사업 주체들이 작가와 협업할 때 고려해야 할 점이 있다면 무엇일까?

NFT 작가들끼리 종종 이런 말을 한다. 'NFT 플랫폼이나 관련 사업을 하시려는 분들이 메타마스크를 만들어보았을까? 한 번이라도 민팅이나 컬렉팅을 해보았을까?' 이 간단한 과정조차 경험해보지 않고 심지어 소유권과 저작권의 개념조차 제대로 이해하지 못하고서 작가들에게 접근해오는 분들이 있었다. NFT 시장이 과열되어 있지만 당장 눈 앞에 실현될 이익만을 생각하기보다는 작가와 기업이 같이 이 씬을 어떻게 더 활성화시킬 수 있을 것인가 그리고 진정한 씬으로 인식하게 만드는 문화를 만들어갈 수 있을까에 대한 고민도 함께 해나가고 싶다.

창작자로서 경험한 NFT의 가치는 무엇인가?

글로벌 플랫폼에 내 작품을 노출할 수 있는 기회가 주어지는 것만으로도 NFT에 도전할 이유는 충분하다. 무엇보다 나를 아티스트라 인정해주는 컬렉터가 있다는 걸 알게 되었다. 그리고 NFT로 인해 더 많은 사람들이 디지털 아트의 가능성에 주목하게 되었다. 나처럼 순수미술을 하지 않았던 사람들이 NFT 씬으로 많이 넘어왔다. NFT를 시작하고 아티스트라 불릴 수 있게 되어 진정 행복하다. 아티스트는 오랫동안 간절히 꿈꿔왔던 이름이다. 이 이름에 책임을 져야 한다는 마음으로 더 열심히 작업할 것이다.

NFT 음악의 효용성과 가치 탐색의 필요성

2021년을 뜨겁게 달군 NFT 미술의 다음 바통을 이을 주자는 NFT 음악이라는 전망이 나온 바 있다. 그러나 음악과 미술은 다른 속성을 지니고 있으며 NFT를 사는 사람이 누리고 활용할 수 있는 효용성과 유틸리티를 고려한 창의적인 기획이 요구된다. 대부분의 NFT 마켓플레이스는 시각적인 요소가 중요하다. 하루에도 국내에서 무수한 NFT가 쏟아져 나오는 상황에서 해당 NFT 플랫폼을 둘러볼 때 아무래도 눈에 띄는 이미지를 먼저 클릭해보게 된다. 단순히 음원만 올리는 자체로는 엄청난 팬덤을 보유한 스타가 아닌 이상 판매되기 어렵다. 그래서 앨범 커버 디자인을 하나의 멋진 작품처럼 창작해 디지털 아트와 결합한 NFT 음악을 선보이는 경우가 많다.

NFT는 희소성이 중요한 가치이고, 만약 스트리밍 사이트에서 소액을 결제하여 다운받아 들을 수 있는 곡이라면 굳이 왜 NFT로 만들어 그 일부의 곡을 소유해야 하는지를 구매자에게 설득할 수 있어야 한다. 아직까지 대다수의 NFT는 대부분 저작권이 아닌 소유권을 이전한다. 저작권은 권리의 다발이기에 그 중 일부분의 권리인 음악을 비상업적 용도로 스트리밍할 수 있는 전송권을 NFT에 부여하는 정도로 NFT 음악을 살 만한 것이지도 따져보아야 한다. 최근의 흐름은 NFT 음악을 탈중앙화 금융인 디파이와 결합하여 해당 NFT를 소유하면 스태이킹 자산에 대한 이율이 높아져 이자 농사를 할 수 있다든가 P2E[Play To Earth]과 결합해 게임 요소를 더한다든가 식으로 해당 NFT의 유틸리티를 높일 수 있는 전략들이 쏟아져나오고 있다.

이러한 맥락에서 국내외 NFT 음악의 사례를 살펴보며 과연 NFT 음악은 어떤 방식으로 시도할 수 있는지 그리고 NFT 음악이 지니는 가치는 무엇인지 등 다방면으로 고찰해보고자 한다. 다만, 비즈니스 모델을 만드는 것 이전에 작가 입장에서 어떻게 창조적인 예술 세계의 확장으로서 NFT 음악을 시도해나가고 있는지에 관한 이야기를 우선적으로 담고자 했다.

조이조 JoyJo

조이조는 홍익대학교 미술대학에서 시각디자인학, 영국 런던 킹스턴대학교에서 일러스트레이션을 전공했으며 미대밴드를 비롯한 두 곳의 인디밴드의 보컬과 인디레이블의 솔로 싱글 앨범을 발매하며 미술과 음악 활동을 병행해왔다. 일러스트레이션은 '자세히 설명한다'는 의미를 가지고 있으나 조이조는 정형화된 대상의 외형을 가시화하기보다 내면의 본질을 작품에 표현하고 싶어 추상회화 작가가 되었다. 작가는 생업을 위해 작품 활동을 병행하며 대행사, 소비재 기업, IT 스타트업 등에서 해외 마케팅 직무를 맡아 일을 해왔는데 그러한 경험이 NFT 활동을 하는 데 많은 도움이 되었다고 한다. 격동하는 웹3 환경에 매료되어 최근에는 아예 블록체인 회사로 이직하기도 했다.

조이조가 글로벌 NFT 마켓플레이스 '파운데이션'에 선보인 〈Nightscape In The Universe,2010〉는 도시가 존재해 온 시간과 그 공간을 채운 공기에 응축된 아우라와 같은 도시의 내면을 직관적으로 표현한 작품이다. 2010년 실물 회화로 작업하였고 이 작품을 계기로 작가는 독일 메클렌부르크 지방의 국제레지던시 공모에 선정되어 독일에서 작품활동을 하게 되었다. NFT는 실물 회화의 디지털 작품으로 2021년 4월 미스터 미상 작가가 2.30 ETH에 구매하여 소장 중이다. 해당 실물 회화는 작가가 따로 판매하지 않는 평생 소장품으로 알려져 있다.

조이조는 재즈 뮤지션 진수킴[JSKM]의 음악과 추상미술을 콜라보한 작품 〈제네[GENE]〉를 NFT 마켓플레이스 '파운데이션'에 선보였다. 〈제네[GENE]〉는 '제너러티브[Generative]'와 '제네시스[Genesis]'의 의미를 동시에 지니는 오디오비주얼 작품이다. 진수킴이 무작위로 설정한 음 위에 즉흥 기타연주를 얹은 동명의 실험 음악 'GENE'에서 파생된 것이다. 조이조는 음악을 들으며 심해의 이미지를 연상하였고 우수를 유영하는 느낌을 받아 이와 유사한 자신의 추상 작품 〈Expanding Universe〉에 몽환적인 물결을 더한 영상 작품을 만들었다. 디지털 추상 영상과 음악의 콜라보 작품인 'GENE'은 @Keepcase이라는 아이디를 가진 외국인에게 0.5 ETH에 최종 낙찰되었다.

조이조는 NFT 작업에 있어 미술가와 음악가의 협업이 필요한 이유 중 하나는 NFT 마켓플레이스에서 작품을 보여주는 방식에 있다고 말한다. "NFT 마켓플레이스에서 음악 NFT가 시각화되어 있지 않으면 잠재적 컬렉터들이 잘 눌러보지 않는다. 진수킴의 경우 움직이는 GIF 이미지를 만들어 NFT 앨범 커버를 만들기도 했지만, 보통 전공 분야가 아닐 경우 뮤지션 스스로 자신의 음악을 충분히 표현하는 비주얼을 창작하는 것은 쉽지 않다. 이것은 미술을 하는 입장에서도 마찬가지이기에 서로 잘 맞는 음악과 미술의 협업이 엄청난 시너지 효과를 가져올 수 있다. 개인적으로 앞으로 이에 대한 시장의 수요가 늘어날 것이라 생각한다."

NFT 음악의 시각화를 위한 전략 모색의 필요성을 언급하며, 조이조는 미술과 음악의 협업을 진행할 경우 자신의 작품이 어떠한 장르와 어울리는지를 먼저 탐색해보아야 한다고 조언한다. "트랜디한 스타일의 콜라주 작업의 경우 힙합이나 EDM이 어울리는 경우가 많다. 나의 경우 부드러운 재즈나 헤비 메탈을 기반으로 한 극과극의 실험 음악들이 그 작업 과정에서 추상 미술 작품들과 같은 맥락을 공유하는 것을 발견하였다."

조이조는 추상으로 내면을 표현하는 작품을 추구하기에 크럼프나 현대무용 등 표현적인 춤과의 콜라보 작업에도 깊은 관심을 표했다. "자신을 온전히 표현하는 예술가가 되기 위해 각 분야의 예술가들이 평생을 정진하며 살아간다. 그 수련의 과정을 통렬하게 온 몸으로 거치는 장르가 춤이다."

조이조가 2022년 2월 파운데이션에 발표한 〈Visible, Invisible Voyage〉는 미국의 메탈 밴드 Fleetburner 의 메인 기타리스트인 Kevin Storm과 진행한 콜라보레이션 작품이다. 동명의 회화 작품을 영상화 한 후 케빈 스톰이 사운드 스케이프를 만들고, 그 음악에 맞추어 조이조가 가사와 보컬을 추가했다. 회화로 멈춰 있었던 작품이 협업 과정에서 새로운 이야기를 가지게 된 케이스로, 두 창작자의 시너지가 극대화되었다.

조이조는 NFT 시장에서의 판매량과 판매 속도가 반드시 작품성과 비례하지는 않기에, 작가 스스로 트렌드를 따라가기보다는 자신의 작품 방향성을 성찰하며 중심을 굳건히 잡는 것이 굉장히 중요하고 말한다. "예술적 가치까지 반영된 '작품의 실제 가치'와 일정 기간 동안 '판매된 NFT 금액' 사이에는 다양한 요소들이 적용된 큰 격차가 존재한다. 시장이 성숙하는 시간, 그리고 작가 입장에서 방향을 잡아가는 시간이 둘 다 필요한데, 현재 NFT 가격 형성에 이 '시간'은 아직 반영되지 않았다."

조이조는 NFT 컬렉터이기도 하다. '온사이버'라는 플랫폼에 작가는 여러 갤러리를 만들어 전시하고 있다. 자신의 작품만 전시해 둔 갤러리의 경우 한면에는 실물 작품을, 한면에는 디지털 작품을 큐레이션하여 걸어두었다. "당장 NFT시장에서 인기가 없고 아직까지는 비주류에 속하는 작품들을 위주로 컬렉팅 활동을 활발히 하고 있다. NFT의 다양화와 활성화를 위해 이 시장에 작게나마 기여할 수 있는 발판을 만들어가고 싶다."

작가는 또한 다양한 PFP 프로젝트의 NFT를 수집하고 해당 커뮤니티에 적극적으로 참여함으로써 NFT 생태계를 더욱 폭넓게 체득하는데 시간을 할애하고 있다. "창작자가 콘텐츠의 온전한 주권을 가질 수 있는 웹3 시대에 걸맞게 작가의 이름과 작품이 프로젝트 내에서 휘발성으로 소모되는 것이 아닌, 장기적으로 시장에 기여하며 상생하는 구조를 만들고 싶고 그러한 선례를 남기기 위해 기회가 닿는 대로 최선을 다하고 싶다."

쟈코비 Jacoby

쟈코비는 탈중앙화 금융인 디파이와 결합한 NFT 음악을 선보인 뮤지션이자 광고 성우, 프로듀서이다. 시간 예술인 음악을 가시화하여 NFT로 만드는 작업은 아티스트만의 고유한 상상력과 크리에이티비티를 발휘하는 과정인데, 쟈코비는 이러한 작가로서의 역량이 뛰어나 NFT 음악의 미래 가능성을 선두적으로 타진하는 행보를 보였다. 쟈코비는 12ENT, 디네이션즈DeNations, 트레져스클럽과 협업 프로젝트로 세 차례의 선도적인 NFT 음악을 선보였다. 개척자 정신을 지닌 쟈코비 NFT의 양상을 살펴보면, 앞으로 미술에 이어 도드라지게 부상할 음악 NFT의 미래를 가늠할 수 있다.

첫째, 2017년 실리콘벨리에서 설립한 엔터테인먼트사 12ENT(원투엔터)의 '12NFT SOUNDTRACKS' 프로젝트에서 선보인 NFT 음악 〈CYBER-004 | METAVERSE〉, 〈CYBER-005 | FOMO〉를 비롯한 4곡이다. 각 25개 에디션으로 구성되어 있으며 저작권 프리 음악으로 이 NFT를 구입한 사람은 2차적 저작물 작성을 비롯하여 상업적 이용이 가능하다. 본래 NFT는 저작권이 아닌 소유권을 이전하는데 미술과 달리 음악의 경우 해당 NFT의 구매자가 누릴 수 있는 부분의 유익이 무엇인지에 대한 고려가 필요하다. 스트리밍으로 재생 가능한 음악을 살 수 있있는데 굳이 NFT 음악을 사야하는 이유가 필요하다. 더군다나 NFT 음악은 상대적으로 곡 길이가 길지 않다.

그래서 12NFT는 초기 한국 NFT 작가들이 자신의 미술 작품에 저작권에 저촉되지 않는 음악을 필요로 한다는 점을 파악해 0.0001이더라는 현저히 낮은 가격으로 이와 같은 저작권 프리 NFT 음악을 선보였다. 당연히 작업을 진행한 뮤지션과의 동의 절차를 거쳤으며 자연스럽게 미술과 음악이 만난 NFT 콜라보 작품들이 탄생하게 되었다.

둘째, 블록체인 기반의 탈중앙화 메타버스인 디네이션즈DeNations와의 프로젝트에서 선보인 NFT 음악 컬렉션 〈DeNations Art by Jacoby〉이다. 디네이션즈는 가상세계에서 국가, 도시, 그리고 문명을 경영하는 메타버스로서 디파이 플랫폼을 기반으로 토큰을 수익화한다. 디파이가 탑재된 국가 랜드 카드를 사고 각 국가마다의 예술 아이템을 추가로 소유하고 있으면 이자 농사Yield Farming를 할 수 있다.

디파이는 블록체인의 스마트 컨트렉트를 통한 탈중앙화 금융 거래이다. 디파이 생태계에도 환전swap, 예치stake를 할 수 있는데, 현실 금융과 달리 높은 이자율의 농사farm라는 서비스를 경험할 수 있다. 디파이에서 유동성 공급의 대가로 자체 코인을 보상으로 주는 과정이 경작을 통한 수확과 동일하여 농사farming 혹은 이자농사라고 부른다. 디네이션즈 플랫폼에서 출시한 각 나라의 애국가 아이템 NFT는 쟈코비가 상상 속 메타버스 국가의 애국가라는 테마로 작업한 음악 NFT이다.

쟈코비는 "실제 애국가와 차별성을 두려고 했다. 현존하는 애국가들과 다르게 그 나라의 정체성이 담겨 있는 미래적인 애국가를 만드는 것이 작품 방향" 이라고 말한다. 메타버스 국가 중 브라질 애국가 NFT 작업에서 쟈코비는 "브라질하면 열정, 카니발, 축구, 삼바리듬 등이 떠올랐고, 국기 구성 색을 보니 초록의 에너지가 넘치는 톤이 느껴졌다. 국기의 톤은 음악 베이스라인의 템포감, 리듬 메이킹에 영향을 주었고, 리듬과 다양한 퍼커션을 이용해 가상의 브라질 애국가를 만들었다." 각 곡의 제목은 〈National anthem of 국가명〉의 형태이며, 쟈코비는 지금까지 10개의 메타버스 국가의 애국가 NFT를 출시했고 앞으로도 계속 출시할 예정이다.

쟈코비는 12ENT를 통해 크립토에 대해 공부하기 시작해 2020년부터 디파이를 알고 직접 투자하고 있다. 이러한 크립토와 디파이에 대한 사전 이해와 실제 경험이 디파이와 결합한 NFT 음악이라는 새로운 장르를 개척하는 데에 긍정적인 영향을 준 것으로 보인다.

셋째, 멀티체인 기반 아트 컬렉터블 NFT 전문 브랜드 트레져스클럽TreasuresClub의 주제곡으로 만든 NFT 음악이다. 〈MASTER Main theme〉이란 음악 NFT는 쟈코비가 NFT 커뮤니티의 브랜딩을 음악으로 구현한 사례로, 음원은 각각의 고유번호를 가진 한정판 1000개의 에디션으로 발행되어 커뮤니티 멤버들에게 선물처럼 에어드랍되었다. 앨범 커버는 트레져스클럽의 NFT인 '마스터Master'가 취하고 있는 두 팔을 가슴 앞에서 교차하는 포즈를 쟈코비 애니메이션 캐릭터가 동일하게 취하고 있는 장면으로, 시각예술가와 협업하여 디자인하였다. 쟈코비의 음악 NFT는 커뮤니티 멤버들의 소속감을 음악으로 강화하며 프로젝트에 대한 유대감을 더해준다는 순기능을 발휘했다.

화지 Hwaji

2021년 10월 9일 래퍼 화지가 속한 개최한 국내 최초 메타버스 힙합 콘서트에 참여했다. 공연은 '크립토복셀'이라는 메타버스 플랫폼 내 '바이브스Vibes'라는 작은 섬에 위치한 FSC 갤러리에서 실시간으로 열렸다. 링크를 통해 접속한 크립토복셀에 하얀색 구체관절인형 형태의 아바타로 입장했다. 화지, 딥플로우, 담예, QM, 뱃사공, 호림, 서사무엘, 넉살, 우탄, 팔로알토가 동일한 아바타로 등장해 메타버스에서 관객들과 소통하며 힙한 공연을 펼쳤다. 내 몸은 우리 집 방 안이었지만 잠시나마 힙합 공연을 보러 현장에 간 설렘과 즐거움을 만끽할 수 있었다.

화지는 메타버스 공연과 비대면 공연은 차이가 있다면서도, 우선 양쪽 다 현실의 라이브 공연을 대체할 수 없다는 점을 분명히 밝혔다. 그는 비대면/언택트 공연에서 관객의 적극적 참여가 어렵다는 점을 지적했다. "관객은 채팅을 입력해서 공연에 대한 반응을 표현하는 정도이고, 현장에서 빠르게 넘어가는 채팅창의 글을 공연자가 일일이 읽고 소통하는 것은 쉽지 않다. 결국 비대면 공연에서 공연자와 관객 사이에 벽이 있는 듯한 느낌을 지우기 어렵다. 하지만 메타버스 공연에서는 아바타가 있어서 직접 상호 작용이 가능하다." 메타버스 공연에서는 아바타를 통해 아티스트와 관객이 서로의 에너지를 느끼며 상호 작용을 할 수가 있다는 것이다. "메타버스에서는 심지어 이모티콘을 사용해서 현실에서 불가능한 방식으로도 표현할 수 있다." 공연장인 FSC 갤러리는 화지가 메타버스에 직접 설계하고 복셀 형태로 건축한 3층짜리 복합문화공간의 건물 '퓨처리스트 소셜클럽Futurist Social Club, 이하 FSC'의 한 공간이다. 건물의 1층과 2층은 갤러리이며 3층은 공연장으로 구성되어 있다. FSC는 메타버스 건물명일 뿐 아니라 화지가 창립한 DAODecentralized Autonomous Organization: 탈중앙화 자율조직 형태의 커뮤니티 이름이기도 하다. FSC DAO의 구성원은 한국 힙합과 스트리트 아트 분야에서 화지가 만난 동료 아티스트들, 팬 및 컬렉터들이다. DAO이기에 이렇게 다양한 커뮤니티 멤버들은 FSC의 미래에 관해 동등한 의사 결정권을 갖는다.

화지는 복셀 형태의 NFT 웨어러블 스니커즈를 만들어 판매하고, 이러한 패션 아이템을 아바타에 착용하고 메타버스 공연을 하는 등 창의적이고 혁신적인 시도를 과감히 실행했다. 전방위적 아티스트인 그는 2020년 말부터 NFT를 알게 되었고 예술의 관점에서 기술에 접근했다. "디지털 원본 증명을 가능하게 하는 NFT라는 기술이 미래에 다양한 예술 형태를 만들어낼 거라는 걸 직감적으로 알 수 있었다. NFT로 컬렉터와 아티스트에게 권익이 돌아가는 세상이 열릴 거라는 기대감이 들었다."

화지가 인스타그램에서 한국에서 홀로 살고 있는 어르신들 140가구에 피자를 전달한 소식을 공유한 적이 있다. 따뜻한 피자 한 판을 받고 기뻐하시는 어르신들의 모습과 실제 발로 뛰어 피자배달을 한 명지대학교 사회봉사단원들의 모습을 보며 마음이 뭉클했다. 화지는 이 풍경을 '피자 다오Pizza DAO의 NFT들이 이룬 쾌거'라 표현했다.

피자 다오는 〈레어 피자 Rare Pizzas〉 프로젝트를 진행하는 글로벌 탈중앙화 자율조직이다. 레어 피자는 314명의 아티스트들이 참여해 상상을 뛰어넘는 다양한 토핑들이 무작위로 올라간 1만 개의 디지털 피자 NFT를 만드는 프로젝트이다. 프리세일 때 약 15억5천만 원의 수익을 달성했고 그 중 51%의 금액으로 2021년 5월 22일에 '세계 피자의 날'을 개최해 지구촌 최대 규모의 피자 파티를 열었다. 레어 피자는 비트코인 피자데이에 세계 6대륙, 60개 이상 국가에서 사람들에게 1만 개 이상의 실제 피자를 제공했다. 2010년 5월 22일은 미국의 한 프로그래머 라스즐로 핸예츠Laszlo Hanyecz가 당시 피자 2판의 가격인 40달러에 해당하는 비트코인 1만 개로 피자를 구매하여 최초로 암호화폐가 실물 결제 수단으로 사용된 날이며, 비트코인 피자데이는 이를 기념하는 날이다.

화지는 2015년 1집 〈EAT〉 앨범으로 수상한 한국대중음악상 '올해의 힙합 음반' 트로피를 서울 영등포구의 주물점 용광로에 빠뜨리는 퍼포먼스를 했다. 물리적 실체를 제거하고 3D 형태의 NFT 아트로 재탄생시키는 시도를 한 이유는 '디지털과 피지컬이 동등한 가치를 지닌다'는 메시지를 표현하고 싶어서였다고 한다. 화지는 '트로피는 영원히 블록체인과 메타버스에만 존재한다'라며 NFT에 대한 담론을 자신이 속한 음악계에 퍼뜨리고 싶은 의도가 담겨있다고 털어놓았다. 트로피가 영상으로 담긴 NFT 작품 〈"The Award" NFT - KMA 2015 Hiphop AOTY〉은 파운데이션에 민팅되어 있다.

화지는 2022년, 세계 최초로 접속하는 시간에 따라 아트워크와 음악이 변화하는 형태인 다이나믹 음악 NFT 프로젝트 〈GMGN〉을 발표했다. "NFT는 단순한 기술이나 시장이 아니라, 기존 미디움이 허락한 표현의 한계를 갱신한다. NFT를 통해 음악이 보다 입체적인 비선형의 경험으로 진화했으면 한다." '변화하는 음악 NFT'인 〈GMGN〉은 이러한 작가의 비전을 실현하는 최초의 시도로서 코딩이 가미된 형태의 곡이다. 가사와 연주는 시간의 흐름에 따라 변화한다. 아침에 들으면 하루를 시작하는 에너지를 느낄 수 있고 밤에 들으면 하루를 마무리하는 느낌의 감성을 경험할 수 있다.

고디 Go-D

'음악 공유 생명체'를 표방하는 고디는 자신의 음악이 영감의 근원이 되어 미술, 게임, 영화, 애니메이션, 무용 등 다양한 매체로 확장되는 세계관을 지향한다. 그는 싱어송라이터이자 프로듀서로 활동하며 《My Dear 피노키오》전시에서 사운드 이펙트로 전시 공간을 연출했고, 2022년 클립드롭스에서 완판된 동자동휘 작가의 작품 〈Stendhal syndrome〉에 NFT

음악으로 협업하기도 했다.

고디는 NFT 음악의 효용성 및 활용 가능성과 자신의 음악 세계관의 방향성을 고려하여, 구매자에게 소유권뿐 아니라 저작권까지 이전하는 전략을 선보였다. 고디의 NFT 음악은 에디션을 발행하지 않은 1 of 1으로 세상에 단 하나뿐인 음원이라 이 음악을 사용하는 사람이 NFT를 발행할 경우 희소성의 가치를 극대화할 수 있다는 특장점을 지닌다.

고디의 NFT 음악 앨범 커버는 LP판이 돌아가며 음원이 흘러나오는 형태로 동자동휘 작가가 〈Go-D〉라는 이름으로 창작한 미술 작품이다. 동자동휘는 실물 회화와 디지털 아트, NFT 작업을 다채롭게 펼쳐나가는 작가인데 너바나[Nirvana] 앨범에서 영감을 받아 이어폰을 한 아이가 이더리움 심볼의 음악 재생 플레이어를 바라보고 있는 장면으로 NFT 음악 이미지를 시각화했다. 고디의 앨범 커버에 등장하는 아이는 동자동휘의 NFT 데뷔작 〈Dreaming boy〉에 등장하는 이상을 향해 손을 뻗는 아이와 동일 인물로, 성장에 관한 메시지를 전달하는 상징적 존재이다. 동자동휘는 '고디가 NFT에 진입하며 좋은 성장을 경험하길 바라는 마음을 담았다'고 말했다.

그는 한동안 NFT 음악의 성격과 목적에 걸맞는 블록체인을 탐색하고 실험하는 시간을 보냈다. 이를테면, 컬렉터의 효용성을 높이기 위해 저작권 활용을 허용하는 NFT 음악의 경우 가스피가 낮은 클레이튼 체인을 사용했다. 또한 작가의 표현성을 강조한 음악 영상 형태의 퍼포먼스 NFT 컬렉션은 이더리움 체인에 민팅했다.

고디가 말하는 "NFT는 Next Future Track"이다. "NFT는 앞으로 우리가 플레이할 트랙으로 창작자들이 무한한 가능성을 실현할 수 있는 장이자 미래 음악이다."

정의준

정의준은 한양대학교 개교 최초로 국제학과 현대무용을 이중전공한 무용가이자 안무가, 예술경영인이다. 그는 웹 3.0 시대 엔터테인먼트 혁신을 꿈꾸는 커뮤니티 '무븐트 MVNT'의 공동창업자이자 프로듀서로서, 블록체인 기술을 활용하여 엔터테인먼트 업계와 무용계가 직면한 문제들을 해결하기 위한 창의적인 도전을 시작했다.

NFT를 언제 처음 알게 되었나?

2019년 초반부터 블록체인 창업가들의 마을 '논스 nonce' 멤버로 합류했다. 초기 창립 멤버들과 마음이 마치 운명처럼 잘 맞아 운영진으로서도 바로 합류해 논스를 같이 빌딩하기 시작했다. 논스에서 매일 크립토 얘기를 나누었다. 2년 넘게 블록체인 세상을 만들고 운영하는데 몰두하다 보니 자연스럽게 생태계에 대한 흐름을 이해하며 재밌는 프로젝트들을 만들고 투자할 수 있었다. NFT의 기술적 정의인 ERC-721 같은 개념이나 블록체인 게임인 크립토키티에 대해서는 일찍이 알고 있었다. 하지만 그때는 NFT의 철학이나 예술성이나 기능성, 커뮤니티성, 자산으로서의 가능성이 높게 평가되지 않았던 시기였다.

NFT의 대중적인 영향력을 체감하게 된 시기는 언제인가?

2020년 여름, 대퍼랩스 Dapper Laps가 개발한 NBA 톱 숏 NBA Top Shot을 접하고부터다. 너무나도 충격이었다. 아직도 생생히 기억난다. 스포츠, 엔터테인먼트, 블록체인 등 모든 경계를 허물어서 혁신에 가까운 창조 경제의 시대가 오는 것이라 생각했다. 논스 맴버들과 초기에 투자를 했었고, 르브론 제임스 카드를 뽑으면 소리를 질렀다. 우리의 예상대로 그 이후 NBA 톱 숏 NBA Top Shot은 폭발적인 성장을 했다. 그 때부터 NFT의 시대가 시작된 것 같다.

NFT로 무엇을 하고 싶은가?

어렸을 때부터 춤과 노래를 정말 사랑했고 엔터테인먼트 산업에 대한 꿈도 많이 키웠다. 평생 사람들에게 웃음과 사랑, 영감을 주는 만능 엔터테이너가 꿈이다. 블록체인이 어떻게 세상을 바꿀 수 있을지에 대한 연구를 해오며 블록체인을 잘 아는 이들이 엔터테인먼트 산업의 패러다임 또한 새롭게 제시할 것이라는 확신이 들었다. 하지만 그 전에 댄서이기에 댄서들이 겪고 있는 문제들을 블록체인을 활용한 스타트업의 방식으로 해결하고 싶은 마음이 컸다. 왜냐하면 블록체인 철학 기반의 웹 3.0의 토큰 경제, DeFi, NFT, DAO는 모두 기존 세계의 문제들을 해결하기 위한 '방법론'이자 '도구'이기 때문이다. 그래서 블록체인으로 댄서들이 창작물에 대한 합당한 보상을 받을 수 있는 시스템을 만들며 '안무저작권'을 보장받을 수 있는 방법을 발견해서, 이를 실현시킬 수 있는 무븐트[mvnt] 라는 조직을 형성했다. 안무에 대한 지식재산권 같은 법적 권리 보호가 선행되어야 크리에이터의 권리 향상과 수익화에 큰 도움이 될 수 있다.

무븐트의 설립 목적은 무엇인가?

무븐트는 엔터테인먼트 웹 3.0 다오를 표방한다. 무븐트의 프로듀서로서 웹 3.0 시대에 걸맞는 엔터테인먼트의 미래를 개척하고자 한다. 아티스트들에게 친화적인 조직 구조, 유통 구조, 철학, 문화가 설계하기 위해 무븐트는 bottom-up 방식으로 블록체인 기술과 철학을 활용해 구조를 혁신하고자 한다.

우선 댄스 크리에이터 경제 활성화를 위해 안무저작권 확립과 시장 활성화를 첫걸음으로 삼고 있다. 아티스트들이 행복하게 예술 활동을 하고 합당한 가치를 보장 받을 수 있는 구조를 짜고 있다. 커뮤니티라고 하는 이유는, 크루나 팀, 소속사같은 독점적인 소속감과는 달리 훨씬 포괄적이기 때문이다. 오픈소스 문화를 예술에 도입함으로써 '어, 이렇게 하니 더 효율적이고 모두가 윈윈이네!' 라는 패러다임을 제시하고 싶다.

무븐트가 지향하는 블록체인을 적용한 탈중앙화 엔터테인먼트란 무엇인가?

팬과 아티스트들을 연결할 수 있는 '커뮤니티 기반' 크리에이터 경제를 활성화시키는 것이다. NFT를 통해 예술,미디어, 유통을 혁신하고, DAO를 통해 효율적인 업무 구조와 팬-아티스트 커뮤니티 빌딩을 해나가며, 토큰 설계를 통한 자체 경제 활성화와 구성원들의 인센티브를 설계할 것이다.

무븐트는 구체적으로 어떤 활동을 하게 되나?

무븐트의 역할은 세상에 웃음과 사랑, 영감을 주는 사람들의 유토피아를 만드는 것이다. 같은 마음으로 모인 기획자, 예술가, 컬렉터, 창업가들이 모두 모여있다. 무븐트 생태계에서 각각 창작 create, 큐레이팅 curate, 커뮤니티 빌딩 connect, 인큐베이팅 cultivate 을 한다. 무븐트는 논스의 예술적 확장판이라 논스 생태계와 유사한 문화와 구조를 지니고 있다. 무븐트 생태계 맴버들은 자체적으로 여러 프로젝트들을 진행하며 이 중 대다수가 문화예술 관련 프로젝트이다. 구체적으로, 컨퍼런스를 통한 커뮤니티 빌딩, 음악 NFT와 댄스 NFT를 결합한 안무저작권 구현, 아티스트를 위한 블록체인 교육, 엔터테인먼트사와의 협업을 통한 NFT 기획 및 제작 등이 있다.

논스를 기반으로 수많은 DAO가 상호보완하며 협력하고 있으며, 문형훈 논스 공동창립자가 이끄는 DAO 인큐베이터 CDT가 대표적이다.

무븐트의 구성원은 누구인가?

무븐트의 핵심 철학은 자유와 자아주체성으로, 사실 이는 모든 DAO의 기반이다. 무븐트는 확고한 자아, 꿈, 예술에 대한 진정성을 가진 사람들이 들어와 프로젝트를 자유롭게 기획하고, 투표를 통해 공동 장부의 자금을 사용하고 투명하고 기록하고 공유하는 구조를 지향한다. DAO의 효율성과 장점을 아트 프로덕션에 도입해 제작을 더 자유롭고 효율적으로 하게끔 하는 의도이다. 현재는 크리에이터, 컬렉터, 큐레이터로 크게 구성되어 있고 소수로 모집하고 있다. 'Friends With Benefit'이라는 대표적인 크리에이터 DAO가 있다. 우리는 실제 세상의 예술을 만드는 그룹을 지향하기에, 부분부분을 도입하려고 한다. 무븐트 맴버라면 자율적으로 협력하고, 창작하고, 생산하고, 유통하고, 판매까지 하는 아티스트 유토피아를 그리고 있다.

무용계 / 안무계 / 엔터계의 어떠한 부분에서 문제의식을 느끼나?

대중예술과 순수예술은 접근 방식부터 상당히 다르다. 힙합문화가 베이스가 되는 안무계, 그리고 고전이 베이스가 되는 무용계는 서로 호환이 되지 않는 다른 세상이라고 생각했다. 춤을 추는 태도, 문화, 근육 구조, 목적, 의미가 다 다르다. 무용계는 상당히 재능있는 예술가들이 많지만, 특정 단체나 학교 등의 소속감과 체제로 인해 자유로운 창작과 수익활동을 하기 어렵다. 예술가들에게 최고의 영감은 자유라고 생각하는데, 특정한 체제로 인한 구속으로 잠재력을 펼치지 못한다는 게 성장을 역설적으로 방해한다고 생각했다. 이들이 다양한 아티스트와 협업하게 연결고리를 잇는다면 서로에게, 그리고 세상에게 어마어마한 가치를 창출해낼거라고 확신하고 있다.

예를 들어 무용의 실체화, 움직임의 자산화, 동작의 소유를 증명해서 가치를 높이고 싶다. 무븐트라는 이름도 이 모든 비전을 합축적으로 표현한 무브먼트movement에서 왔다.

댄스 NFT 민팅을 시도한다면 어떤 NFT 아트마켓 플레이스를 활용하고 싶은가?

어떤 커뮤니티와 어떤 컬렉터들을 대상으로 판매하냐에 따라 갈릴 것 같다. 초기에는 이더리움 기반 마켓플레이스들이 주류를 이뤘다면 이제는 솔라나, 클레이튼, 테조스 등 다양한 플랫폼들이 등장했다. 하지만 그래도 유저 수나 트랜잭션 활성도를 보았을 때 오픈시, 파운데이션, 니프티게이트웨이, 슈퍼레어 등이 아직도 주류를 이끄는 것 같다. UI/UX 관점으로 보았을 때 파운데이션이 가장 쉽고 직관적인 예술 경험 거래를 줄 수 있는 것으로 보인다. 기존 크립토 네이티브crypto-native 혹은 퍼블릭 판매를 위해서라면 위의 라인업이 괜찮을 것 같다. 그러나 무븐트처럼 자체적인 콘텐츠, 크리에이터, 콜렉터들이 단단하게 모아진 커뮤니티가 확보되어 있다면, 이분들이 활발한 교류를 할 수 있는 편리하고 미학적인 인프라와 플랫폼을 만드는게 가장 필요할 것이다. 또한, 에이전시처럼 민팅을 대신 해주는 것보다, 창작자들이 직접 민팅하고 판매할 수 있도록 판을 짜는 게 더욱 탈중앙적이고 크립토 정신에 더 부합한다고 생각한다.

그리고 온라인 구매도 물론 중요하지만 오프라인에서의 경험이 점점 더 희소성을 가지고 궁극적인 럭셔리가 될 것 같다. 사람들이 직접 모여서 디지피지컬digiphysical한 형태의 디스플레이를 할 수 있는 오프라인 전시회가 가장 매력적인 아트 플랫폼이 될 수도 있다.

NFT 컨퍼런스 '메타서울' 운영자로 어떠한 역할을 담당하고 있는가?

메타서울은 논스에서 탄생된 최대 규모의 NFT 컨퍼런스이자 커뮤니티이다. 한국 NFT 아티스트 커뮤니티인 한다오HanDAO, 그리고 논스클래식 (블록체인 커뮤니티 빌딩 파트너)이 공동 호스팅하고 있다. 글로벌 크립토 플레이어 연사를 구성하고 메타버스 플랫폼에서 네트워킹 세션을 마련하며 NFT 생태계를 키우고 있다.

PART 5

NFT 실전 매뉴얼

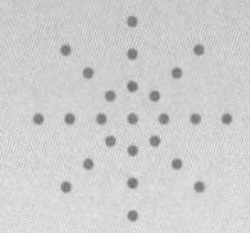

1장.

NFT 거래를 위한 기본 이해

백문이 불여일견

급변하는 NFT 시장에서 하루에도 수많은 일들이 일어난다. 배워야 할 것들은 매일 새롭게 생겨난다. 끊임없이 직접 부딪치면서 익혀나가야 하는 곳이 NFT 씬이다.

스캠과 해킹 사건도 잦다. 초기에는 인스타그램이나 트위터, 디스코드 DM이나 이메일로 날아온 스캠의 정체가 분간되지 않아 피해를 본 NFT 작가들이 적지 않았다. 하도 겪다 보니까, 또 서로 겪은 사례들을 커뮤니티에서 공유하다보니 못된 짓을 하는 사람들도 패턴이 있다는 걸 알게 되었다. 이제는 "이러이러한 거는 클릭하면 지갑 털리니 조심합시다", "자신이 스캠이라고 적나라하게 말하며 접근하는 방식이네요" 등의 이야기를 나누는 여유마저 생겼다. NFT 실전 매뉴얼은 단순히 NFT를 사고 파는 거래 과정을 익히는 것에 대한 것만이 아니다. 그 과정에서 해킹과 스캠 등의 피해에 휘말리지 않도록 여러 유의점들을 함께 익혀가야 한다. 새로운 유형의 투자자 및 창작자 피해 사례가 나오고 있기에 해킹과 스캠 등의 여러 피해 양상들도 지속적으로 파악해야 한다.

이처럼 NFT는 밖에서 보는 것과 이 생태계 안에 들어와 직접 체험을 하면서 들여다보는 것과의 차이가 상당히 크다. 도대체 NFT를 왜 사는지에 대한 납득이 가지 않는 의문은 직접 NFT를 하나 둘 사보면 점차 해소될 수 있다. 어떤 NFT 아트 작품을 만들어야 하는지에 대한 고민은 자신이 직접 NFT를 민팅하고 홍보와 판매 경험을 해보며 시장의 반응을 보면서 하나하나 해결해나갈 수 있다. 무엇이든 그렇겠지만 신기술이 등장했을 때는 이를 훌륭하게 조명한 책과 강연, 유튜브 영상 등이 해당 기술이 일으킬 변화를 이해해나가는 데 도움을 줄 수 있지만 백문이 불여일견이다. 그냥 해보면 알고 일단 부딪쳐보면 점차 깨닫게 된다. 이론적인 면에서 머물면 다 이해가 안가는 것이 바로 NFT의 가치이다.

그런데 NFT를 거래하기 위해서는 아직은 뛰어넘어야 할 기술적 장벽이 높다. 첫 시작은 익숙하지 않기에 불편하고 심지어 번거롭게 느껴질 수 있다. 나도 처음에 오픈시에서 첫 NFT 작품을 컬렉팅하기까지의 여정이 마치 안개가 낀 숲을 두 손을 휘휘 저으면서 더듬더듬 걸어가는 기분이었다. 뿌옇고 희미한 상태에서 한 발 한 발 뗄 때마다 이 길이 맞나, 지금 맞게 하고 있나 확신이 들지 않았을 때 반짝이는 등불과 같은 역할을 해준 이들은 바로 커뮤니티의 NFT 작가들이었다. 이 버튼을 눌러야 하는지부터 시작해 왜 지갑은 두 개나 잘못 만들어졌는지, 출금할 때는 어떻게 해야 하는지, 체인은 왜 이리 다양한지 등 하나하나 오픈톡방에 질문을 남겨 물어보았다. 역으로 내가 얻은 지식도 커뮤니티에서 알게 된 누군가에게 수시로 공유했다. 직접 하나하나 해보면서 NFT를 민팅하고 또 컬렉팅하는 방법들을 알음알음 익혀나갔다. 이런 시간들이 켜켜이 쌓이다보니 점차 눈이 트이고 가랑비에 옷이 젖듯 NFT 실전 지식이 조금씩 늘어갔다.

여전히 기술적 장벽으로 NFT 거래를 직접 경험하기 위한 과정은 어렵다. 앞으로 카드로 NFT를 결제해서 구매하는 것이 보편화되어 NFT가 대중화가 되는 시기에는 이렇게 불편한 거래방식이 필요없을 지도 모른다. 글로벌 가상자산 거래소 코인베이스는 NFT 마켓플레이스에서 마스터카드와 협력해 카드 결제로 NFT를 구매하는 방안을 마련 중이다. 그러나 국내 카드사는 2017년 8월부터 비트코인 등 가상자산 결제를 원천 차단하는 정부 정책을 따르고 있는 상황이며 단시간에 상황이 바뀔 것 같지는 않다. NFT 카드 결제가 상용화되기까지는 아직 시간이 필요하다.

그래서 현 시점에서 NFT를 알아가고 싶다면 백문이 불여일견, 직접 경험해봐야 확실히 알 수 있다. 비단 NFT에 관심을 갖고 있는 창작자나 컬렉터, 투자자 뿐 아니라 메타버스 NFT 신사업을 구상하고 실행하는 기업 임직원들 역시 직접 NFT 거래를 시도해보는 경험을 통해 NFT 시장에 대한 직접적인 이해를 높이고, 해당 사업의 운영 전략을 구체화하는데 실질적인 도움을 얻을 수 있을 것이다.

물론 누구에게나 이 경험을 강요할 수는 없는 노릇이다. 연령과 기술에 대한 경험치 등 여러 요인들로 인해 도저히 못하겠다는 분들도 있을 것이다. NFT 대중화를 위해 중요한 지점 중 하나가 이론뿐 아니라 체계적인 실전 교육 커리큘럼을 확산하는 것임에도 아직 이 부분이 부족한 상황이다. 하지만 그러한 경우가 아니라면 일단 낯설고 어렵다고 눈감아버리기보다 한 번 부딪쳐보기를 권하고 싶다. 2021년 초창기 아티스트들이 그렇게 NFT를 알아가기 위해 부딪쳐가면서 시작했다. 혼자서 익히기 어려운 것이 사실이었기에 서로 도와가면서 알음알음 도전해나갔다.

이어질 아래의 내용들은 NFT 실전 경험을 위한 기본적인 가이드라인으로 나 역시 애매모호한 지점에서는 NFT 작가들의 도움을 받으며 끊임없이 지식과 정보를 수정해나갔다. NFT 실전 거래 매뉴얼 원고 역시 '클하 NFT' 커뮤니티에서 인연을 맺은 킹비트 커뮤니티 파운더와 동굴맨 작가에게 크로스 체크를 받아 최종 완성했다. 아낌없이 현장에서 축적한 지식과 경험을 공유해 준 NFT 작가들에게 감사한 마음을 전하고 싶다.

2021년에 가능했던 방법을 고수할 수 없었다. 2022년에 새로운 규제와 정책이 시행되어 다른 방법을 찾아가야했다. 구체적으로 트래블룰 시행으로 메타마스크와 같은 개인 지갑으로의 출금이 제한되면서 이더와 클레이를 구입하는 단계에서부터 새로운 방법을 모색해야 했다. 2021년 하반기에 정리했던 NFT 실전 거래 매뉴얼을 2022년 3월에 그대로 적용하기 어려운 상황이 펼쳐졌다.

아래에 정리해둔 내용들 역시 앞으로 또 거래소, 정부, 금융 기관 등의 정책이 변화되면 세부 사항들은 변동될 가능성이 있다는 점을 미리 말해두고 싶다. 그러나 일련의 대략적인 흐름은 유사할 것이다. 활자 매체의 한계 상 글만 읽고서 막상 해보려는 것에 어려움이 있을 수도 있다는 것을 알고 있다. 그래서 최대히 상세히 정리해 이러한 흐름으로 NFT 창작과 거래를 진행한다는 점을 담고자 했다. 실전 교육에 있어 영상 매체가 주는 강점이 크기에 더 궁금한 사항들은 관련 유튜브를 찾아보기를 권한다. 이미 NFT를 어떻게 마켓플레이스에 올려야 하는지, 거래소마다의 특성은 무엇이며 암호화폐는 무엇을 어떻게 사야 하는지 등에 관해 친절하게 설명해주는 영상들이 상당히 많이 올라와 있어 막히는 지점에서 도움을 얻을 수 있을 것이다. NFT 창작 혹은 구매 후 가능하다면 관련 NFT 커뮤니티에 가입하길 바란다. 커뮤니티에서 상호 소통을 하다보면 매일매일 조금씩 새로운 NFT 실전 지식을 얻어갈 수 있을 것이다.

오픈시의 4가지 체인 이해하기:
이더리움, 클레이트튼, 폴리곤, 솔라나

NFT 작가들이 가장 많이 이용하는 마켓플레이스는 단연 '오픈시'이다. NFT 첫 리스팅 시에만 가스피가 발생하고 그 이후에 창작자들은 비용을 내는 경우가 거의 없다. 게다가 재판매 시 로열티도 최대 10퍼센트 원작자에게 입금된다. 오픈시는 종종 멈추고 거래 화면이 넘어가지 않는 등 문제가 발생하기도 하지만 그래도 NFT 창작자가 갖춰야 할 기본 역량은 오픈시에서 익힐 수 있다.

그런데 오픈시에서는 4가지 블록체인 메인넷을 사용할 수 있다. 이를 체인Chains이라고도 부르는데, 바로 이더리움Ethereum, 폴리곤Polygon, 클레이튼Klaytn, 솔라나Solana이다.

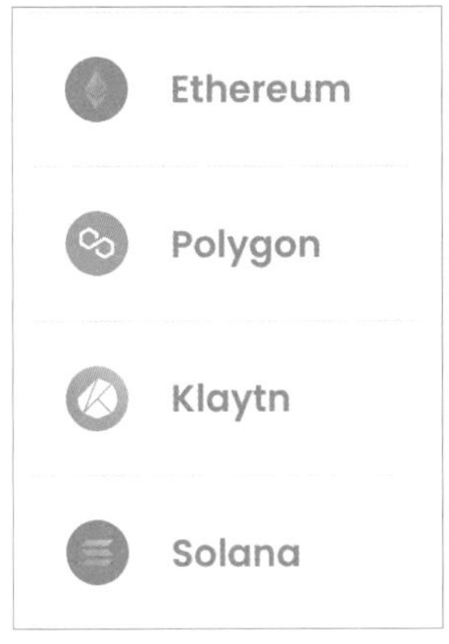

오픈시가 지원하는 4가지 블록체인 메인넷:
출처:오픈시

각 체인에서 사용하는 암호화폐가 각각 이더ETH, 매틱MATIC, 클레이KLAY, 솔SOL이다. 이더리움에서는 이더로 NFT를 거래할 수 있고, 클레이를 쓸 수 없다. 마치 달러로 원화KRW만 취급하는 한국 마트에서 물건을 바로 사지 못하는 것과 같다. 미국에 가서 무언가를 사려면 원화를 달러로 환전해야 쓸 수 있다. 동일한 맥락에서 폴리곤 체인에서 통용되는 암호화폐는 매틱이며, 카카오의 블록체인 메인넷 클레이튼에서는 클레이를 사용해 거래할 수 있다.

왜 어떤 체인을 사용해야 할지를 고민해야 하는 것일까?

2021년 3월 경 초창기 NFT를 알게 된 아티스트들은 이더리움에서 시작했다. 전체 NFT 거래량을 보았을 때 가장 많은 커뮤니티와 창작자, 컬렉터 등이 모여 있는 곳은 이더리움이고 이는 앞으로도 크게 달라지지 않을 것 같다. 그러나 문제는 가스피이다. 오픈시의 경우 첫 작품을 민팅하고 리스팅할 때 가스피를 내고 그 이후에는 내지 않으나, 컬렉터는 매번 작품을 살 때마다 가스피를 지불해야 한다. 이더리움은 여전히 트랜잭션 처리 속도가 느리고 가스피가 높은 확장성 이슈를 지니고 있다.

NFT 작가들은 컬렉터의 부담을 줄일 수 있는 체인이 어떤 것인지를 찾아보기 시작했고, 한국에서도 카카오가 주도하는 블록체인 메인넷 클레이튼이 등장했다. 클레이튼은 카카오의 블록체인 기술 계열사 그라운드X에서 자체적으로 개발한 메인넷이자 퍼블릭 블록체인 플랫폼이다. 클레이튼은 디파이 서비스 클레이스왑, 블록체인 지갑 클립 등 여러 블록체인 기반 서비스를 운영하며 클레이튼 생태계를 조성하고 있다.

폴리곤Polygon, MATIC은 이더리움 레이어2 스케일링 네트워크로서 '인도의 이더리움'이라는 별명을 지닌 블록체인 플랫폼이다. 2017년 암호화폐공개를 뜻하는 ICOinitial coin offering 열풍을 겪으면서 이더리움 네트워크가 트래픽에 취약하다는 점을 발견했다. 이러한 문제점을 해결하기 위한 확장성 솔루션으로 메인 체인 외부에서 거래 결과를 처리하고 이더리움 블록체인에는 결과값만 기록하는 플라즈마Plasma가 등장했다. 폴리곤은 당시 매틱 네트워크Matic Network라는 이름으로 플라즈마 솔루션 구현에 주력하는 플랫폼이었다. 매틱 네트워크는 2020년 5월 메인넷을 런칭한 후 2021년 2월 폴리곤이라는 새로운 이름으로 리브랜딩했다.

폴리곤은 이더리움의 장점인 많은 사용자와 높은 보안성을 지니고 있으며, 이더리움 네트워크보다 넓은 확장성을 갖추고 있다. 폴리곤 내에서는 거래 처리 속도도 빠르고 수수료도 매우 낮다. 그러나 레이어2 솔루션 특성상 폴리곤에서 이더리움 플랫폼을 오갈 때 시간이 걸린다.

NFT 창작자들은 이벤트 선물용이나 다수의 작품을 선보일 때 폴리곤을 선택해 민팅한다. 예를 들어 클럽하우스로 NFT 작품 이야기를 나누는 드랍파티를 진행할 때, 청취자 중 일정 명수를 선정해 선물로 NFT를 전송하는 이벤트를 만들 수 있다. 오픈시에서 NFT를 다른 사람의 지갑으로 트랜스퍼(전송)하기 위해서는 보내는 사람인 창작자가 비용을 지불해야 한다. 어차피 판매가 목적이 아니고 트랜스퍼를 하기 위함이라면 낮은 수수료로도 NFT를 선물할 수 있는 폴리곤을 사용하는 것이 경제적이다.

이더리움의 변동성 높은 가스피가 수개월간 진정되지 않은 상황을 경험한 NFT 작가들이 대안으로 폴리곤 체인을 사용해 민팅하는 추세가 높아지기도 했다. 하지만 처음 폴리곤 체인에 적응하는 것은 쉽지 않다. 폴리곤 체인을 택할 경우 매틱이 필요한데 매틱은 국내 거래소에서는 ERC-20의 이더리움 체인의 매틱만 취급한다. 따라서 해외 거래소 바이낸스에서 폴리곤 체인에서 쓸 수 있는 또 다른 매틱을 구입해야 한다. 매틱은 국내 거래소에서 바로 살 수 없어 바이낸스를 비롯한 해외 거래소를 거쳐야 하고, 컬렉터 역시 동일한 번거로움을 거쳐야 한다. 또한 이더를 가진 컬렉터는 간편하게 이더스왑을 할 수 있지만 이 때 가스피가 든다. 작가 입장에서도 작품이 판매되어 폴리곤 이더가 들어왔는데 이더로 바꾸는 과정에서 몇 가지 절차를 거쳐야 한다. 이러한 처음의 기술적 장벽을 뛰어넘으면 가스피가 미미한 폴리곤의 매력에 빠지게 된다고 한다. 그래서인지 국내에서도 이더리움의 가스피가 부담스러워 시간대별로 변동가를 파악해야 했던 작가와 컬렉터들이 폴리곤을 이더리움과 병행해 사용하는 경우가 늘었다. 하지만 폴리곤 역시 중간에 작동이 되지 않는 순간이 있거나 거래 지연 등의 문제가 발생하기도 한다.

2장.

2022년 트래블룰 시행이 NFT 거래에 가져온 변화

변화된 환경에서의 가상자산 거래소 이용 방법 개요

가장 먼저 해야 하는 것은 자신이 가지고 있는 원화를 NFT 거래에 이용할 메인넷에서 쓸 수 있는 암호화폐로 바꾸는 것이다. 그러려면 거래소를 가입해 은행 계좌를 개설해야 한다. 국내 4대 가상자산 거래소는 업비트(upbit.com), 빗썸(bithumb.com), 코인원(coinone.co.kr), 코빗(korbit.co.kr) 순이다. 해외 거래소는 바이낸스, FTX, 코인베이스 등이 있다. 이 중 자신이 원하는 거래소에 가입하는데 항상 잊지 말아야 할 점이 있다. 본인이 각 단계의 정보를 꼼꼼하게 확인하면서 한 발 한 발 배워나가야 한다는 점이다. 거래소에 가입할 때도 정확한 사이트 주소를 확인해야 한다. 개중에는 영문 철자 한 두개를 바꿔 개인 정보를 탈취하는 유사 사이트가 있기도 하다. 이는 앞으로 설치해야 할 가상자산 지갑이나 NFT 마켓플레이스에 가입할 때도 마찬가지이다. 항상 정확한 사이트 주소를 확인하고 가능하면 즐겨찾기로 추가해두기를 권장한다. 국내 거래소의 경우 네이버에 검색하면 상단에 떠서 찾기 편하지만 아직 익숙하지 않은 오픈시 등의 해외 마켓플레이스의 경우 유사 사이트 주소를 클릭해 지갑을 연결했다가 가지고 있던 암호화폐가 털리는 등의 피해 사례가 NFT 작가들에게 발생하기도 했다. 매 순간 신중하게 각 단계에서 천천히 확인하고 주의하고 익히면서 NFT 세계에 익숙해지는 습관을 가지길 권고하고 싶다.

2022년 트래블룰 시행으로 개인지갑 출금 제한

2019년 국제 금융 범죄를 방지하기 위한 협력 기구인 국제자금세탁방지기구FATF가 트래블룰 적용 대상에 가상자산사업자를 포함했다. 국내에서는 2022년 3월 25일부터 특금법(특정 금융거래정보의 보고 및 이용 등에 관한 법률)상 명시된 트래블룰travel rule,자금이동규칙을 적용했다. 이는 자금세탁방지AML, Anti-Money Laundry를 위해 100만원 이상의 가상자산 거래 발생 시 송신인과 수취인의 신원 정보를 파악하여 금융당국에 보고하는 제도이다. 가상자산사업자는 100만원 이상의 가상자산을 주고받는 이들의 이름과 지갑 주소를 확인해야 하는데, 정부 입장에서는 자금의 흐름을 파악하게 되면 세금 책정에도 용이하다.

문제는 트래블룰이라는 자금 추적 규제를 도입한 정부에서 구체적인 가이드라인을 내놓지 않은 데서 발생했다. 국내 거래소들마다의 트래블룰 대비책이 상이해 투자자들은 큰 혼란을 겪었다. NFT 작가와 컬렉터들은 무엇보다 개인지갑 출금 금지로 인해 불편함을 겪었다. 그리고 트래블룰 시행 이후 개인지갑 출금이 다시 허용되기도 하며 단시간에 정책이 변경되었다.

트래블룰 시행 직전의 혼란은 이러하다. 2022년 3월 경 빗썸과 코인원은 사전에 주소가 등록된 외부 지갑으로만 출금을 허용하는 화이트리스트 제도를 시행하여 본인 식별정보가 포함되지 않은 개인지갑으로의 출금을 금지했다. 단, 코인원은 본인의 이름, 휴대폰 번호, 이메일 주소 중 하나 이상이 동일하다는 점을 입증하여 본인 명의의 외부 지갑을 등록하면 출금이 가능하게 했다. 빗썸은 소유자와 관계없이 외부 지갑으로의 출금을 아예 막아버렸다. 이렇게 된 이유에는 빗썸과 코인원의 실명확인입출금계정(실명계좌) 제휴사인 NH농협은행과의 계약사항 때문이다. NH농협은행은 자금세탁방지를 위해 본인 식별정보를 확인할 수 있는 지갑으로만 출금이 가능하게 했다. 코빗은 신한은행과 실명계좌 발급 제휴를, 업비트는 케이뱅크와 실명계좌 계약을 맺고 있다. 그런데 코빗과 업비트는 트래블룰 시행 이후에도 외부 지갑으로의 입출금을 제한하지 않았다. 단, 이용자가 개인지갑을 거래소에 사전 등록해 심사를 통과해야 한다. 코빗을 예로 들어보자면, 개인정보 확인 가능 지갑 이용자는 지갑 주소 화면, 지갑 개인정보 화면, 신분증을 모두 촬영해 이미지 파일을 코빗증명센터에 제출하면 된다. 개인정보 확인이 불가능한 지갑 이용자는 코빗 가입정보 화면, 지갑 주소 화면, 신분증을 다 촬영하고 이미지 파일을 제출하면 된다. 지갑은 암호화폐 별로 1개의 주소만 등로 가능하다.

트래블룰 도입 후 국내 거래소들의 거래금액은 급감했다. 암호화폐 데이터 플랫폼인 코인게코[CoinGecko]에 따르면, 트래블룰 도입 이전인 3월 24일과 이후인 4월 24일의 국내 거래소 거래금액은 반토막이 났다. 이후 거래금액은 잠시 증가했으나 전반적으로 감소하는 경향을 보이고 있다.

거래소마다 암호화폐 출금 수수료와 취급하는 암호화폐의 종류가 조금씩 다르다. 나의 경우, 2021년에는 이더리움으로 NFT 거래 시 업비트를 사용했는데, 빗썸, 코인원, 코빗을 활용해도 된다. 클레이튼으로 NFT 거래 시에는 코인원을 이용하고 있는데, 빗썸과 코빗도 가능하다. 다만 클레이가 상장되어 있지 않은 업비트는 클레이튼 NFT 거래에 이용할 수 없다.

그런데 트래블룰 시행 이후 메타마스크나 카이카스와 같은 개인 지갑으로의 출금이 국내 거래소에서 금지되는 분위기가 확산되면서 바이낸스와 FTX와 같은 해외 거래소를 경유해야 하는 절차가 추가되었다. 메타마스크와 카이카스는 이메일 정보만 기입해도 가입이 가능한 탈중앙화 지갑이다. 따라서 지갑의 구체적인 신원이 누구의 것인지 확인을 할 수 없다는 이유로 인해 국내 거래소에서 해외 거래소로 출금할 때도 신분증이나 여권과 같은 개인정보로 사전 신원인증을 해야 거래가 가능하게 되었다.

3장.

NFT 거래를 위한 실행 절차 : 이더리움

국내 거래소 가입과 지정 은행 계좌 개설

업비트, 빗썸, 코인원, 코빗과 같은 국내 거래소에 가입하려면 PC, 스마트폰, 신분증이 필요하다. 거래소 사이트에 들어가 회원가입 절차로 이메일 인증 등 개인정보 입력으로 고객 확인 등록을 해야 한다. 이후 각 거래소가 지정한 은행 계좌를 개설한다. 업비트는 케이뱅크, 빗썸과 코인원은 NH농협은행(중앙회)이 필요하며, 코빗은 신한은행 계좌가 필요하다. 해당 앱이 있어 모바일로도 이용 가능하다.

메타마스크 설치

거래소에서 구매한 암호화폐는 거래소 예치 금액이라 NFT 거래에 바로 사용할 수 없다. 거래소 지갑에서 또 다른 외부 지갑으로 이체를 해줘야 한다. 가상자산 지갑에는 메타마스크Metamask, 카이카스Kaikas, 클립Klip, 디센트D'cent 등이 있다. 나의 경우 소프트웨어지갑으로 이더리움 거래 시 메타마스크를, 클레이튼 거래 시 카이카스를 주로 사용하고 있으며, 하드웨어 지갑인 디센트도 이용하고 있다. 이더리움 NFT를 위해서는 메타마스크 지갑이 필수로 있어야 한다.

메타마스크를 설치하려면 크롬 웹스토어에서 검색 후 추가하면 된다. 모바일에도 설치 가능하나 웹에서의 거래를 기본으로 하여 이용하기를 권장한다.

*MetaMask 확장 프로그램 설치 주소

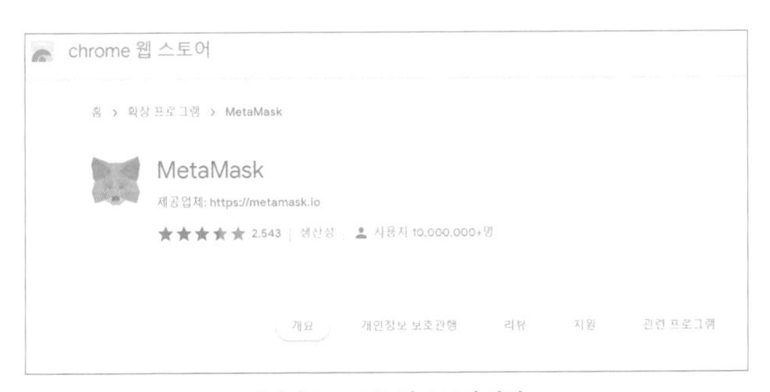

메타마스크 크롬 웹 스토어 화면

이 때 주의해야 할 점이 있다. 먼저 해킹의 위험이 있으므로 PC방이나 회사 컴퓨터 등에서 메타마스크를 설치해서는 안된다. 가상자산 지갑은 공용 컴퓨터에서 설치해 이용해서 절대 안되며 반드시 개인 컴퓨터에서 사용하길 바란다. 활동을 활발히 하는 NFT 작가들의 경우 철저한 보안과 해킹 방지를 위해 NFT 거래를 위한 컴퓨터를 따로 마련해 사용하기도 한다.

메타마스크 지갑 가져오기 및 지갑 생성 화면

처음 지갑을 만드는 경우 '지갑 생성'을 클릭하면 12개의 영어 단어가 순서대로 나열된 '시드구문(비밀 복구 구문)'을 볼 수 있다. 이는 각자에게 보안을 위해 주어진 고유의 비밀 개인 열쇠와 같다. 시드구문은 컴퓨터에 보관하지 말고 프린트해 별도의 파일에 보관해야 한다. 해킹 당하면 다른 사람이 나의 시드구문으로 지갑을 털어갈 수 있다. 시드구문이 유출되면 가상자산 지갑에 고이 보관해두었던 NFT 뿐 아니라 보유하고 있던 암호화폐를 싹 털릴 수 있다. 시드구문은 아무리 가까운 사이라 해도 알려줘서는 안된다. NFT를 직접 민팅하는 것이 힘들다고 해서 다른 사람에게 나의 가상자산 지갑과 NFT 민팅을 부탁하는 것도 시드구문을 유출하는 것이기에 보안 유지 부분에 있어 위험하다.

메타마스크 지갑 생성 후 안전한 보관 관련 팁

그런데 이미 지갑을 만든 상태인데 다른 컴퓨터나 웹 브라우저를 사용하게 될 경우 메타마스크를 재설치해야 한다. 이 때 '지갑 가져오기'를 누르고 시드구문에 해당하는 12개의 영어단어를 'Secret Recovery Phrase'에 입력하면 이전 메타마스크 계정이 되살아난다. 주의할 점은 반드시 처음에 알려준 영어단어를 '순서대로' 기입해야 한다는 점과, 공백 한 칸으로 단어를 구분하면서 적어야 한다는 점이다.

METAMASK
‹ 뒤로
비밀 복구 구문으로 계정 가져오기
금고를 복구하려면 비밀 구문을 여기에 입력하세요.
Secret Recovery Phrase
클립보드에서 비밀 복구 구문 붙여넣기
비밀 복구 구문 표시
새 암호(8자 이상)
암호 확인

메타마스크 지갑이 이미 있는 경우에
비밀 복구 구문으로 계정 가져오기

이후 각자가 설정한 8자 이상의 비밀번호에 해당하는 암호를 기입한 후 한 번 더 암호 확인을 위해 동일한 비밀번호를 기입한다. 이후 하단의 '이용 약관을 읽고 이에 동의합니다'의 네모 박스를 클릭하고 '가져오기'를 누르면 된다. 그런데 NFT 거래에 익숙해지다보면 시드구문을 입력할 일이 거의 없다는 걸 알게 된다. 따라서 시드구문 입력 관련 요청이 담긴 DM이나 링크, 이메일 등을 받게 될 경우 반드시 이게 꼭 필요한 것인지 어디서 온 메시지나 메일인지 등을 꼼꼼히 확인해야 한다. 스캠인줄 모르고 요구한대로 시드구문을 입력했다가 지갑을 털린 피해사례가 상당하다.

거래소 지정 은행 계좌에 원화 입금

이제 자신이 자주 사용하던 은행의 계좌에 있던 원화를 거래소 지정 은행 계좌에 입금할 차례다. 업비트를 이용할 경우, K뱅크를 처음 개설하면 당연히 돈이 없기에 돈이 있는 타행 계좌에서 K뱅크로 이체해야 한다. 이어서 K뱅크에 있는 돈을 업비트로 사이트 화면 상단 '입출금' 탭을 선택해 우측의 KRW(원) 충전의 입금 금액란에 자신이 원하는 금액을 넣고 '입금 신청'을 누른다. 그러면 등록 휴대폰 번호로 카카오톡 메시지가 발송되어으나 인증 절차를 완료해달라는 메시지가 뜬다. 카카오페이 인증을 진행하면 입금 신청이 완료되어, K뱅크에 있던 원화가 업비트로 입금된다. 동일한 탭의 '입출금내역'에서 입금완료 혹은 실패 여부를 확인할 수 있다.

이 때, 보이스피싱 등 금융사고 예방을 위해 최초 입금 시 72시간, 이후부터는 24시간 입금한 KRW 만큼의 출금이 제한된다. 또한 은행 점검 시간(매일 23:50~00:10)에는 입금 서비스 이용이 원활하지 않을 수 있다.

원화로 이더 매수하기

상단 좌측의 '거래소' 탭을 선택해 우측 '원화' 탭에서 '이더리움'을 클릭한다. 위쪽에 연한 파란색으로 칠해진 구간은 이더를 팔고 싶은 사람들이 얼마에 팔고 싶은지 정한 가격이다. 하단의 분홍색으로 표시한 구간은 이더를 사고 싶은 사람들이 정한 가격이다.

업비트 거래소 창에서 이더리움 시세 파악

지금 당장 이더를 구매하지 않아도 괜찮다면 이더 가격이 떨어질지 올라갈지 시세에 관한 뉴스를 파악해 거래를 진행해도 된다. 암호화폐는 가격 변동성을 지니고 있다. 그래서 만약 이더 가격이 하락할 거라 판단할 경우, 분홍색 구간 가격 중에서 선택해 매수 버튼을 누르면 된다. 그럴 경우 가격이 떨어지고서 선택한 가격에 팔겠다고 하는 사람이 나타나서 거래를 수락할 때 구매할 수 있다.

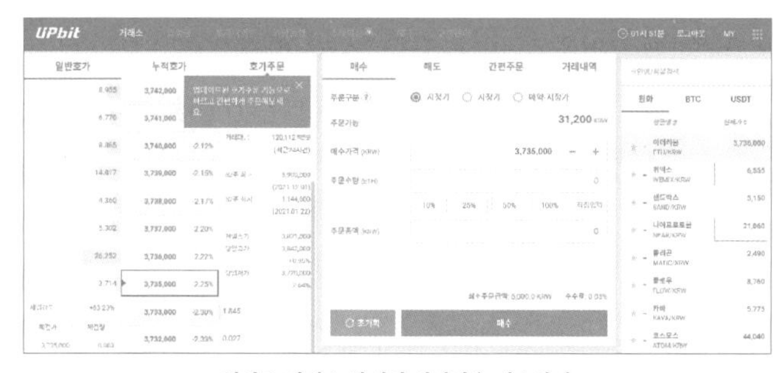

업비트 거래소 창에서 이더리움 매수하기

하지만 대다수의 NFT 작가들은 암호화폐 투자 자체를 목적으로 하기 보다는, 오픈시에서 NFT 아트 작품을 올려 판매할 수 있기 위한 사전

작업으로 이러한 과정을 거친다. 그래서 그냥 바로 간편하게 즉시 구매를 원하는 경우가 많은데 그럴 때는 파란색 구간의 첫 번째 가격을 선택하면 된다. 그러면 '매수' 탭의 매수가격에 선택한 가격이 자동으로 뜨고, 빨간색 '매수' 버튼을 누르면 원화로 이더를 즉시 구입할 수 있다.

구분	KRW	BTC	ETH
입금수수료	무료	무료	무료
출금수수료	1,000	0.0009	0.018

업비트 출금 수수료 화면

첫 출금 시 업비트는 원화입금 시간을 기준으로 72시간 동안 출금이 제한된다. 출금제한 시기에도 이더 구매는 가능하다. 구매한 이더를 메타마스크로 출금하기 위해서는 출금주소에는 본인의 메타마스크 주소를 입력하면 된다. 처음에 입력하면 자동 저장되어 이후에는 화살표를 눌러 클릭해 간편하게 불러올 수 있다. 출금수량은 최소 0.02 ETH이다. 거래소에 지불해야 하는 출금 수수료도 있다. 업비트는 0.018 ETH이고, 빗썸과 코인원은 0.01 ETH, 코빗은 0.015 ETH로 출금 수수료는 고정 가격이다. 따라서 출금 수수료 + 실제 필요한 이더량을 합한 이더가 필요하다. 하지만 딱 맞춰서 그 금액을 출금하기보다 거래소에서 메타마스크로 이더를 보낼 때마다 고정수수료를 거래소에 내야 하기에 가능하다면 한 번에 다량의 이더를 출금하는 것이 좋다.

거래소 사이트를 살펴보면 암호화폐 입출금 탭이 있다. 출금신청에 들어가 메타마스크 계좌로 암호화폐를 이체한다. 출금주소와 출금수량을 기입하면 된다. 나의 경우 처음 업비트에서 메타마스크로 출금할 때 수수료(0.018 ETH)가 생각보다 많이 들어서 놀랐던 기억이 있다. 거래소에서 지갑으로 출금을 할 때마다 일정 비율의 수수료를 지불해야 하므로 가능하다면 한 번에 많은 금액을 이체하는 편이 수수료 절감에 도움이 된다.

메타마스크를 설치하면 0x로 시작해 대소문자 영어와 숫자가 반복되다가 특정 숫자로 끝나는 메다마스크 주소가 생성된나. 은행 계좌번호와 같은 기능이라고 이해하면 된다. 메타마스크 계정의 이름 하단을 클릭하면 이 복잡한 메타마스크 주소를 간편하게 복사해서 암호화폐 이체 시 사용할 수 있다.

오픈시와 메타마스크를 연결한다

국내외 다양한 NFT 마켓플레이스가 있지만 오픈시는 NFT 창작자가 한번쯤은 꼭 경험해볼만한 학습 요소가 많이 있어서 근본이라 불린다. 따라서 오픈시를 사용할 경우를 예로 들어서 살펴보도록 하겠다. 우선 오픈시의 정확한 주소는 opensea.io이다. 닷컴으로 끝나지 않는다는 점과 see가 아니라 바다를 뜻하는 sea라는 점을 기억해야 한다. 단순한 정보 같지만 NFT 초보 사용자일 경우 유사 사이트에 들어가 아무것도 모르고 지갑을 연결했다가 암호화폐가 털리거나 해킹을 당하는 등 피해 사례도 있기에 돌다리도 두드려보고 건너기를 권한다. NFT 마켓플레이스의 정확한 사이트 주소를 외워두거나 크롬 창에 즐겨찾기를 해두어서 유사 사이트에 메타마스크를 연결하여 서명에 OK를 눌러서도 절대 안된다. 일단 지갑을 연결하라는 인스타그램 DM 메시지가 오거나 트위터 쪽지가 온다면 의심부터 해보아야 한다. 지갑을 연결할 경우 나의 가상자산이 빠져나가는 것은 시간문제이기 때문이다. 돈이 모이는 시장에는 나쁜 사람들도 모인다. 아직 투자자 보호가 미흡한 NFT 시장에서 이용자는 스스로 공부하고 조심하면서 자신의 디지털자산을 철저히 관리해나가야 한다.

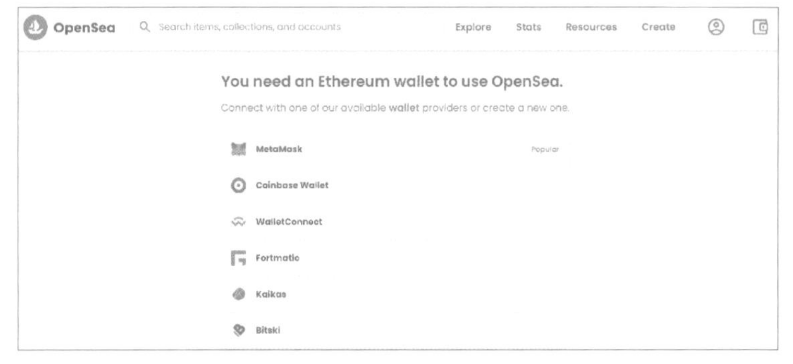

오픈시에 메타마스크로 로그인 하기

나의 경우 '열린바다쩜아이오'로 구호처럼 오픈시 주소를 외워 사용하나 이보다는 즐겨찾기를 해두는 것이 더 편하게 이용하는 방법이다. 올바른 오픈시 사이트에 들어갔다면 우측 상단에 원 모양에 사람 아이콘이 들어가 있는 프로필을 클릭해 메타마스크로 로그인하면 된다. 오픈시 로그인 후 여러 가상자산 지갑을 선택하는 화면에서 메타마스크를 클릭하면 되는 것이다. 클레이로 거래할 경우에는 카이카스 지갑을 선택하면 된다.

NFT 구매 시 기억해야 할 점

검정 다이아몬드 형태는 이더리움 체인을 활용해 거래 가능한 NFT를 나타낸다. 자신의 지갑에 NFT 가격과 가스피를 합친 최종 지불 금액에 해당하는 이더가 충전되어 있다면 바로 'Buy now' 파란색 버튼을 눌러 메타마스크에 서명하고 NFT를 구매할 수 있다. 이더가 빠져나가고 나서 짧게는 몇 초, 길게는 몇 분의 시간이 흘러야 구매가 완료되어 나의 계정에서 컬렉팅한 NFT를 확인할 수 있다. 'Buy with Card' 버튼도 있지만 한국에서는 오픈시에서의 NFT 카드 구매를 지원하지 않으므로 아직 사용할 수 없다.

아트 컬렉터로서 특정 작가를 지지하고 그 작품을 소장하는 느낌을 얻고 싶다면 사전에 트위터나 인스타그램, 유튜브, 언론보도매체 등에서 NFT 작가에 대한 정보를 얻는 것이 좋다. 이보다 투자 목적을 더 우위에 두고 해당 프로젝트가 NFT 가치 향상을 위해 어떠한 사업계획안으로서의 로드맵을 진행해나갈지 그 여정에 동참하고 싶다면 PFP NFT 프로젝트의 NFT를 구입하면 된다. 이 역시 유튜브나 텔레그램 등에서 관련 프로젝트 정보를 상세히 알아본 뒤에 구입을 진행하길 바란다. NFT를 구매한 후에는 내가 구매한 작품의 작가와 트위터로 감사 인사를 나누며 교류하며 작가의 최근 작업이 무엇인지 살펴볼 수 있다. 자신의 소셜미디어에 NFT를 프로필 사진으로 게시하거나 비상업적 용도로 디지털 액자에 담아 집에 전시할 수도 있다. NFT 작가의 활동이 활발하다면 원하는 가격으로 NFT를 리스팅해서 재판매해 차익 실현도 가능하다. 그런데 NFT 아트 작품을 지속적으로 컬렉팅하는 이들의 이야기를 들어보면 단기 수익 실현의 목적보다는 정서적 만족감을 통한 삶의 질 향상에 대한 소감을 주로 말한다. 이는 실물 미술 작품 컬렉팅과도 유사점이 있다. 컬렉터가 상대적으로 단기간에 수익을 올리고 싶다면 명성있는 중진 작가의 작품을 구매하는 것이 좋고, 신진 작가는 예술가를 후원하는 마음으로 컬렉팅하되 재판매를 통한 수익성을 얻기까지는 길게 보고 미술품 투자 포트폴리오를 구성한다. NFT 아트는 실물 미술 작품의 재판매 기간보다 짧은 기간에 빠른 회전율로 판매될 수 있다. 그러나 수익성을 얻기까지 NFT 아트 역시 작가와 작품 별로 시간이 필요하다. 게다가 아직 세상에 알려지지 않은 신진 작가들이 많으며 기존 실물 미술 시장에서의 주요 컬렉팅 대상 장르보다 더 확장된 개념의 다채로운 디지털 아트 작품을 만나볼 수 있다. NFT 아트 컬렉팅은 작가와 컬렉터가 연결되어 소셜미디어를 통해 소통하며 시간의 흐름 속에 동반성장해나갈 수 있다는 점도 두드러지는 특징이다.

이에 비해 PFP NFT 프로젝트의 경우 현실적으로 실제 투자 목적을 가지고 프로젝트에 합류한 이들이 대다수이다. 이러한 프로젝트는 디스코드와 오픈카톡 등에 커뮤니티가 조성되어 있으며, 프로젝트 관련 로드랩 진행상황과 이벤트 소식 등을 지속적으로 공유한다. 따라서 NFT를 구입한 이후에 그러한 커뮤니티에 반드시 가입해 최신 뉴스를 받아보며 내가 투자한 프로젝트의 가치 향상을 위한 동반자로서의 즐거움을 누리길 바란다. 안타깝게도 NFT 판매 이후 판매금액을 들고 운영진이 프로젝트를 접거나 일정 기간 로드랩을 진행하다가 활동을 멈춘 경우들도 있다. 이 때 발생한 투자자 피해에 관한 보상 방안이 법제로 마련되어 있지 않은 상황에서 피해는 오롯이 투자자의 몫이다. 따라서 어떠한 팀인지 마치 스타트업 투자를 하는 마음으로 공부해나가면서 잘 살펴야 하며, 처음에는 블록체인과 암호화폐가 만들어가는 새로운 산업 동향을 체험하고 연구해나간다는 마음으로 소액 투자를 해나가는 쪽을 권하고 싶다.

4장.

나의 NFT 컬렉션 만들고 민팅하기

오픈시에 나의 작품을 민팅하는 것 자체는 돈이 들지 않는다. 얼마에 판매하기를 원하는지 가격을 정하는 리스팅을 시도할 때 가스피가 나가는 것이다. 그래서 우선 나도 직접 한 번 해보았다. 해봐야 뭐가 뭔지 분명하게 알 수 있기에 경험만이 살 길이다.

나는 아티스트 커뮤니티에서 만난 다양한 예술가 지인들과 수년 전부터 퍼포밍 댄스 포토 작업을 해왔다. 정확히 말하면 작가들이 자신의 세계관 속에서 나를 스토리 속 피사체로 삼아 촬영을 해준 것인데 그 과정에서 깊이있는 의견과 영감을 교환하면서 작업을 진행했다. 그 당시 내가 겪고 있던 삶의 여정 속에서 작가들이 조명해준 나의 정체성이 담겨 있는 사진과 영상이 꽤 많이 아카이브로 쌓여있다. 그 중 사방에 어둠이 가득한 상황에서도 빛이 흘러나오는 방향을 향해 두 팔을 뻗고 고개를 들고 위를 바라보는 장면을 촬영한 사진이 있어 오픈시에 첫 민팅을 시도해보았다.

컬렉션 생성 전 준비 사항

NFT 작가들은 오픈시에서 여러 개의 컬렉션 주소를 가지고 활동하기도 한다. 컬렉션이란 비슷한 주제나 그림체, 세계관 등 통일성을 갖춘 작품 모음집이라고 생각하면 된다. 최근에는 이더리움의 가스피가 높아 대안으로 폴리곤이나 클레이튼을 사용하는 경우도 늘어나고 있고, 각 체인별로 다른 컬렉션을 생성하기도 한다. 그리고 컬렉션마다의 URL 주소를 다르게 설정할 수도 있다.

컬렉션을 만들기 위해 먼저 컬렉션 전체 명칭에 해당하는 주제, 컬렉션에 포함된 각 작품명, 작품 설명을 간단히 영어로 작성해두어야 한다. 영어가 능숙하지 않을 경우 파파고와 구글 번역기의 도움을 받을 수도 있지만 가능하면 다양한 NFT 마켓플레이스에서 작품 설명을 어떻게 적고 있는지 살펴보길 바란다. 오픈시는 진입장벽이 낮아 작품 설명을 잘 적은 경우도 있지만 큐레이션에 중점을 두지 않은 플랫폼이라 슈퍼레어 등 큐레이팅에 가치를 부여한 곳에서 자신과 유사한 화풍을 지닌 작품들을 찾아보는 것도 도움이 된다. 작품 설명을 어떠한 단어와 문장으로 표현했는지 참고하는 것도 좋다. 하지만 당장 이 과정이 어렵게 느껴진다면 간단한 설명을 적고 추후 수정할 수도 있다. 작품 설명 등의 수정은 민팅 후 리스팅을 해 판매가 이뤄지지 않았을 경우에만 가능하며 이 과정에서 따로 비용은 발생하지 않는다. 그리고 오픈시 메인 화면에 보이는 배너 및 로고 이미지를 준비해두어야 한다.

컬렉션 페이지에는 자신의 아티스트 웹사이트나 트위터나 인스타그램 주소 등 SNS 계정으로 연결되는 링크를 추가할 수 있다.

나의 컬렉션 만들기

오픈시 우측 사단의 원형 프로필에 마우스 커서를 올리면 내 컬렉션My Collections을 찾을 수 있다. 클릭해서 파란색 버튼인 컬렉션 만들기Create a collection를 누르자.

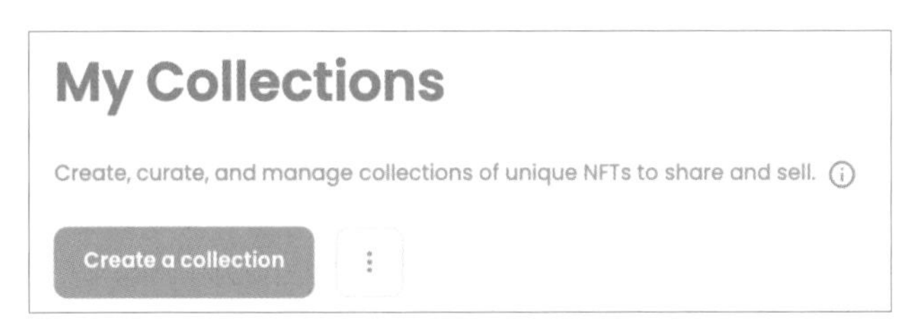

오픈시 〈나의 컬렉션My Collections〉 화면

로고, 프로모션, 배너 이미지 넣기

컬렉션 만들기Create your collection 창이 뜨면 컬렉션 주제를 담은 로고 이미지Logo image를 넣는다. 오픈시 권장 크기는 350 X 350 픽셀이다. 나는 춤추기 전 워밍업으로 스트레칭을 하면서 한 손으로 책을 보고 있는 사진을 드래그해 업로드했다.

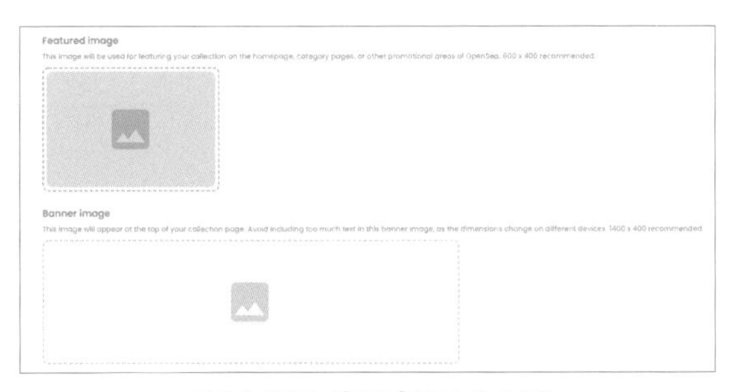

〈컬렉션 생성하기Create a Collection〉 화면에서
프로모션 이미지Featured image와 배너 이미지Banner image 넣기

이어 프로모션 이미지Featured image를 넣어야 한다. 프로모션 이미지는 홈페이지나 카테고리 페이지 또는 다른 오픈시 홍보 페이지에서 나의 컬렉

션을 보여주게 될 때 사용할 이미지로 권장 크기는 600 X 400 픽셀이다. 배너 이미지[Banner image]는 나의 컬렉션 페이지 상단에 나타나며 업로드 시 이미지에 너무 많은 텍스트가 포함되는 것은 피해달라는 설명이 담겨 있다. 아무래도 이 컬렉션의 전체 이미지를 즉각적으로 보여주는 역할을 하는 것이기에 자신의 컬렉션 주제를 가시화할 수 있는 적합한 이미지를 업로드하면 된다. 오픈시는 1400 X 1400 픽셀 크기를 권장한다.

컬렉션 이름과 URL 주소, 설명 적기

컬렉션 이름[Name]과 링크인 URL 주소는 일치시키는 것이 좋다. 작가들 중에는 컬렉터들이 기억해서 찾아보기 쉽도록 컬렉션명과 트위터 및 인스타그램 등의 소셜미디어 주소를 하나 명칭으로 일치시키는 경우도 있다. 하지만 작가의 세계관과 작품 방향성을 고려해 여러 컬렉션을 만들게 될 경우에는 아티스트 웹사이트와 소셜미디어 아이디를 컬렉션보다 상위 개념의 단어로 설정하기도 한다.

컬렉션 안에 여러 작품들을 올릴 수 있기에 해당 컬렉션이 어떠한 주제를 담고 있는지 알 수 있는 설명을 영어로 작성하면 된다. 나는 '슬픔이 변하여 춤이 되는 삶의 소중한 순간들'을 설명에 적고 '대체 불가능춤'이라는 단어를 만들어 컬렉션 이름과 URL에 적어보았다.

Name *
Non-Fungible Dance
✓ This name is available.
URL
Customize your URL on OpenSea. Must only contain lowercase letters,numbers, and hyphens.
https://opensea.io/collection/nonfungibledance
✓ This URL is valid
Description
Markdown syntax is supported. 0 of 1000 characters used.

〈컬렉션 생성하기[Create a Collection]〉 화면에서 이름[Name], URL, 설명[Description] 적기

컬렉션 영역을 정하고, 관련 링크 적기

오픈시에서는 예술Art 뿐 아니라, 컬렉터블Collectibes, 도메인 네임Domain Names, 음악Music, 사진Photography, 스포츠Sports, 트레이딩 카드Trading Cards, 유틸리티Utility, 가상 세계Virtual Worlds와 같은 다양한 영역을 NFT로 만들어 거래할 수 있다. 자신의 콘텐츠에 적합한 영역을 클릭해 설정하면 된다. 그리고 링크에는 아티스트 공식 웹페이지, 개인 사이트, 인스타그램 등 소셜미디어 등 연관 사이트 주소를 적으면 된다.

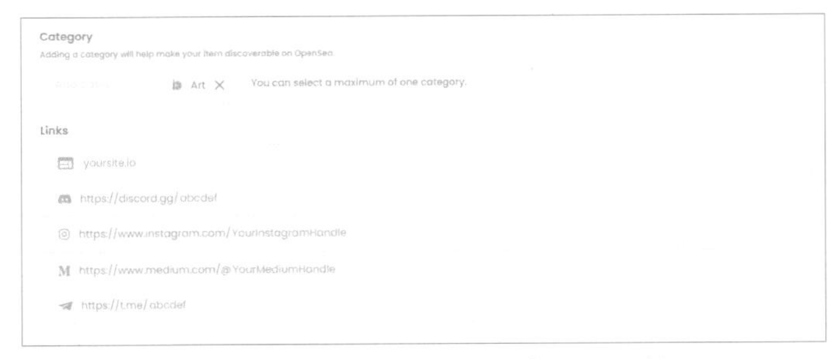

〈컬렉션 생성하기Create a Collection〉 화면에서 범주Category와 링크Links 적기

로열티 설정하기

오픈시는 로열티를 최근 크리에이터 어닝Creator Earnings이라고 명칭을 바꾸었다. 이러한 로열티는 실물 미술 시장에서의 추급권과 유사하다. 추급권追及權은 미술품 재판매 보상청구권artist's resale right으로서 미술품이 재판매되면서 원래 가격보다 가치가 상승할 때 원작자에게도 일정 부분 보상이 이뤄질 수 있도록 하는 권리이다. 우리나라의 경우 추급권은 적용되지 않고 있다.

그런데 NFT는 최초 판매 이후 재판매될 때마다 판매 가의 최대 10%의 로열티가 원작자에게 자동으로 지급된다. 그런데 이 때 주의해야 할 점이 있다. 로열티율을 먼저 설정해두어야 받을 수 있다는 것이다. 2차, 3차 판매가 이뤄질 지라도 애초에 원작자가 오픈시에서 로열티율을 설정하지 않으면 지급되지 않는다. 로열티율은 최대 10퍼센트까지 적을 수 있고 지급 받을 메타마스크 주소를 기입해두어야 한다. 컬렉션이 여러 개라면 매 컬렉션마다 로열티율을 기입해야 한다. 동일 컬렉션 작품들은 동일한 로열티를 적용한다. 10퍼센트를 받고 싶다면 10이라고 적으면 된다.

수수료에는 매번 NFT가 판매될 때마다 판매가의 2.5%씩 오픈시가 가져가는 서비스피(Service Fee)가 포함되어 있다. 로열티는 판매될 때마다 바로 작가에게 지급되지 않고 누적되어 60$를 넘으면 작가의 지갑으로 한 달 정도 지난 후에 정산되어 들어온다. 그러니까 NFT를 판매하게 되면 오픈시가 가져가는 수수료 (2.5%) + 내가 설정한 로열티(최대 10% 가능, 10%라고 했을 경우) = 총 12.5%의 가격을 제외한 나머지 87.5%의 금액만 지갑에 들어와 있다.

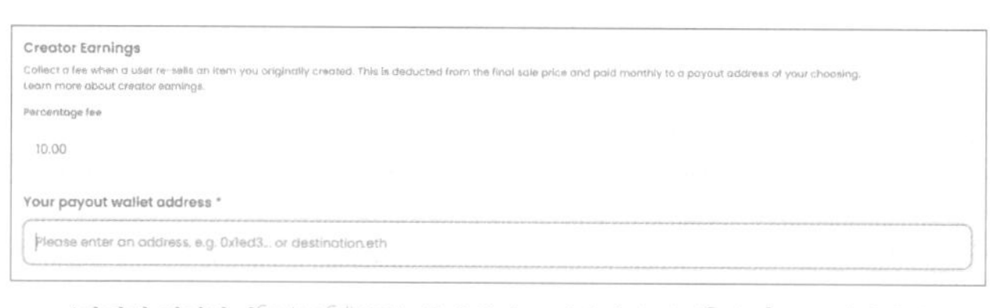

〈컬렉션 생성하기(Create a Collection)〉 화면에서 크리에이터 어닝(Creator Earnings) 설정하기

블록체인과 결제 토큰 설정하기

오픈시는 이더리움을 디폴트 값으로 두고 폴리곤을 추천한다. 나는 우선 이더리움 체인을 선택했다.

결제 토큰(Payment tokens)은 검정색 다이아몬드인 이더(ETH)와 분홍색 다이아몬드인 랩이더(WETH)가 있다. 이더는 블록체인 메인넷인 이더리움이라는 네트워크에서 사용하는 암호화폐의 이름이다. 이더는 ERC20이라는 표준이 생기기 전에 만들어졌다. ERC20은 이더리움 네트워크에서 사용하는 토큰들을 어떻게 전송하고 그 전송 기록을 어떻게 규격화할지에 대한 일종의 기준이자 표준이라고 할 수 있다. 그런데 그 표준이 생기기 전에 이더가 만들어졌고 이더 자체로는 스마트 컨트랙트에서 다른 ERC20 토큰과 거래할 수가 없다. 그래서 이더를 ERC20 표준으로 만드는 것이 필요하며 이것이 바로 랩이더Wraped Ether이다. 이더를 랩이더로 바꿀 수도 있고 반대로 랩이더를 이더로 만들 수도 있다.

오픈시에서 결제 토큰으로 이더와 랩이더는 기본으로 설정되어 있고 다른 토큰을 추가하고 싶다면 Add token을 눌러 선택하면 된다. 여러 토큰을 추가할 수 있다.

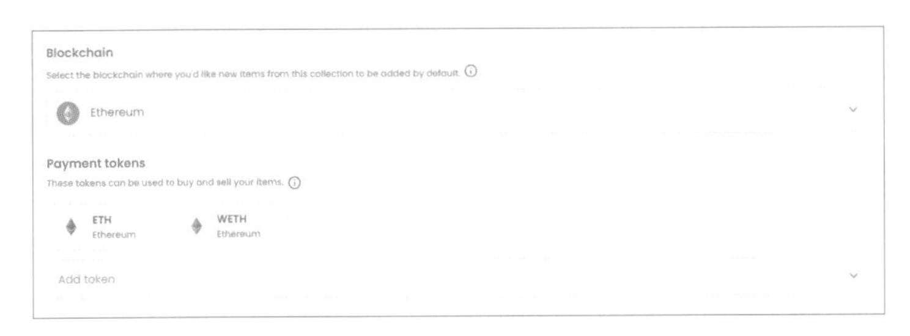

컬렉션에 사용할 블록체인 메인넷과 결제 토큰Payment token 설정하기

디스플레이 테마 설정 및 민감한 콘텐츠 표시 기능 살피기

디스플레이 테마Display theme는 3가지가 있다. PNG 이미지처럼 배경이 투명한 경우에는 여백이 있는Padded 방식을 선택하면 되고, 반대의 경우에는 Covered 방식을 선택하면 된다, Contained 방식은 1:1 비율이 아닌 이미지에 적합하다.

민감한 콘텐츠Explicit & sensitive content 기능은 자신의 작품이 성인용이라 생각할 경우 오른쪽으로 스위치를 켜둘 수 있는 기능이다.

다른 사람과 협력해 공동 창작한 작품인 경우, 공동 작업자 추가Add collaborotor 버튼을 눌러 메타마스크 지갑 주소를 기입할 수 있다. 컬렉션은 Create 버튼을 눌러 저장한 이후에도 별도 비용 없이 수정이 가능한데 공동 작업자로 지정되면 동일한 권리를 가진다.

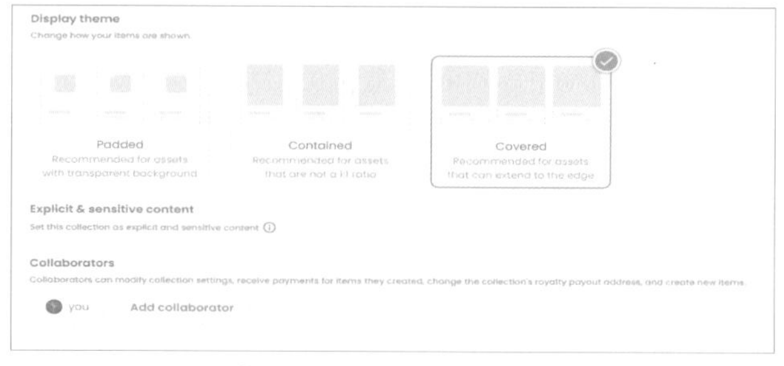

디스플레이 테마Display theme, 민감한 콘텐츠(Explicit & sensitive content), 공동 작업자Collaborators 지정 기능

이후 내용을 수정하고 싶을 경우, 우측 상단의 연필 아이콘에 마우스 커서를 올리면 Edit라는 글자가 보일 것이다. 이를 클릭해 내용 수정 후 맨 하단의 수정사항 제출Submit Changes 버튼을 클릭하면 된다.

NFT 콘텐츠 업로드하기

프로필 사진에서 내 컬렉션을 선택하여 컬렉션 로고를 클릭한 후, 우측 상단에서 파란색 아이템 추가하기Add Item 버튼을 누른다. 그러면 새 아이템 만들기Create new item 화면이 나올 것이다.

오픈시에서는 NFT 메인 콘텐츠는 이미지Image, 동영상Video, 오디오Audio, 3D 모델3D Model 형태이다. 지원하는 파일은 JPG, PNG, GIF, SVG, MP4, WEBM, MP3, WAV, OGG, GLB, GLTF로 다양하며 최대 100 MB 용량까지 올릴 수 있다. 작품이 고용량 파일인 작가들이 바로 이 지점에서 갈등이 생긴다. 자신이 원하는 해상도와 길이로 업로드할 수 없기 때문이다. 하지만 컬렉터들은 그 작품이 단지 고화질 고해상도라 구입하지 않는다. 또한 언락커블 컨텐츠라는 오픈시 기능을 활용해 NFT 구매자만 이용할 수 있는 고용량 원본 파일을 구글 드라이브에 삽입해 링크를 공유하는 등의 방식으로 이러한 문제를 해결해나갈 수 있다. 이 때 NFT를 구입한 컬렉터에게 작품 원본 파일을 공유할지 아니면 업로드한 최대 100MB 용량의 파일을 공유할지에 대한 판단은 작가가 하면 된다.

이렇게 NFT 콘텐츠를 업로드한 후에 작품명인 이름Name을 적고, 이 NFT의 상세 내용에 대해 보여줄 수 있는 웹사이트 등의 관련 외부 링크External Link가 있다면 기입하면 된다.

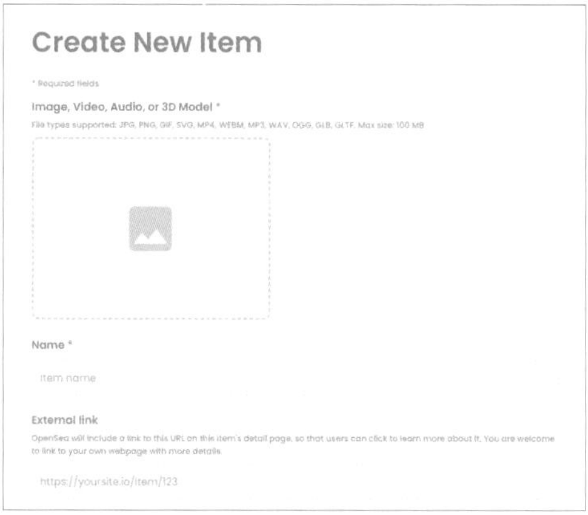

〈새 아이템 만들기Create new item에서
NFT 콘텐츠, 이름, 외부 링크 작성하기〉

설명Description, 컬렉션Collection, 특성Properties, 레벨Levels, 능력치Stats, 언라커블 콘텐츠Unlockable Content, 민감한 콘텐츠Explicit & Sensitive Content 작성

NFT 작품 설명Description을 적는다. NFT 작가도 역시 자신의 작품을 글로 설명할 수 있어야 한다. 그것도 영어로! 짧게 몇 문장 적는 것도 보통 일이 아니다. NFT로 만들기 전에 미리 작가노트와 작품 설명이 명료한 글로 정리되어 있어야 한다. 그렇지 않으면 오픈시 화면을 켜두고 한참을 의자에 앉아서 고민하게 될 것이다. 영어가 능숙하지 않아 번역기를 돌릴 경우에는 자신의 한글 문장 표현이 명확한지, 문법은 맞는지, 주어와 서술어는 일치되어 있는지, 불필요한 동어 반복과 중복 표현은 없는지 등을 먼저 살펴보아야 한다. 그렇지 않을 경우 무슨 말인지 전달이 잘 되지 않는 영어로 번역될 수 있다. NFT 작가는 자신의 작품을 글과 말로 설명할 수 있어야 하나, 이 부분은 별도의 교육 내지는 컨설팅 프로그램이 필요하다. NFT를 하든 하지 않는 자신의 세계관과 작품 이야기를 글로 표현해내는 것은 또 다른 문제이기 때문이다.

컬렉션Collection은 앞에서 미리 만들어둔 자신의 컬렉션이 이미 설정되어 있어서 클릭하면 기입된다.

특성Properties, 레벨Levels, 능력치Stats는 보통 PFP 프로젝트에서 희귀도표에 따라 개별 NFT에 희소성을 부여하기 위해 작성한다. 개별 작가의 작품일 경우 건드리지 않아도 된다. 간혹 재미 요소를 위해 이를 활용하는 작가들이 있기도 하다.

언라커블 콘텐츠Unlockable Content는 잠금 해제 콘텐츠로 NFT를 구입한 사람만 볼 수 있다. NFT가 디지털 아트이기에 이걸 구입한 사람에게 줄 수 있는 유익과 혜택이 무엇일지에 대해 작가들은 고민을 많이 한다. 그래서 깜짝 선물처럼 언라커블 콘텐츠에 작품에 담긴 전체 스토리를 읽을 수 있도록 긴 텍스트를 적어두거나, 자신의 구글 드라이브 링크를 넣어 원본 NFT 콘텐츠 파일을 다운받을 수 있도록 활용하기도 한다. 아무래도 NFT를 산 사람은 자신의 소셜미디어에 올려서 구매 경험을 자랑하거나 프로필에 자기 표현 용도로 사용하는 등 그 NFT를 활용하고 싶어한다. 또는 NFT를 디지털 프린팅을 해 액자에 넣어두거나 혹은 디지털 액자에 담아 자신의 집에 전시하고 싶어하는 경우도 있다. 엄밀히 따지면 NFT 구매시 저작권이 아닌 소유권을 사는 것이기에, 권리의 다발인 저작권에 포함되어 있는 전시권에 대해 비상업적인 용도에 한해서 NFT 작가들은 허용하는 분위기이다. 그마저도 없다면 NFT 컬렉터가 아직까지는 누릴 수 있는 요소가 많지 않기 때문이기도 하다. 오픈시에 올라온 2D 이미지는 바로 마우스 우클릭으로 다운받을 수 있지만 영상 작품의 경우에는 그 NFT를 산 사람일지라도 바로 다운받을 수 없다. 그래서 NFT 작가들은 언락커블 콘텐츠 기능을 다양하게 활용하고 있고, 이 특별한 기능이 NFT 컬렉터가 누릴 수 있는 재미 요소를 더해주고 있다.

민감한 콘텐츠 기능은 앞서 설명한 내용과 동일하게 성인용 콘텐츠일 경우 오른쪽으로 스위치를 켜두는 방식으로 설정해둘 수 있다. 해당되지 않는다면 그냥 넘어가자.

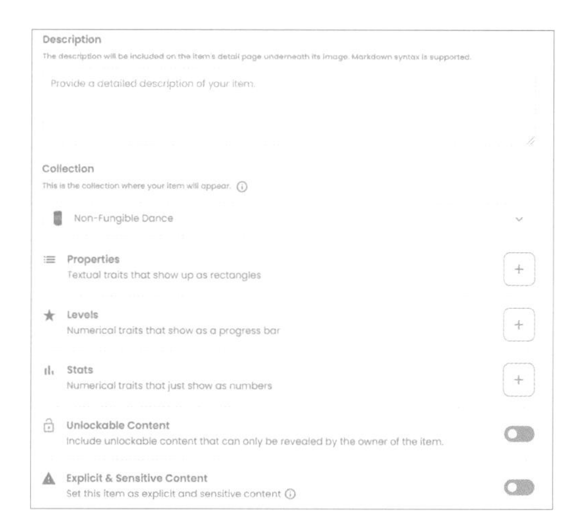

〈새 아이템 만들기[Create new item]에서 설명[Description], 컬렉션[Collection], 특성[Properties], 레벨[Levels], 능력치[Stats], 언라커블 콘텐츠[Unlockable Content], 민감한 콘텐츠[Explicit & Sensitive Content] 작성하기〉

공급량과 메타데이터 프리징 설정으로 민팅 완료

공급량[Supply]은 단 하나의 작품(1 of 1)으로 할 것인지 동일 작품의 복사본과 같은 다수의 에디션[Edition]으로 할 것인지를 기입하는 것이다. 판매 전략을 잘 짜야 하는데 희소성을 높이고 싶을 경우에는 공급량을 1로 설정한다. 판매 단가를 낮추고 다수의 수량으로 발행하고 싶다면 보통 3~5개 정도로 정하며 개중에는 35개까지 설정하는 경우도 있다. 하지만 수량이 많아지면 컬렉터가 갖는 희소성의 가치가 떨어질 수 있어 아예 가격을 높이고 공급량 1로 발행하기도 한다. 공급량은 추후 수정이 가능하니 판단이 서지 않는다면 우선 1로 기입하면 되고 별도의 비용이 발생하지 않는다. 수정하려면 주소창 뒤에 /?enable_supply=true를 붙여야 한다.

블록체인은 이더리움과 폴리곤 중 선택하면 된다. 폴리곤 체인에서 사용하는 암호화폐인 매틱을 보유하고 있다면 가스피가 낮은 폴리곤으로 민팅해도 되지만 NFT 초보자라면 이더리움을 선택하는 게 좋다.

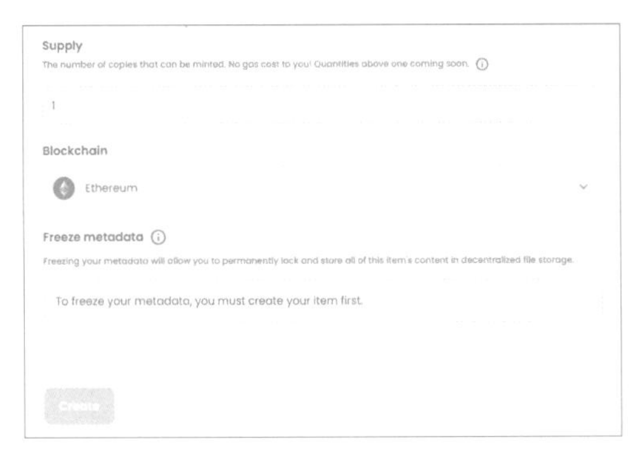

〈새 아이템 만들기Create new item에서 공급량, 블록체인, 메타데이터 프리징 설정하기〉

메타데이터 프리징은 메타데이터를 변경할 수 없도록 얼려두는 것이다. 메타데이터 프리징을 실행하면 NFT 메타데이터가 IPFS에 저장된다. 대다수의 작가들은 메타데이터 프리징을 하지 않는데, 가스피가 발생하기 때문이다. 오픈시에서 작가가 돈을 지불하는 때는 민팅 후 처음 리스팅을 할 때 최초 등록비로 가스피가 발생하고, 자신의 작품을 다른 사람의 지갑으로 전달하는 트랜스퍼 기능을 실행할 때, 리스팅한 작품을 삭제할 때 등과 같은 경우이다. 가스피는 가격 변동성이 있기에 시간대별로 확인해보는 것이 좋다. 하지만 메타데이터 프리징을 하지 않으면 메타데이터가 해킹, 변경, 삭제 가능성이 있어 컬렉터 중에 메타데이터 프리징을 한 작품만을 선호하는 사람들이 있다. 오픈시는 이러한 시스템을 레이지 민팅lazy minting이라고 부른다. 자, 이제 Create 버튼을 누르면 드디어 끝났다. 나의 NFT가 오픈시에 민팅되었다. 하지만 아직 판매 가능한 상태는 아니다. 그렇다. 아직 끝이 아닌 것이다.

리스팅으로 판매 가격과 방식 설정하기

판매하려는 NFT의 우측 상단의 판매^Sell 버튼을 누르고, 사전에 설정한 컬렉션 로열티가 잘 적용되어 있는지 하단의 수수료^Fees에서 창작자 로열티^Creator Fee 부분의 숫자를 확인해보길 바란다. 혹시라도 누락되어 있다면 NFT가 아무리 많이 재판매될지라도 원작자에게 로열티가 자동 지급되지 않는다.

판매 유형은 고정 가격^Fixed Price와 타임드 옥션^Timed Auction 방식이 있는데 개별 작가들은 오픈시에서 경매 방식을 택하지 않는다. 경매 방식을 처음 사용할 때 작가가 비용을 내야 하고, 경매나 입찰에는 랩이더 WEHT를 사용하기에 이더를 랩이더로 바꿔야 하며 이 때에도 비용이 들기 때문이다. 화제성을 지닌 유명 작가나 마케팅 파워를 지닌 특정 기업과의 협업 형태가 아닐 경우 하루에도 수많은 작품이 쏟아져나오는 오픈시에서 무명의 작가에게 경매를 걸어줄 컬렉터들을 만나는 것은 쉬운 일이 아니다. 그리고 운좋게 경매가 진행되어 최종 낙찰이 이뤄지더라도 컬렉터에게 작가가 작품을 트랜스퍼해줘야 하는데 이 때 작가 부담으로 또 비용이 발생한다.

오픈시 옥션은 잉글리쉬 옥션과 최고가 입찰 방식과 더치 옥션인 최저가 입찰 방식을 지원한다. 잉글리쉬 옥션을 선택했을 경우, 시작가를 정하고 최소 1WETH로 최저 판매가^Reserve price를 설정해야 한다. 반대로 더치 옥션의 경우, 시작가와 종료가를 설정하면 된다. 경매 기간은 둘 다 최대 1주이다.

가격^Price 설정에서 몇 이더로 해야 할지에 대한 고민을 작가들이 처음에 많이 한다. 어느 정도의 가격이 적정가일지에 대한 감을 얻기 어렵다면 가장 좋은 방법은 오픈시에서 여러 작품들을 살펴보는 것이다. 망망대해같은 곳이라 어떤 작가의 작품을 보는 것이 좋을지 모르겠다면 자신이 NFT 작가 커뮤니티에 속해있을 경우, 그 안에서 활동하는 분들의 트위터나 오픈시 계정 들을 살펴보는 것도 유익하다. 유사한 장르나 비슷한 형태감을 지닌 작업들을 발견하면 얼마에 가격이 설정되었나 확인할 수 있다. 최근에 판매량이 좋은 프로젝트나 작품들을 오픈시에서 순위로 보여주는 란이 있으니 이 또한 살펴보는 것이 도움이 될 것이다. 단 하나의 작품만을 민팅한 것인지, 혹은 에디션으로 여러 개 발행할 경우 몇 개이며 이 때 컬렉터가 체감할 희소성의 가치는 어떻게 달라지는 등에 대해서도 고려해보면 좋다.

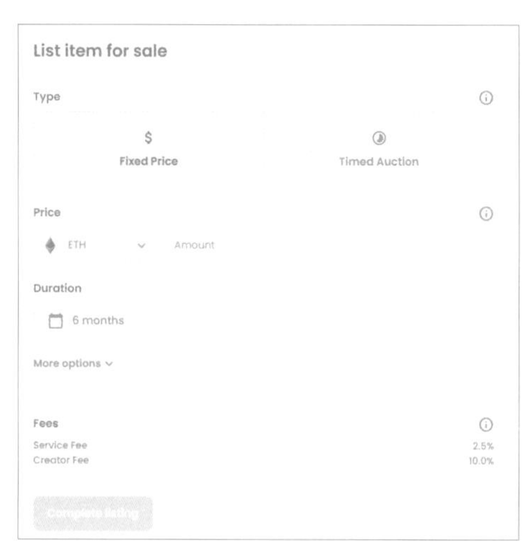

〈판매가 설정하기[List item for sale]에서 판매 유형, 가격, 기간 등 설정하기〉

리스팅 기능은 lower price 설정과 canceling list가 있다. 처음 설정한 가격보다 낮은 가격으로 바꿀 때는 비용이 발생하지 않지만 가격을 올리고 싶다면 가스피를 내고 취소해서 다시 가격을 설정하면 된다.

기간[Duration]은 판매 가능 기간으로 최대 6개월까지 가능하며 1 month를 클릭하면 달력이 나오므로 본인이 원하는 첫 판매 시작일을 시간까지 정할 수 있다.

더 많은 옵션[More options]을 누르면 필요할 경우 두 가지 기능을 실행해볼 수 있다.

첫 번째, 묶음 판매하기Sell as a bundle는 두 개 이상의 NFT를 하나의 묶음으로 판매할 수 있는 기능이다. 묶음으로 판매할 NFT를 선택한 후 묶음 이름Bundle name과 설명Bundle description을 적는다. 이름은 묶음 작품의 주제나 특징을 컬렉터들이 알아보기 쉽게 적는 것이 좋다.

두 번째, 특정 구매자 예약하기Reserve for specific buyer는 사전에 컬렉터에게 작품 주문을 받은 경우에 주로 사용한다. 작가가 리스팅을 하자마자 바로 그 사람이 구매할 수 있도록 컬렉터의 지갑 주소를 미리 적어둘 수 있다. 이 경우, 원작자와 지정 구매자만 리스팅한 NFT를 볼 수 있다. 자, 드디어 민팅과 리스팅의 모든 과정이 끝났다. 이제 판매를 위한 작품 홍보를 해야 하는 것은 작가 혹은 홍보를 지원해줄 에이전시와 갤러리 등의 몫이다.

5장.

NFT 전시 공간: 메타버스 갤러리

NFT를 구매하거나 창작했다면 멋지게 메타버스 갤러리에 나의 NFT를 전시하고 자랑하고 싶은 욕구가 생길 것이다.

이러한 메타버스 NFT 전시를 위해서는 주로 크립토복셀cryptovoxels.com을 이용한다. 크립토복셀은 본디 뉴질랜드 출신의 독립 개발자 벤 놀란Ben Nolan이 설립한 이더리움 기반 메타버스 공간이자 디지털 부동산이다. 디지털 부동산을 구입하면 해당 토지에 복셀voxel을 이용해 건물을 세우고 다양한 소품과 패션 아이템 등을 제작할 수 있다. 복셀은 부피volume와 픽셀pixel의 합성어로 '부피를 가진 픽셀'을 뜻하며 보통 작은 정육면체로 공간을 빈틈없이 채워가는 식으로 작업한다. 복셀은 디지털 레고 형태의 3차원 공간 단위 값으로, 사각형 점인 2차원 픽셀pixel을 3차원 형태로 구현한 것이다.

크립토복셀은 전세계의 NFT 아티스트들이 모여드는 힙한 공간으로 최근에 타이거 JK와 윤미래, 비비 등 힙합 가수들이 아바타로 등장해 실시간 라이브 공연을 펼치기도 했다.

마치 관절인형처럼 생긴 아바타로 진입할 수 있는 크립토복셀의 가장 큰 장점은 접근성이다. 별도의 절차 없이 링크만 생성하면 누구든 단 한 번의 링크 클릭으로 크립토복셀 공간으로 들어가 체험할 수 있다. 크립토복셀의 공간은 유료로 구매할 수 있으며 메타버스 부동산에 자신이 직접 건물을 지어 전시 및 공연 공간으로 활용할 수 있다. 아바타로 걷거나 날아다니며 공간을 둘러볼 수 있으며 춤도 출 수 있다. 아바타가 착용할 수 있는 웨어러블 패션 아이템도 복셀로 제작할 수 있으며 NFT로 만들어 판매 가능하다.

온사이버[oncyber.io]는 무료로 이용 가능해서 상당수의 NFT 아티스트와 컬렉터들이 사용한다. 메타마스크라는 가상자산 지갑에 있는 NFT를 온사이버에 연동할 수 있다. 온사이버에서 오큘러스로 NFT를 감상하면 디지털 시공간에서도 작품의 아우라를 경험할 수 있다. 창작자들은 자신이 어떤 NFT 작품을 민팅했는지 보여주는 용도와 간편한 전시 공간으로 사용하며, 컬렉터들은 자신이 구입해 소유한 NFT 작품을 전시하며 자랑하고 다른 사람들을 초대해 함께 감상하는 용도로 사용한다.

오픈시에서 다양한 디자인의 온사이버 갤러리를 유료로 구매해 NFT 전시를 개최하기도 한다. 이러한 유료 갤러리는 소유자가 가격을 올려 다시 되팔 수도 있다. 별도의 아바타 없이 링크를 통해 갤러리로 입장하며 모바일과 웹 둘 다 감상이 가능하다. 작품에 가까이 다가가 클릭하면 해당 NFT를 구매할 수 있는 오픈시 화면으로 넘어간다. 작품을 감상하다가 자연스럽게 NFT 거래도 진행할 수 있는 것이다.

2017년 출범한 글로벌 메타버스 플랫폼 스페이셜[spatial.io]은 원격 협업 솔루션을 선보였고, 2021년 말 예술 창작자 중심의 메타버스 갤러리로 사업을 확장했다. 모바일과 웹으로 이용 가능하며 처음에 AR로 내 얼굴 사진을 찍어 현실의 나와 흡사한 아바타로 플랫폼에 입장할 수 있는데 한동안 하반신이 없었다. 사람 행동에 관한 빅데이터를 확보하는 과정에서 팔에 비해 다리에 관한 정보가 많지 않았기 때문이다. 이후 2022년 5월 스페이셜은 레디 플레이어 미Ready Palyer Me와의 협업으로 다리가 생겼을 뿐 아니라, 메타버스에서 다양한 스타일로 자신의 정체성을 표현할 수 있는 새로운 아바타를 출시했다. 2022년 3월 스페이셜은 오픈시와 함께 우크라이나를 지원하는 인도주의적 예술 전시회 《Peace & Unity Exhibition》을 개최하기도 했다. 전시 공간 중앙에는 스페이셜이 확장현실(XR) 디자인 스튜디오 폴리카운트와 협력해 3D 모델 형태로 재창조한 우크라이나 독립 기념비가 세워져 있다. 우크라이나 독립 10주년을 맞아 2001년 키이우 독립 광장에 세워진 상징적인 건축물인 독립 기념비는 1천개 한정 에디션 NFT로 판매되어 수익금 전액은 우크라이나 지원을 위해 기부했다.

디센트럴랜드decentraland.org는 이더리움 블록체인 기반의 메타버스 플랫폼이다. 2017년 창업 초창기의 디센트럴랜드는 네모격자무늬로 구성된 2D 평면판 모습이었다. 디지털 부동산을 구매하면 네모판에 색깔이 칠해져 소유 영역을 표시할 수 있었다. 메타버스에서 이 곳이 내 땅이라는 걸 시각화하는 방식인 것이다. 향후 디센트럴랜드는 디지털 아바타를 비롯해 다양한 캐릭터와 사물이 활동할 수 있는 3D 공간으로 발전했다. 디센트럴랜드에 존재하는 아바타가 입은 의상과 신발, 액세서리 등은 각각 다 고유한 NFT이다.

디센트럴랜드에서는 '마나MANA'라는 자체 토큰을 통해 NFT를 거래한다. 현실에서의 빈부격차처럼 디센트럴랜드라는 메타버스에서도 땅값의 가격도 몇천만원에서 몇억원까지 다양하며 자신이 얼마만큼의 마나를 가지고 있느냐에 따라 구매할 수 있는 NFT가 달라진다. 디센트럴랜드 땅을 구입하면 갤러리를 만들어 메타버스 전시를 열 수 있다. 하지만 디센트럴랜드에서 거래하는 마나를 따로 구입해야 하고, 지갑과 연동해야 하며 유료이다. 디센트럴랜드에는 국내외 기업이 입점해있으며 삼성전자, 미국 최대 은행 JP모건, 코카콜라 등이 대표적이다.

PART 6

NFT 아트를 둘러싼 논쟁

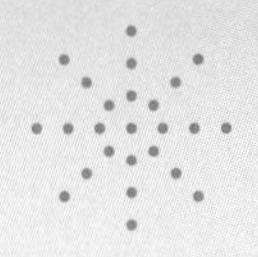

1장

NFT 법적 쟁점

정책과 규제 | 과세 | NFT 지식재산권 | 해킹, 스캠, 러그풀

2장

NFT 가이드라인 현황

1장.

NFT 법적 쟁점

NFT 법적 쟁점과 관련하여 박성필 KAIST 문술미래전략대학원 지식재산대학원프로그램MIP 교수님과 박사 과정 김예진 변호사님께서 원고를 감수해주셨기에 먼저 감사의 마음을 전하고 싶다.

정책과 규제

대한민국에서 NFT 시장의 미래를 가늠하기 위해서는 필연적으로 새 정부의 가상자산 정책에 대해 살펴볼 필요가 있다. 윤석열 대통령 당선인의 가상자산 공약은 크게 4가지이다.

첫째, 가상자산 투자소득 5000만원까지 완전 비과세이다.

소득세법에 따르면, 가상자산(기타소득)은 2023년부터 250만원 이상의 투자소득에 대해 25% 세금을 낸다. 이와 달리 주식(금융투자소득)은 2023년부터 5000만원 이상의 양도차익에 대해 20%를 과세한다. 그러나 공약에 따르면, 가상자산과 주식을 하나로 묶어 '금융주자소득'으로 보고 총 투자소득이 5000만원이 넘을 경우에만 20%의 세금을 매길 가능성이 높다.

둘째, 디지털자산기본법 제정이다.

정부 담당 부처인 금융위원회가 가상자산 시장을 규제하고 감독할 법률을 발의할 것이다.

셋째, 거래소 발행IEO·Initial Exchange Offering을 통해 국내 코인발행ICO·Initial Coin Offering을 허용하는 것이다.

이 경우 업비트, 빗썸, 코인원, 코빗과 같은 거래소가 중개인이 돼 코인 프로젝트와 투자자 사이에서 검증자와 중개 역할을 맡는다. 그러나 국내 주요 거래소는 구조 자체가 중앙화되어 있다. 다수 기관이 아닌 하나의 거래소에 매매중개, 체결, 청산·결제, 예탁, 상장 기능이 다 몰려 있어 블록체인의 탈중앙화 정신을 구현하며 상호 견제와 감시를 할 수 없다. 자칫 거래소가 고객보다 자사 이익을 우선시하는 결정을 할 경우 그 코인 프로젝트 거래에 신뢰를 보장할 수 있을 것인가에 대한 질문을 던질 필요가 있다.

넷째, 대체 불가능토큰NFT·Non-Fungible Token 활성화 통한 디지털자산시장 육성이다.

하지만 아직 구체적인 방안은 나오지 않은 상태이다. 2022년에 NFT를 비롯한 디지털자산 시장을 국가 미래 먹거리 산업으로 집중 육성하기 위한 실질적인 정책 마련을 위한 연구와 협의체, 컨퍼런스, 모임 등이 활발하게 이뤄지기를 기대해 본다.

국제자금세탁방지기구FATF는 NFT 발행 형태에 따라 각국 정부가 규제를 진행할 필요가 있다고 말했다. NFT가 지불 또는 투자 목적으로 사용될 경우 가상자산에 해당되며 이 때 과세와 규제를 동반하게 된다. FATF는 규제의 핵심이 어떤 기술적 용어terminology나 마케팅 용어를 사용하는지보다 NFT의 성격과 그 실질적 기능을 고려하는 것이 중요하다고 보았다. 이러한 견해는 굉장히 중요하다. NFT가 실제로 어떻게 사용되고 있는지, NFT 구매자들의 주요 목적은 무엇인지, NFT 크리에이터 혹은 프로젝트팀은 그 NFT를 어떻게 활용하고 있는지 등을 다각도로 분석하고 시장 현황을 파악해나가면서 적절한 규제 방안을 모색해야 한다.

그러기 위해 중요한 지점 중 하나는 규제 정책 관련 자문을 하는 법조인, 교수, 관련 기관 종사자, 정부 관계자 등이 직접 NFT 거래에 참여해보는 경험을 하는 것이다. 하루가 다르게 급박하게 변화하는 국내외 NFT 시장에서 어떠한 작가들이 활동하고 있는지 예술작품으로서의 NFT를 하나 구매해보고, 동시에 이 시장의 더 큰 부분을 차지하고 있는 PFP NFT 프로젝트를 클레이튼과 이더리움에서 각각 하나씩 직접 구매해 커뮤니티를 관찰하면서 투자자 심리를 분석해나가는 실전 연구 기관이 필요하다.

규제를 마련해나갈 때 중요한 점은 이 산업이 지닌 미래 먹거리로서의 가능성을 조망하며 시장을 성장시키기 위해 건강한 생태계를 조성해나갈 수 있는 규제 방안을 모색해야 한다는 것이다. 최소한의 규제가 필요한 이유 중 하나는 블록체인이 거래기록을 투명하게 남기는 기술임에도 NFT 시장이 투명하지만은 않게 흘러가고 있기 때문이다. 블록체인 데이터 플랫폼 기업 체이널리시스Chainalysis는 가상자산 범죄를 분석한 「2022 Crypto Crime Report」에서 가상자산 불법 거래가 증가했다고 발표했다. 보고서에 따르면 2021년 가상자산 총 거래 금액은 15조 8000억 달러(약 1경 9145조 원)로 전년 대비 550% 증가했는데 이 중 불법 거래 금액은 140억 달러(약 16조 9638억 원) 이상으로 2020년 78억 달러(약 9조 4513억 원)보다 증가했다. NFT 산업에서는 자전거래와 자금 세탁이 있었다. 자전거래는 판매자가 다른 지갑으로 자신의 NFT를 구매해 가격을 띄우는 등 자산의 가치를 부풀리는 식으로 이뤄진다. 불법 주소에서 NFT 시장으로 전송한 금액은 2021년 3분기 100만 달러(약 12억 원), 4분기에는 140만 달러(약 17억 원)에 달했다. 2022년 1월 말, 자산관리 플랫폼 재퍼Zapper는 2015년 이더리움 출시 이후 이더리움에서 2만 6000개의 NFT 컬렉션이 만들어졌으며, 자전거래는 총 2500만회나 된다고 발표했다.

자전거래 논란은 국내외 PFP NFT 프로젝트 뿐 아니라 NFT 마켓플레이스에서 일기도 했다. 소위 바닥가라 불리는 NFT 최저가를 높이기 위해 혹은 해당 NFT 마켓플레이스의 거래량을 띄워 바이럴 마케팅을 만들기 위해 시장에서 자전거래가 이뤄지기도 한다. 그러나 모든 PFP NFT 프로젝트나 마켓플레이스가 그러한 것은 아니며, 블록체인의 투명성이라는 본질적 가치를 기억하고 최대한 정직하고 투명하게 건강한 NFT 생태계를 조성해나가고자 하는 이들도 많이 있다.

그렇다면 어떻게 이러한 자전거래 이슈를 잠재울 수 있을 것인가. 대안 중 하나는 거래 기록의 투명화와 공개라는 블록체인 데이터의 특성을 활용하는 것이다. 이러한 지갑 데이터의 거래 과정을 분석하는 서드파티Third-Party의 역할을 할 수 있는 다양한 기업과 프로젝트가 감시자로서 등장하여 시장의 자정작용을 촉진하는 역할을 해야 한다. 초창기에 모든 상황에 대해 일일이 규제하는 것은 시장의 성장을 저해할 수 있으나, 이러한 자전거래 등의 부정적인 이슈를 어떻게 관리할 수 있을지에 관한 규제 논의도 필요하다.

새 정부에서 모색해나갈 NFT 규제 방안과 관련해서는 미국 증권거래위원회(SEC)의 기조를 따라갈 거라 예상한다. 그런데 SEC는 NFT 크리에이터와 거래 플랫폼 등을 대상으로 증권 규정 위반 여부를 조사하기 시작했다. 조사의 주요 목적은 NFT가 일반 주식처럼 자금 조달 수단으로 이용되고 있는지 확인하고, 조각투자인 '분할 NFT'의 증권성 여부를 파악하는 것이다.

그렇다면 국내에서는 어떠한 NFT 규제 관련 연구가 진행되고 있을까. 대표적으로 2021년 12월, 한국금융연구원이 금융위원회의 용역을 받아 작성한 보고서 「대체 불가능토큰(NFT)의 특성 및 규제방안」이 있다. 보고서에 따르면 NFT에 대한 법적인 규제는 단순하게 접근할 문제가 아니라 지속적인 연구가 필요한 사안이다. 보고서는 "NFT는 발행 형태도 다양하고 발행 형태에 따라 법적인 성격도 일의적으로 규정하기 어려운 것이 사실"이라고 보았다. 따라서 NFT 규제 대상 여부를 판단하기 위해서는 무엇을 NFT로 발행했는지 또는 어떠한 기술을 사용해 NFT로 발행했는지에 초점을 두기보다 그 NFT의 기능이 무엇인지 살펴보아야 한다.

보고서에 따르면, 유형별 NFT의 가상 자산 여부는 다음과 같다. 먼저 NFT는 발행 형태에 따라 게임 아이템 NFT, 결제수단형 NFT, 실물형 NFT, 증권형 NFT, NFT 아트의 5가지로 분류된다. 이 중 게임 아이템 NFT와 결제수단형 NFT는 가상자산으로 분류될 가능성이 크다. 특히 게임 아이템 NFT는 현실 세계의 화폐처럼 게임 내에서 결제 수단으로 사용되고 투자 대상이 될 수 있다. 반면 NFT 아트는 결제 수단이나 투자 목적으로 거래되는 대상이 아니기에 가상 자산이 아니지만 NFT가 실제 시장에 거래 목적으로 나올 경우에는 가상 자산의 정의에 부합한다. 실물형 NFT는 실제 존재하는 대상물을 디지털화하여 NFT로 발행하는 것으로 수집품에 가까워 가상 자산에 해당하지 않는다. 증권형 NFT는 사업 내용에 따른 손익 분배의 계약상 권리를 담고 있고 증권의 속성이 있다고 판단될 경우 금융자산으로 분류되며, 이 경우 자본시장법을 적용해 금융 감독의 대상이 된다.

이 보고서는 다양한 유형의 NFT를 그 실질적 기능을 중심으로 분류하는 시도를 했다는 점에서 의의를 지닌다. 그러나 이러한 분류는 현 시장을 파악하며 더 세분화되어야 한다.

가령, NFT 아트의 정의가 불명확하다. 무엇보다 실제 시장을 살펴보면 NFT의 형태를 NFT의 유형을 분류하는 주요 기준으로 삼는 것은 적절하지 않다. NFT의 형태는 그림이어도 속성을 따져보면 다른 종류의 NFT일 수도 있기 때문이다. 그래서 발행 주체가 어떠한 의도와 목적으로 NFT를 만들었는지를 살펴보아야 한다. 즉, 개별 혹은 다수의 작가가 미술품처럼 NFT 아트 작품을 창작한 경우가 있는 반면, NFT 프로젝트 팀이 제너러티브 방식을 도입해 PFP 디지털 아트 형태로 발행하여 NFT 가격 상승을 위한 비즈니스 로드맵을 실행하는 경우도 있다. PFP 형태라고 해서 다 비즈니스 목적이 우위에 있지도 않다. 작가가 제너러티브 방식을 사용하지 않고 초상화나 자화상 형태로 한 작품 한 작품 직접 그려서 PFP 컬렉션을 창작하는 경우도 있기 때문이다. 따라서 NFT는 단순히 시각적 속성만으로 그것이 아트다 아니다를 가르는 것은 무리이며 그 실질적 기능과 용도를 각각 자세히 살펴보아야 한다. 또한 일종의 유틸리티를 지닌 NFT라고 해서 그것을 아트가 아니라고 단정 지을 수도 없다. 경계에 선 다양한 NFT 프로젝트들이 등장하고 있기 때문이다.

NFT 아트가 결제 수단이 되는 경우는 많이 보지 못했으나, 미술품 소장으로서의 성격이 짙은 NFT 아트일 경우에도 투자 목적은 지니고 있다. 단지 단기 투자를 목표로 하기보다 내가 투자한 작가의 미래 성장 가능성을 보고 장기 투자를 하는 것에 가깝다. 또한 아직까지 대다수의 NFT 아트 컬렉터들은 투자 이전에 그 작가와 작품이 좋아서 NFT 아트를 구매한다. 이는 실물 미술품의 경우도 마찬가지이다. 단기 차익 실현을 위해서는 유명 작가의 고액의 작품을 구매하는 것이 안정적인 선택이지만 아트 컬렉터들은 자신의 취향에 부합하는 신진 작가들의 작품도 구매한다. 따라서 NFT 아트 중에서 이처럼 실물 미술품 거래와 유사한 투자 속성을 지닌 부류가 있는 반면, 작가와 협업하거나 제너러티브 방식을 활용하여 비즈니스 목적을 강화한 PFP 스타일의 NFT 아트 프로젝트도 있다는 것을 이해할 필요가 있다.

또한 게임 아이템 NFT의 경우 여전히 게임성의 정의가 모호한 것으로 인해 법적 분쟁의 소지가 남아 있다. NFT 스니커즈를 구매해 걸으면서 돈을 버는 M2E[Move to Earn] NFT 프로젝트의 경우를 생각해보자. 대표적으로 솔라나 기반의 '스테픈[STEPN]'이 있는데, 스테픈은 걸음 수에 따라 GST(그린 사토시 토큰)를 보상으로 주고 이를 SOL[솔라나]로 바꿔 현금화하는 구조이다. 스테픈 앱은 게임물관리위원회(이하 게임위)에 모바일 게임으로, 구글 플레이스토어와 애플 앱스토어에 게임이 아닌 운동 앱으로 등록돼 있었다. 국내법상 게임 내 보상을 현금화하는 요소가 있다면 국내 다운로드가 금지된다. 그런데 스테픈은 서비스 내 보상을 현금화하는 요소가 있어 게임위에서 추가 모니터링을 받았고, 게임위는 스테픈을 게임으로 판단하지 않았다. 게임법상 게임은 오락과 여가선용이 주가 돼야 하는데 스테픈은 일부 게임성이 있지만 주 요소가 아니기 때문이라는 이유에서였다. 게임위는 자체 등급 분류 사업자를 통해 스테픈 측에 앱 재등록을 요청할 예정이다. 반면, 게임위는 '파이브스타즈', '무한돌파삼국지' 등의 P2E(Play to Earn) NFT 게임은 자동 사냥 기능 등의 사행성을 이유로 등급 분류를 거부하거나 국내 서비스를 중단시켰다.

이처럼 NFT를 유형화하고 그 특성을 이해하는 것은 복잡다단한 일이며 여전히 시장은 변화하며 성장하고 있기에 지속적인 연구가 필요하다. NFT 법적 규제 역시 정부와 법조계, 학계뿐 아니라 NFT 시장에 참여하고 있는 다양한 주체의 실질적인 의견 수렴을 통해 마련해나가야 할 것이다.

블록체인과 메타버스 시장은 국경 없이 펼쳐지기에 국내 상황뿐 아니라 해외 시장 및 규제 동향을 살피는 것도 중요하다.

일본의 경우, NFT는 지불 기능이 없어 가상 자산이 아니라 판단하여 금융 법률로 규제하지 않았다. 다만 NFT에 이익 분배 기능이 있다면 유가증권으로 분류될 수 있고, 결제 수단과 같은 경제적 기능이 있다면 암호자산이나 선불식 결제 수단의 범주에 들어갈 수 있다는 가능성은 열어두고 있다.

유럽연합은 가상 자산 규제 기본 법안이자 최초의 가상 자산 단독 입법안인 「Markets in Crypto-Assets MiCA」을 통과시켰다. 이 법안이 시행되는 2024년부터 유럽연합은 가상 자산에 관한 단일 규제를 적용한다. 다만 MiCA에는 NFT에 관한 규제 내용이 제외되어 있다. NFT는 각각이 고유해 상호 교환할 수 없고, 특정 NFT 가치가 다른 NFT 가치에 영향을 주지 않아 NFT의 금융거래 목적 사용범위가 제한적이라고 판단했기 때문이다. 그러나 NFT를 암호 자산으로 간주하여 일부 NFT가 규제 대상에 포함될 가능성은 남아있다.

영국은 NFT 규제법은 없지만, 가상 자산을 '암호화된 디지털 가치'로 정의하기에 현금을 가상 자산으로 바꾸거나 하나의 가상 자산을 또 다른 가상 자산으로 바꾸는 행위는 규제 대상이 될 가능성이 있다. 영국은 디지털 자산 시장 선도를 위해 2022년 여름까지 왕립 조폐국 Royal Mint에서 자체 NFT를 발행하기로 했다. 영국의 NFT 발행 목적은 첨단 기술을 활용하여 영국의 금융 서비스 산업이 혁신의 선두에 서도록 보장하기 위함이다. 영국 정부는 규제 당국과 업계 민간 전문가로 구성한 '가상 자산 진흥 그룹 Cryptoasset Engagement Group'을 설립하여 업계와 협력하면서 이들에게 가상자산 정책 방향에 관한 자문을 구할 예정이다.

과세

우리나라의 경우 2020년 3월 '특정 금융거래정보의 보고 및 이용 등에 관한 법률(이하 '특금법')' 제2조 제3항에서 가상 자산을 '경제적 가치를 지닌 것으로서 전자적으로 거래 또는 이전될 수 있는 전자적 증표'라고 규정했다. 이러한 규정이 있어야 세금을 매길 수 있다. '디지털 자산 인프라 및 규율체계 구축' 국정과제에 따르면 금융위원회가 디지털자산기본법 제정을 추진한다. 금융위는 법안 제정 과정에서 NFT 등 디지털자산의 발행, 상장 주요 행위규제 등 소비자보호 및 거래안정성 제고 방안을 마련할 예정이다. 따라서 이러한 금융위의 입장에 따르면, 가상자산 투자수익 과세는 투자자 보호장치 법제화 이후 추진된다.

국회는 2020년 12월 소득세법 개정을 통해 가상자산에 대한 구체적인 과세 기준을 마련하기는 했다. 소득세법에서 가산자산을 양도하거나 대여함으로써 발생하는 소득에 대해 기타소득세를 부과할 수 있으며, 거주자(국내에 주소를 두거나 183일 이상 거소를 둔 자)의 경우 250만원을 초과하는 소득에 대해 20%의 세율로 분리과세를 하게 된다. 비거주자나 외국법인은 가산자산사업자를 통해 가산자산을 양도·대여·인출시에 양도가액의 10%와 양도차익의 20% 중 적은 금액을 과세한다. 그러나 이후에도 이 기준을 동일하게 적용하게 될지, 얼마까지 비과세를 적용할지 등 여러 변수가 남아있다.

또한 NFT에는 미술품만 있는 것이 아니라 웹툰, 음악, 사진, 게임 등 종류도 다양한데 이들 각각에 동일한 기준을 적용할 것인지도 논의되어야 한다. 유사한 그림 형태의 NFT라 하더라도 어떤 것은 미술품의 성격에 가깝고 또 어떤 것은 미술품이나 탈중앙화 금융이나 토크노믹스와 결합해 증권의 성격을 가질 수도 있다. 실물 미술품은 현행 소득세법에서 기타소득으로 과세한다. 그러나 NFT는 원본성을 보증하는 증표이기에 미술품 그 자체가 아니라고 바라보는 의견도 존재한다. 현행 소득세법상 기타소득 과세대상인 미술품의 대상은 한정적이다. 회화, 데생, 파스텔, 콜라주 장식판, 오리지널 판화, 인쇄화, 석판화, 100년 넘은 골동품 등이 미술품 과세 대상이다. 그런데 NFT 아트 안에도 음악, 영상, 게임아트, 모션그래픽 등 다양한 유형이 포함되어 있다. 다양한 장르의 창작자들이 물밀듯 들어오고 있고 지금 이 시간에도 실험적인 예술 장르가 탄생하고 있는 이 시장에 현행 미술품 과세 조항을 기준으로 삼아 과세하는 것이 적절한지에 대한 논의도 필요하다.

NFT 작가들은 무엇을 준비해야 하는지에 대한 논의가 이뤄져야 한다. 작품이 판매된 시점의 암호화폐 시세를 기준으로 과세가 이뤄지게 된다면 미리 엑셀 파일에 시세와 판매가격 등을 기입해두어야 하는지 등에 대한 가이드라인이 필요하다. 뿐만 아니라 NFT 프로젝트 팀이나 컬렉터 등을 위한 과세 준비 가이드라인이 나와야 한다. 미리 대비하는 차원에서 NFT 거래와 관련한 증빙자료를 남겨두는 것이 필요하다고는 하지만 아직 이에 대해서 철저히 준비하고 있는 NFT 작가나 컬렉터들이 얼마나 되는지 모르겠다. 이미 2021년부터 이뤄진 거래 내역들까지도 다 정리해두어야 하는 것인지 등 더 공식적이고 세부적인 과세 가이드라인이 필요하다. NFT 작가에게 은행, NFT거래소, 가상자산 지갑에의 모든 거래 내역에 대해 증빙을 남겨두라고 한다면 그 증빙의 형태는 어떠한 양식이어야 하는지에 관해서도 알려줄 필요가 있다. 스크린샷으로 NFT 마켓플레이스 주소와 거래 계좌내역을 비롯해 무엇을 기록으로 남겨야 하는지 따로 파일로 정리해둬야 하는지 등에 관해서 말이다. NFT 취득가액 입증의 책임은 과세당국이 아닌 납세자에게 있다는 의견이 중론이라면, NFT 컬렉터 역시 취득가액, 취득일자, 취득 당시 시세에 대한 증빙을 남겨 추후 양도차익 계산 시 취득가액 입증을 보다 수월하게 할 수 있을 것이다.

NFT를 증여할 때 마주칠 과세 이슈에 대해서도 생각해볼 필요가 있다. NFT 컬렉터 혹은 투자자들은 자신이 NFT를 구매하는 이유 중 하나가 초기 시장에서 투자가치가 높은 NFT를 사서 잘 묵혀두었다가 자녀들에게 물려주기 위함이라는 말을 진심 반 농담 반으로 나누기도 한다. 현행법상의 과세원칙은 완전포괄주의로, 세법에 구체적으로 규정되지 않더라도 변칙증여를 막기 위해 유무형의 재산을 직간접적으로 무상이전하면 세법상 증여 대상에 해당한다. 이 원칙에 따르면 부모가 자녀에게 NFT를 증여했다면 세금을 내야한다. 그런데 개별 상속증여세법 조항이 특정 거래나 행위만을 과세대상으로 한정하게 된다면 NFT 증여는 과세 대상이 아닐 수도 있다.

NFT 지식재산권

현행법에서는 물리적으로 실재하는 유체물에만 소유권이 인정된다는 사실을 알고 화들짝 놀랐던 기억이 있다. NFT 거래 시 저작권은 작가가 별도 계약으로 양도하지 않는 이상 여전히 작가에게 남아있고 소유권만 이전하는 것이다. 그런데 현행법에 의하면 NFT는 디지털 영수증이지 유체물이 아니다. 애초에 소유권을 이전할 수 있는 대상이 아니란 뜻이다. NFT를 구매한 컬렉터 입장에서도 이건 굉장히 황당한 말이다. 자신이 돈을 내고 얻은 권리가 법적으로 보장된 것은 아니기 때문이다. 면밀히 따지면 NFT의 대표 홍보 문구인 '대체 불가능한 원본의 소유권을 판매'한다는 것도 정녕 소유권이 아니다. 사람들의 소유 욕구를 겨냥한 NFT는 실은 소유권을 부여하지 않는다. NFT의 소유권 거래의 실제 법적 취급은 라이선스 형태와 가깝다.

NFT는 원본 작품을 표시하는 일종의 디지털 영수증이자, 소프트웨어가 생성한 해시hash 디지털 지문를 포함한 데이터 덩이리이다. 우리가 NFT를 샀다고 했을 때 나조차도 그 복잡한 숫자의 데이터를 떠올리며 이걸 소유해 기쁘다고 여기지 않는다. 내가 인지하는 NFT의 소유 대상은 바로 그 나의 눈과 마음을 매료시킨 NFT 아트 작품의 미디어 콘텐츠이기 때문이다.

그래서 온체인에 NFT와 NFT 콘텐츠 모두를 저장하는 경우, NFT 콘텐츠 자체가 토큰에 직접 해시hash된다. 토큰에 NFT 가치의 모든 것이 온전히 담긴다고 이해하면 된다. 그러나 이 좋은 것을 하지 못하는 분명한 이유가 있다. 가장 많은 NFT 거래가 이뤄지고 있는 이더리움은 NFT 콘텐츠를 저장하기 어렵다. 이더리움에서 스마트 계약에 데이터를 등록할 때마다 가스피가 발생하는데 NFT 콘텐츠에 포함된 메타데이터는 용량도 크고 복잡해 가스피를 폭증시킬 수 있다. 블록에 넣을 수 있는 데이터 용량도 제한이 있다. 이 모든 걸 탈중앙화를 위해 온체인에 올린다면 거래속도도 느려져 실서비스를 이용하는데 큰 장애가 생길 것이기 때문이다.

그래서 대부분의 이더리움 기반의 NFT 마켓플레이스는 오프체인 저장방식을 택하고 있다. 이 경우 해시는 원저작물이 어디 저장되어 있다는 것을 나타내는 링크 역할을 한다. 그런데 NFT 자체인 데이터 단위 값으로 이뤄진 해시는 저작물로 인정받기 어렵다. 데이터셋은 자동화된 알고리즘으로 표현된다. 이 쯤에서 '저작물'의 개념을 살펴보자면 '인간의 사상 또는 감정이 표현된 창작물'이어야 하는데 과연 데이터셋이 그러한가에 대해서는 회의적인 의견이 많다. 빈번하게 발생하고 있는 NFT 저작권 침해 문제에 법적으로 대응할 수 있는 방안이 뚜렷하지 않으면 피해는 고스란히 NFT 창작자와 거래자에 돌아간다. 또한 NFT 마켓플레이스는 이용약관에 위조 작품이나 저작권 침해물을 NFT로 유통하면 안된다는 규정은 적어두었다. 그러나 NFT 마켓플레이스가 위조품 신고가 들어왔을 경우 취하는 조치는 저작권을 침해한 NFT를 올린 이의 해당 마켓플레이스 계정을 삭제하고 관련 지갑 계정 이용을 중지하는 정도이다.

글로벌 NFT 마켓플레이스인 오픈시, 파운데이션, 슈퍼레어 등은 약관을 살펴보면 저작권과 소유권을 분리하여 운영하고 있는데, 초기 국내 론칭 NFT 플랫폼들은 저작권과 소유권을 일치시켜서 비즈니스를 진행하는 사례가 많았다. NFT 작가의 저작권을 양도하는 조건을 계약에 포함시킨 것이다. 만약 기업정보가 투명하게 공개되어 있지 않는 상태에서 저작권 양도까지 조건으로 삼는 회사가 있다면 작가 입장에서는 신중을 기해야 한다. NFT 플랫폼 사업을 하는 기업이 저작권과 소유권을 같이 넘기는 중개거래를 하려면 저작권자의 동의가 우선이 되어야 하는데 그 절차를 생략할 경우 문제가 된다. NFT 창작자를 위한 매니지먼트와 브랜딩, 홍보를 담당하고자 한다면 무엇보다 창작자 입장에서 계약 조항을 체결하고, 각 조항의 의미가 무엇인지 충분히 설명할 의무가 있다. 플랫폼은 중개자의 역할을 하는 것인데 향후 저작권 관련 분쟁이 발생할 경우 분쟁 해결은 침해자와 피침해자 당사자 간의 문제가 되고 중개자의 책임과 역할은 쏙 빠질 수 있다. 이러한 위험성이 있음을 먼저 인지하고 NFT 창작자들은 자신이 활용하고자 하는 플랫폼의 정책, 약관, 저작권 규약 등을 꼼꼼히 확인해야 한다. 무엇보다 NFT 사업을 진행하려는 플랫폼을 비롯한 관련 기업 역시 저작권과 소유권에 대한 명확한 이해를 바탕으로 계약을 진행해야 한다.

실물 작품의 경우 NFT로 만들기 위해서는 촬영이나 스캔 등 다양한 방법을 통해 실물 그림을 디지털 파일 형태로 만들어야 한다. 이 때 실물 작품과 디지털 작품, NFT는 서로 다르다. 따라서 실물 작품을 디지털 파일로 만들고자한다면 원작자인 저작권자와 실물 그림의 실소유자 양쪽의 동의를 필수로 얻어야 한다. 어떤 작가는 실물로서의 작품 가치를 중요하게 여기며 자신의 작업은 물성을 지닌 실물 형태라야 미학이 발현된다고 생각할 수 있다. 그런데 자신이 지키고자 하는 작품의 동일성을 유지하지 않고 마음대로 디지털화한다면 그것은 다른 형식을 지닌 새로운 작품이 되는 것이다. 실물 작품의 감상 형태와 디지털 작품의 감상 형태도 차이를 지니며, 관람객과 컬렉터층도 달라질 여지가 있다. 여러모로 실물 작품을 디지털 파일로 만드는 것은 자의적으로 진행해서 안 된다. 또한 디지털 아트라고 할 지라도 이를 NFT 마켓에 민팅하기 위해서는 반드시 저작권자에게 허락을 받아야 한다. 왜냐하면 NFT는 상업적 판매를 목적으로 하기 때문이다. 비록 창작자가 자신은 NFT라는 새로운 기술을 활용해 예술 세계의 지평을 넓히기 위함이라며 창작과 전시 자체에 NFT 작업의 목적이 있다고 주장한다한들, 법적 관점으로 바라보았을 때 NFT는 상품화와 상업화를 전제로 한다는 점은 불변의 사실이다.

만약 자신이 구입했거나 판매를 대행한 에이전시 등에서 NFT를 메타버스 공간에 전시하고자 한다면 이 때에도 저작권자에게 허락을 받아야 한다. 전송권과 복제권은 저작권자에게 있기 때문이다.

단지 실물작품을 구입했다고 하더라도 원저작자의 동의 없이 마음대로 NFT로 만들어 판매하는 것도 저작권 침해에 해당한다. 블록체인 기업인 '인젝티브 프로토콜'이 9만 5000달러(1억 원)에 구매후 NFT로 전환한 뱅크시의 〈멍청이들Morons〉은 230이더(4억 6000만 원)까지 가격이 올랐다. 뱅크시 원작을 불태우는 퍼포먼스를 한 '번트뱅크시'(@burntbanksy)는 실물이 존재하는 것만이 가치가 있는 것은 아니며 NFT도 가치가 있다는 것을 알리기 위한 퍼포먼스라고 말했다. 그러나 이는 원작자인 뱅크시의 동의 없이 작품을 NFT로 만든 것이기에 저작권 위반 소지가 있다. 원작자의 동의를 받지 않은 저작물을 NFT화해서 판매한 행위나 위작을 NFT화해 판매한 행위 모두 원저작자의 저작권을 침해한다. 저작권 침해자는 5년 이하의 징역이나 5000만원 이하의 벌금으로 처벌받을 수 있으며, 민사상 손해배상청구의 대상이 될 수 있다. 실제로 창작자가 자신의 작품이 본인의 허락없이 NFT로 발행되어 트위터로 해당 사안을 고발하고 플랫폼에 시정 조치를 촉구하였으나, 플랫폼 측이 탈중앙화의 속성상 침해 저작물을 삭제할 권리가 없다고 주장하는 경우도 있었다. 이러할 때 창작자는 자신의 작품이 도용되어 이미 발생했을 지도 모르는 금전적 피해뿐 아니라 정신적 손해배상을 청구하는 등의 구제가 불가능한 상태에 처하게 된다. 따라서 침해 저작물이 NFT 거래 플랫폼에 올라올 경우 이를 강제 폐기하고, 거래를 금지할 수 있는 강제 수단 도입이 제도적으로 필요하다.

저작권은 NFT 뿐만 아니라 일반적인 미술품도 저작권자가 양도하지 않는 이상 이전되지 않는다. 다만 저작권법 제35조(미술저작물등의 전시 또는 복제)에 따르면, '가로 · 공원 · 건축물의 외벽 그 밖에 공중에게 개방된 장소에 항시 전시하는 경우에는 제외하고, 미술저작물등의 원본의 소유자나 그의 동의를 얻은 자는 그 저작물을 원본에 의하여 전시할 수 있다'.

간혹 본인이 구매한 실물 미술 작품을 NFT로 만들어 판매하거나 그러한 NFT를 상업적인 용도로 전시해도 되는지를 물어보는 분들이 있다. 그런데 자신이 실물 미술 작품을 구매했다 하더라도 별도의 양도 계약이 없는 한 작품 저작권까지 양도받는 것은 아니다. 원본 작품의 이미지를 복제, 전시, 공중 송신 등의 방식으로 이용할 경우 소장자의 동의와는 별도로 저작권자(작가 또는 권리 승계자)에게 이용 허락을 받거나 양도 계약을 체결해야 한다. 저작권법 제10조(저작권법)에 따르면, '저작권은 저작물을 창작한 때부터 발생하며 어떠한 절차나 형식의 이행을 필요로 하지 아니한다.' 별도의 등록 절차를 거치지 않아도 저작권자가 저작물을 '창작'하는 행위만으로도 저작권이 발생한다. 따라서 NFT를 발행한다는 것은 저작권자라 주장할 수 있는 근거가 마련되는 것이나, NFT를 꼭 발행해야만 해당 저작물의 법적인 저작권자가 되는 것은 아니다. 다만 저작권 침해 시 소송을 제기할 수 있는 법적 근거는 국가마다 차이가 있다. 메타버스에서 국경 없는 새로운 경제 생태계가 형성되는 시점에 향후 국경을 초월한 NFT 저작권 침해 소송은 어떠한 법적 근거를 바탕으로 진행될 수 있을지 등에 관한 논의가 필요하다.

NFT 소유권의 진위를 확인해야 하는 문제도 있다. 블록체인은 분권화decentralization의 속성을 가지고 있어 누구나 NFT를 만들 수 있다. NFT의 모체인 디지털 아트 작품을 창작하지 않은 사람일지라도 일단 NFT 발행을 하면 블록체인에 남은 기록 상으로는 그가 그 작품의 작가이다. 가디언은 실제로 NFT의 이 같은 맹점을 이용한 '디지털 절도'가 빈번하게 일어나 예술가들이 피해를 보고 있다고 지적했다.

블록체인에서 모든 거래는 불변하는 디지털 장부에 공개적으로 기록된다. 그러나 NFT 작품 거래 시 실명을 확인하거나 신분 증명 사실을 첨부할 필요는 없다. 당신이 오픈시에서 발견한 NFT가 정말 그 사람이 만든 NFT 인지 아닌지 판단해야 한다. 예술가들은 자신의 디지털 작품의 원본성을 인증하기 위해 NFT를 사용할 수 있고 또 사용하고 있다. 그런데 그 원본성은 NFT로 구현하는 민팅을 한 사람이 원작자라고 가정하고서 인증한 신용 시스템에 기반한 것이다. NFT 작품을 블록체인 플랫폼에 게시할 때 소유권의 진위를 확인할 수 있는 확실한 방법을 마련해야 한다. NFT를 거래할 때도 NFT 작품의 실제 데이터와 토큰 아이디 그리고 타임스탬프를 확인할 필요가 있다. NFT는 블록체인의 토큰 아이디와 이미지를 연결하는 스크립트 코드일 뿐 외부에 보이는 이미지 등은 쉽게 복사가 가능하기 때문이다.

사건 1.

중국 블록체인 기업이 운영하는 NFT 거래 플랫폼 BCAEX에 등록된 크립토 아트를 누군가 복사했고 다수 표절품을 만들어 크로스CROSS 플랫폼에서 판매하려 했다. 크로스 플랫폼은 싱가폴의 빅데이터 기업인 사이버베인CVT이 개발한 NFT 거래 플랫폼이다. 위조품으로 지적된 작품은 총 58건으로 진품과 상당 부분이 똑같았고 일부 부분만 변형한 모조품도 여럿 존재했다. 크로스 플랫폼은 표절 사건과 연루된 58건의 작품을 자사의 플랫폼에서 내리지 않겠다고 밝혔다. 또 홈페이지 자체를 베타 버전으로 표기하고 계속 운영하며 책임을 회피했다. 모조품으로 인한 사용자의 피해 금액은 구체적으로 알려지지 않았다.

2021년 1월 25일부터 BCABlockCreateArt에서 크로스CROSS라는 플랫폼에 올라온 예술작품들이 기존의 작품을 표절한 사실을 발견했다. 크로스는 사이버베인CyberVein 재단에서 지원하고 구축한 세계 최초의 분산형 NFT 발행 및 경매/거래 플랫폼이다. BCA에 따르면 크로스 플랫폼에 올라온 예술작품 중 58건의 작품이 BCAEX 플랫폼의 작품을 표절했다. 그중 10건은 BCA 스튜디오가 저작권을 가지고 있는 비트코인 시리즈를 표절한 것이며 나머지 48건의 작품은 BCA와 협업한 아티스트의 작품에 해당한다.

BCA도 이번 표절 건에 대해 크로스 플랫폼 담당자에게 연락을 취해 해당 상황을 설명하였다. 그러나 크로스는 탈중앙화 플랫폼에서 개인이 올린 작품을 우리가 삭제할 권리는 없다고 주장하며 표절 사건에 연루된 작품을 당장 내리지 않았다.

사건2.

세계 최대의 NFT 마켓 플레이스인 '오픈시'에서 크립토 아티스트 트레버 존스Trevor Jones의 작품을 표절한 위조품이 등장했다. 오픈시는 표절 작품 게재 사실을 알고 즉각 삭제 조치를 하며 적극 대처했다. 트레버 존스는 자신의 작품 〈satoshi〉가 사전에 상의된 바 없이 오픈시에 올라온 사실을 알고 트위터를 통해 항의했다. 그는 당장 자신의 작품을 카피한 모조품을 플랫폼에서 내릴 것을 주장했다. 다행히 오픈시는 트레버의 작품을 즉각 삭제했지만 이와 유사한 사례는 지금도 무수하게 발생하고 있다.

사건3.

스웨덴의 일러스트 작가 시몬 스텔렌하그[Simon Stålenhag]는 자신의 작품 중 하나가 NFT인 마블카드[MarbelCard]가 되어 플랫폼에 올라와 있는 것을 발견하고 트위터를 통해 고발했다. 정작 작가 본인은 NFT를 발행한 적이 없고 그 누구에게도 NFT로 만들어도 된다는 권한을 준 적이 없다.

사건4.

신진 디지털 아티스트 코빈 레인볼트[Corbin Rainbolt]는 트위터에 자신의 작품을 종종 공유했다. 그런데 최소 두 개 이상의 자신의 작품이 동의 없이 NFT로 팔렸다는 걸 알게 되었다. 레인볼트는 트위터에 올렸던 작품 대부분을 삭제하고 도난을 방지하기 위해 워터마크를 찍어 다시 게시했다. 레인볼트는 CNN 비즈니스와의 인터뷰에서 "이런 시도가 얼마나 많이 있었는지, 이 시도들 중 얼마나 성공했는지 나는 전혀 알 수가 없다"고 말했다.

저작권 이외에 NFT 상표권 문제도 있다. 이미지의 실질적 유사성으로 판단하는 것이 저작권의 영역이라면, 특정 브랜드의 명칭은 상표권에 속한다. 실제 나이키, 토즈, 크록스 등의 기업들이 NFT를 발행하면서 해당 지정상품에 상표 출원을 진행하는 경향이 나타나고 있다. 국내에서도 현대백화점이 'META HYUNDAI DEPARTMNET STORE'[메타 현대백화점] 상표권을 9, 35, 38, 41류 등으로 출원했다. 9류는 과학, 항해, 계량, 측정, 구명 및 교육용 기기, 통제를 위한 기기 등, 35류는 광고업, 사업 관리업, 기업

경영업, 사무 처리업, 38류는 통신업, 35류는 광고업, 사업 관리업, 기업 경영업, 사무 처리업 등이 해당된다. 또한 'META THE HYUNDAI', 'META THE HYUNDAI SEOUL' 등의 상표권도 출원했다.

NFT 발행 주체와 저작권자 또는 상표권자는 일치하지 않을 수 있다. 만약 저작권자나 상표권자가 아니라면 NFT 발행 이전에 권리 양도나 라이선스 이용 계약을 체결해야 한다. 이미 논쟁이 되는 여러 사례가 등장하고 있다.

에르메스 버킨백 NFT 상표권 침해 소송

명품 패션 브랜드 에르메스Hermès의 스테디셀러 '버킨백Birkin handbags'의 NFT 컬렉션이 에르메스의 동의 없이 출시되었다. 메이슨 로스차일드Mason Rothschild라는 작가는 오픈시에 〈메타버킨스MetaBirkins〉를 발행해 2021년 12월 10일까지 200이더(약 79만 달러, 9천 3천만원)의 누적 수익을 냈다. 그는 에르메스 버킨백 이미지를 그대로 사용한 것이 아니라 차용한 것이라 주장했지만, 에르메스는 버킨백의 상업적 이용이나 창작을 허가한 적이 없다고 반박했다. 따라서 이는 브랜드의 저작권과 상표권 침해라는 것이다.

그렇다면 사람들은 메타버킨스 NFT를 왜 구입했을까? 추측건대, 에르메스 브랜드에서 발행한 NFT라 혼동한 사람도 있었을 것이다. NFT는 창작이나 전시 자체가 목적이 아니라 상품화와 상업화를 전제로 한다. 따라서 차용이나 오마주를 통한 공정 이용 여부를 기존 저작권 법리로 푸는 것은 한계가 있다.

에르메스는 수공예 정신으로 만든 실물 제품의 가치를 중요하게 여긴다는 이유로 NFT 시장에 진출하지 않았다. 그러나 생각이 바뀌어 향후 에르메스가 메타버스 NFT 신사업을 도모하게 될 경우, 에르메스가 직접 NFT 버킨백을 발행할 수도 있다. 그렇다면 메타버킨스는 에르메스의 수익원을 빼앗은 것이 된다.

나이키 운동화 NFT 상표권 침해 소송

2022년 2월 3일 나이키Nike, Inc는 NFT 스니커즈를 판매한 스탁엑스StockX LLC를 상대로 뉴욕 남부 연방지방법원U.S. District Court for the Southern District of New York에 소송을 제기했다. 2015년 설립한 스탁엑스는 유명 브랜드 운동화나 명품 가방 등의 진품 확인 및 재판매 중개 서비스를 제공하는 리셀 플랫폼이다.

2022년 1월 18일 스탁엑스는 자사 웹사이트와 앱에서 'Vault NFT' 컬렉션을 판매했다. Vault NFT는 스탁엑스가 보유한 실물 상품과 연동된다. 해당 NFT를 구매한 소비자가 실물 상품을 수령한 이후에 NFT는 소비자 스탁엑스 계정에서 삭제된다. 나이키는 Vault NFT 컬렉션 총 9종 중 8종이 나이키의 신발 이미지와 상표를 사용한 것이며, 나이키 신발 소매가의 몇 배 이상으로 판매된다는 점을 지적했다. 실제 스탁엑스 웹사이트와 소셜미디어에 홍보를 위해 게재된 Vault NFT를 살펴보면 나이키 상표와 이미지를 사용했다는 걸 쉽게 알아챌 수 있다. 나이키는 상표권자가 아닌 스탁엑스가 나이키의 등록상표 및 상품 이미지 다수를 고의적으로 도용한 결과 소비자들에게 출처 혼동을 야기했다고 주장했다. 또한 나이키의 시장 평판과 소비자 신뢰에도 해를 끼쳤으며 나이키의 신규 NFT 사업 입지를 약화시켰다고 비판했다.

해킹, 스캠, 러그풀

게임 전용 메신저인 디스코드Discord는 NFT 커뮤니티 운영의 주요 매체로 활용되고 있다. 그러나 해킹과 보안에 취약해 여러 피해 사례가 발생하고 있다. 운영자 계정을 해킹해 커뮤니티 멤버들에게 DM을 전송하여 스캠 사이트로 지갑을 연결하는 수법으로 가상자산을 탈취하는 사건도 잦았다. 이외에 세일 기간에 봇Bot이 들어와 NFT를 쓸어가서 바로 2차 판매로 풀어버리면 한순간에 NFT 프로젝트의 바닥가가 떨어지기도 했다. 디스코드에서 운영자를 사칭하는 DM을 받고 실수로 링크를 누르거나 파일을 다운받아 시갑이 털려도 뚜렷한 피해 보상 방안은 마련되어 있지 않다.

2021년 3월, NFT 마켓플레이스 '니프티 게이트웨이'에서는 사용자 계정 해킹 사건이 발생해 수천 달러 이상의 NFT 소장품을 도난당하는 사건이 발생했다. 니프티게이트웨이는 카드 결제로 NFT를 구매할 수 있는 곳이다. 해커들은 사용자가 등록한 신용카드로 새로운 NFT를 구매해 다른 계정으로 이체하기도 했다. 현재까지 이러한 사태를 방지하는 방법은 스스로 조심하는 것이 최선이다. 니프티 게이트웨이에서는 이중인증 Two-factor authentication, 2FA을 활성화한 계정은 피해를 보지 않았다고 말했다. 이중인증은 비밀번호 이외의 식별 정보를 제공하는 것이다. 이중인증을 하면 매번 문자 메시지를 통해 수신된 인증 코드를 입력해야 이용이 가능해지는 등 불편하긴 하지만 잠깐의 불편함이 끔찍한 해킹 피해에 비교할 바는 아니다.

이 시점에서 궁금한 점이 있다. 과연 NFT 마켓플레이스는 이러한 해킹 사태에 대비한 보험에 가입되어 있을까? NFT 디지털 콘텐츠가 온체인에 다 저장되어 있지 않고 IPFS에도 작가가 선택해야만 NFT 메타데이터가 저장되는 오픈시의 경우를 생각해보자. NFT 콘텐츠가 해킹되거나 작품 원본이 저장된 서버가 파괴되어 이미 판매된 NFT임에도 NFT 콘텐츠 원본이 사라지게 된다면 해당 NFT의 소유권은 유명무실해질 수 있다. NFT 컬렉터의 입장에서도 만약 본인의 잘못이 아닌 이와 같은 상황으로 인해 피해가 생긴다면 어떻게 보상받을 수 있을까?

PFP NFT 프로젝트 민팅에 참여해 돈을 지불하고 NFT를 구입한 후 심지어 해당 디스코드와 오픈톡방에 가입해 운영진과 이야기도 나누었는데, 홀연히 프로젝트팀이 사라져버리는 러그풀RugPull 문제도 심각하다. 러그풀은 양탄자를 잡아당겨 그 위에 있던 사람들이 한순간에 넘어진다는 비유적 표현에서 비롯된 용어이다. NFT 프로젝트 팀원들이 갑자기 프로젝트를 중단하고 초기 투자금을 들고서 사라지는 사기 수법이 러그풀이다. 일명 먹튀이며 그 피해는 고스란히 투자자가 지게 된다. 이는 전체 시장 생태계가 건강하게 성장해나가는 데 있어 해가 된다. NFT 투자자를 보호하며 시장을 성장시켜나갈 수 있는 정책 마련과 규제가 필요하다.

2장.

NFT 가이드라인 현황

현행법상 NFT에 적용되는 법적 환경은 시장에서 수용하고 있는 NFT의 가치 개념과 불일치한다. 법은 신중하고 기술과 산업이 먼저 달려가는 형국은 그동안 반복되어 온 수순이다. 2021년 3월 초, NFT에 관심을 두고 연구해나갈 때도 향후 NFT에 관한 법적 쟁점이 주요 이슈가 될 거라고 예측할 수 있었다. NFT 저작권 침해를 비롯하여 창작자 및 투자자 피해 사례들은 2021년 상반기에도 줄곧 발생했다. 이에 대응하여 2022년 6월, 문화체육관광부는 한국저작권보호원, 한국저작권위원회와 함께 「NFT 거래 시 유의해야 할 저작권 안내서」를 발간하였다. 또한 특허청은 2022년 1월, NFT와 지식재산 정책의 융합을 위해 'NFT-IP전문가협의체'를 발족하여 IP 관점에서 NFT를 분석하고 활용 방안을 모색하는 정책연구용역에 착수했다.

'NFT-지식재산전문가협의체'에서는 NFT가 특허·상표·디자인·영업비밀 등 지식재산 전반에 미치는 영향을 분석하고 다양한 쟁점을 발굴할 예정이다. 메타버스에서 NFT 활용으로 발생할 수 있는 상표, 디자인, 퍼블리시티권 침해에 대한 규정을 정비하는 것도 논의할 것이라고 한다. 협의체의 위원은 산업계, 학계, 법조계의 민간 전문가들로 구성된다. 보다 발빠르게 정책 마련을 위한 선제적 연구가 진행되었으면 하는 마음이 줄곧 있었는데 이제 본격화되고 있는 것 같아 내심 기쁘기도 하다. 기대하는 바가 있다면 이러한 논의와 연구의 자리에 2021년부터 이 시장에 몸 담고 들어와 여러 문제들을 미리 체감한 NFT 작가들과 PFP 프로젝트 팀 등 현장에 있는 사람들의 이야기가 반영되었으면 한다. 이미 발굴된 NFT와 IP 관련 법적 쟁점들이 허다하기 때문이다. 이렇게 현장의 목소리를 반영하면서 2022년에는 NFT 관련 지식재산 정책 마련을 위한 연구가 신속하게 이뤄질 수 있기를 기대한다.

NFT와 IP 관련 교육 방안을 정책적으로 마련하는 것도 필요하다. IP의 종류는 비단 저작권 뿐 아니라 상표권, 특허권, 디자인권 등 다양한데 NFT 작가, 컬렉터, 프로젝트팀, 관련 기업 등 메타버스와 NFT 관련 IP에 관한 이해가 필요한 곳이 많다. 상품화와 상업화, 판매를 전제로 한 NFT를 기존 저작권 법리를 확대해 적용할 수 있을지도 의문이고, NFT를 활발하게 하고 있는 작가들조차 이 부분에 대해서 확답을 내리기 어려운 상황이다. NFT의 IP 관련 법적 기준이 무엇인지 여전히 공식적으로 상세히 제시된 적이 없기 때문이다. 나 역시 NFT를 연구하기 시작하면서 스스로가 저작권에 대한 상세 개념조차 명확히 알고 있지 못하다는 것을 알게 되었다. 그래서 카이스트에서 지식재산대학원 강의를 주로 수강하며 기본적인 IP에 대한 이해를 가지려 노력했다. 의외로 수많은 창작자들이 NFT와 관련한 IP 문제에 관해서뿐 아니라 지식재산 전반에 대한 이해가 부족하다. NFT 관련 사업을 하는 기업들 역시 따로 법적 자문을 두고 있지 않는 한 크게 다르지 않을 것이다.

이러한 이유로 NFT 지식재산권 전반에 대한 교육 시스템이 필요하다. 현재 NFT 작가가 되기 위한 진입 장벽이 낮은 상태라 작가라는 이름을 달고는 있지만 돈을 벌기 위한 목적으로 누군가의 작업을 의도적으로 도용하거나 간단히 변형하는 정도로 NFT를 만드는 경우도 안타깝지만 존재한다. 물론 개중에는 기본적인 저작권에 대한 교육을 경험하지 못해서 그러한 행동을 저지르는 경우도 있다. 또한 밈이라는 문화가 있어 유사 이미지를 변형해 양산하는 것을 허용하는 분위기가 있지만 이것과 저작권 침해 문제는 엄연히 다른 지점임을 분명히 인식해야 할 것이다. PFP 프로젝트도 왜 해외에 유명하고 잘 팔리는 프로젝트의 이미지를 약간 변형하거나 심할 경우에는 거의 유사한 이미지로 가져와 국내에서 새로운 NFT 프로젝트로 선보이기도 했다. 이걸 밈의 문화로 다 허용할 일인가에 대한 문제의식을 아마 나보다도 저작권 전문 변호사, 변리사 등 법조계 관계자 분들이 더 강하게 느낄 것 같다. 다만 법조계 분들 역시 메타버스와 NFT에 대한 실제적 이해와 경험, 연구가 더 심화되어야 이러한 문제들에 대한 실질적인 대응방안을 제시할 수 있을 것이다.

PART 7

NFT 아트의 미래

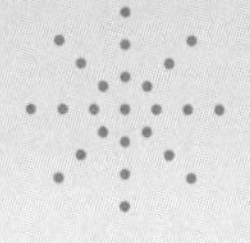

1장

NFT 아트를 시작한 미래 세대

2장

아직은 부모와 교사의 도움이 필요하다

1장.

NFT 아트를 시작한 미래 세대

현재는 불확실하다. 하지만 시간의 축을 미래로 돌리면 지금 우리가 처한 상황이 분명하게 보일지도 모른다. 현실과 가상의 경계가 흐려지는 메타버스가 일상에 깊이 들어오고, 현실경제와 가상경제를 매개하는 NFT 기술이 대중화되는 10년 후를 상상해보자. 어쩌면 그보다 더 급박한 속도로 다가올 수도 있을 것 같다. 이미 코로나로 오프라인 수업보다 온라인에서 선생님과 친구들을 만나는 시간들이 더 길었던 시기를 겪은 지금의 아이들은 메타버스의 세계를 거리낌없이 빠르게 받아들일 것이다. 그 세계에서 자신의 그림을 NFT로 만들어 거래하고 감상하며 전시하는 것은 자연스러운 일상이 될 것이다.

그런데 이미 NFT를 시작한 아이들이 하나 둘 나타나고 있다. 나는 눈에 아이들이 계속 밟힌다. 청소년 대안학교 '인투비전학교'에서 예술교사로 담임 역할까지하며 아이들을 만나왔고, 폭풍 같은 청소년의 시기를 지나는 그 아이들의 부모님과 절절한 이야기를 나누며 수년을 보내왔다. 이후에 소셜벤처 이윰액츠의 예술교육팀장과 선임연구원으로 근무하면서는 참으로 다양한 아이들을 만났다. 탈북 청소년부터 한부모 가정 아이들, 탈

성매매 쉼터에서 자활 중인 친구들부터 국내 메이저 엔터테인먼트사에서 아이돌을 준비 중인 연습생들, 소아암 환우 아이들 등 참으로 다양한 환경에 처한 어린이, 청소년들을 예술을 매개로 줄곧 만나왔다. 대안학교도 설립 초창기 멤버이고, 소셜벤처도 스타트업이라 창업 초기 멤버다. 개척과 도전정신을 발휘해야만 하는 인생이었던 것인지 이후에 합류한 곳도 피비엘PBL : Play Based Learning이라는 교육기업이었고, 미래교육팀장으로 수많은 초,중,고등학교를 돌며 아이들을 만났다. 4차산업혁명과 미래교실이라는 주제하에 교사연수 프로그램으로 참으로 많은 선생님들을 만났다. 나 역시 아이들을 사랑하는 마음으로 일평생 교사로 살아오시다 정년퇴임한 아버지의 영향을 받은 교사의 딸이다.

2021년에 생각지도 못한 NFT를 만나며 블록체인과 메타버스, NFT 아트를 마음에 품고 책까지 쓸지는 꿈에도 몰랐다. 새로운 기술은 미래 세대의 삶에 영향을 미칠 수 있다. 따라서 기술에 담긴 선한 가치를 아이들에게 어떻게 전달하면 좋을 것인가에 대한 고민은 지금부터 필요하다. 또한 새로운 길에 이미 들어와 자신의 미래를 멋지게 만들어가고 있는 아이들을 격려하고 세상에 잘 소개하고 싶다는 마음도 가지고 있다. 국내 최초의 NFT 청소년 아티스트인 '아트띠프Arthief'의 이야기는 그 소개의 시작이다.

아트띠프의 NFT 작품은 총 29점인데 에디션까지 합치면 100점이 넘는다. 총 130명의 컬렉터가 NFT를 소유하고 있다. 작품은 0.1-0.15 ETH (약 50만원가량)과 0.013 ETH(약 5만원)의 가격으로 판매하여 현재(2022년 5월)까지 총 거래량은 4.6 ETH이다. 작품을 소유한 컬렉터들은 자신의 구매가보다 상당히 높은 가격으로 내놓은 상태다. 아트띠프가 2021년 6월 25일 민팅한 작품 〈Hot summer〉는 노스옥스Unorthofox라는 컬렉터가 0.13이더에 구매했는데 현재 133.7이더($441,755.50)로 가격을 리스팅해 올려두었다. 앞으로 더 성장해 나갈 청소년 NFT 아티스트의 미래 가치를 바라보고 상징적인 의미로 가격을 설정해둔 것이다. 아트띠프의 가족들은 그 모습들에 격려의 마음을 전달받은 것 같아서 굉장히 기뻐했다고 한다. 아트띠프가 직접 경험하며 발견한 NFT는 '나 자신을 펼쳐낼 수 있는 공간'이다. 한국 최초의 청소년 NFT 아티스트가 'NFT는 돈 이상의 가치를 지니고 있다'는 점을 자신의 목소리로 말한 것이다. 2021년 9월에 아트띠프와 국내 최초로 인터뷰를 진행했다. 쑥쓰러워하면서도 당차게 자신의 꿈을 향한 여정을 이야기한 청소년의 목소리를 들었을 때의 감동은 여전히 마음에 남아 있다.

아트띠프: 초등학생 때부터 블록체인에 그림을 기록한 한국 최초 청소년 NFT 아티스트

NFT 아티스트로 쓰는 이름이 '아트띠프Arthief'이다.
'예술도둑'이라는 뜻인데, 이름의 유래가 궁금하다.

처음에 프로필로 쓰려고 후드 집업을 입은 사람을 그렸는데 아빠가 그걸 도둑들이 매고 다니는 돈가방인 줄 안 거다. 그래서 아빠가 마음대로 아트띠프라고 정해버려서 지금까지 이렇게 사용하고 있다.

일단 아트띠프로 활동하게 되었으니 의미를 부여해보자면,
예술가로서 무엇을 훔치고 싶은가?

미술로 사람들의 관심을 훔치고 싶다. 사람들의 마음을 훔치는 작업을 하면서 말이다.

NFT를 언제 처음 알게 되었나?

2021년 3월에 아빠가 클럽하우스라는 앱으로 작가들과 이야기를 나누면서 아빠가 NFT를 알게 되셨다. 나도 그때 NFT라는 걸 알게 되면서 '이런 세상도 있구나' 하며 신기해했다. 온라인으로 그림을 파는 시장이 있을 거라는 생각은 예전부터 하고 있었는데, 사람들이 생각보다 많이 이용하고 있어서 더 관심을 갖게 되었다.

NFT를 하기 전에도 그림 그리는 거는 좋아했나?

원래 그림을 좋아한다. 초등학생 때도 그림을 많이 그렸다.

친구들에게 NFT 아트를 하고 있다는 이야기를 해본 적 있는가?

그냥 조용히 있었다. 진짜 몇몇 친구들만 제 인스타그램을 보고 알고 있는데, 엄청 신기하다고 말해주었다.

NFT 아트 첫 판매 작품은 무엇이었고 그 때 기분이 어땠는지 궁금하다.

〈It's Me〉라는 작품이었는데 작품이 팔릴 때까지 시간이 오래 걸릴 거라고 예상했다. 그런데 첫 민팅 후 한 달이 채 안 걸려 판매가 되었다. 생각보다 빨리 사람들이 NFT 작품을 알아봐 주셔서 깜짝 놀랐다.

NFT 아트 작품을 구매한 주요 컬렉터들은 누구인가?

망고독우드mangodogwood라는 컬렉터가 첫 작품을 구매했는데 그분은 NFT 프로젝트를 진행하는 분이었다. 감사한 마음에 그림을 그려서 따로 선물로 드렸는데 엄청 좋아하시고 몇 달 간 트위터 프로필로 달고 다니셨다. 이후에도 주로 해외 컬렉터들이 원 오브 원1 of 1 작품들을 사셨고, 최근에는 한국 NFT 아티스트 커뮤니티의 작가 분들이 에디션 작업들을 구입하셨다.

사람들이 NFT 예술 작품을 왜 사는 걸까?

NFT가 아무래도 온라인 시장이다 보니까 작품을 좀 더 쉽게 접하고 판매하거나 구입할 수 있다는 특징 때문에 많이 사는 것 같다.

NFT 로 번 돈은 어디에 썼는가?

치아교정을 해야 되어서 엄마에게 돈을 보태서 치료하는 데 사용했다.

NFT 작가로서 국내외 전시 경험이 많던데 어떤 활동들이었나?

인사동 코트에서 열린 NFT 빌라 전시회와 이태원에서의 오프라인 전시회에 참여했다. 프랑스와 뉴욕에서 열린 NFT 전시회에도 함께 했다.

NFT 작가는 소셜미디어를 통해 작품 홍보를 해야 하는데 어떻게 하고 있는가?

한국 NFT 아티스트 커뮤니티 카톡방 중에 NFT 작품 소식을 올린 트위터 링크를 공유하면서 리트윗해주는 곳이 있다. 거기서 저도 공유해달라고 요청하면 사람들이 막 와서 리트윗을 해주시는데 너무 고맙고 감사했다.

NFT 창작 작업을 하는 친구들과 만날 수 있는 커뮤니티가 있었으면 좋겠다는 생각을 해본 적 있는가?

물론이다. 디스코드에는 외국 키드 NFT 방이 있는데 영어로만 소통해서 그냥 보고만 있다. 해외에는 NFT 키즈들이 모이는 커뮤니티가 있다. 8살 에밀리오라는 소년이 있는데 천재적인 재능이 있다. 더 어린 3살, 6살 아이들도 있는데 부모님이 NFT로 올려주시는 것 같다.

원래는 NFT를 하는 사람들이 거의 다 어른들이다. 그래서 약간 벽이 있다고 생각했다. 그런데 NFT가 대중화가 되어 사람들이 많이 접하게 되면 자연스럽게 저와 같은 연령대들이 들어올 것 같다. 그때 친구들과 같이 NFT 아트 이야기도 나누고 싶다.

NFT 하면서 느꼈던 좋은 점과 아쉬운 점이 있다면?

NFT는 사람들이 쉽게 접하고 판매하고 구입할 수 있어 보다 많은 사람들이 살 수 있다는 점이 좋다. 아쉬운 점은 아직 별로 없는 것 같다.

커뮤니티에서 알게 된 NFT 작가들을 실제로 만나는 시간을 가지기도 했는데 어떤 도움을 얻게 되었는가?

작품 창작에 관한 조언도 해주셨고 어떤 앱을 사용해서 디지털 아트를 창작하면 좋은지 실제적인 방법을 친절하게 알려주시기도 해서 굉장히 좋았다.

커뮤니티의 존재를 느낄 수 있었겠다. NFT를 하는 또래 친구들과의 만남도 필요하지만 이렇게 멘토이자 함께 창작하는 사람으로서 이야기를 나눌 수 있는 분들과의 교류가 중요하다는 생각이 든다. NFT 외의 예술 작업을 하는 분들과의 만남도 갖고 싶은가?

물론이다. 될 수만 있다면 많이 만나고 싶다.

창작의 영감은 어떻게 얻나?

좋은 작품들을 보면서 '아 이런 것도 있구나!' 하면서 영감을 얻는다. 이미지가 떠오른다.

2021년 오픈시에서 선보인 〈Multi persona〉는 메타버스에서 다양한 사회적 자아를 가진 사람들의 멀티 페르소나를 표현하며 시대상을 반영한 작품이라 인상적으로 보았다. 이 외에 NFT 작품 〈Wildfire Crew 01 - anger〉이 눈에 띄었는데 작품에서 표현하고 싶었던 것은 무엇인가?

감정이다. 불꽃색에 따라서 달라지는 감정선을 표현하고 싶었다. 빨간색은 화난 상태를 담고 있다. 평소에도 느낄 수 있는 흔한 감정들 약간 기뿜이라든가 슬픔이라든가 그런 걸 작품에 많이 담아서 표현하고 있다.

예술이 감정과 마음을 담는 중요한 매체일 수 있다는 걸 경험하고 있는 것 같다.

말을 표현하는 것보다 예술로 표현하는 편이 더 좋고 나와 잘 맞는다. 또 작품을 통해 다른 사람한테 전달할 수도 있어서 좋다.

NFT 창작 시 활용하는 디지털 창작 툴이나 앱은 무엇인가?

픽셀 스튜디오라는 앱을 사용하고, 빌로라는 편집 앱으로 음악을 삽입하거나 편집을 한다. 실제 종이에 그림을 그리는 거는 옛날에는 많이 했는데 요즘에는 잘 안하고 있다.

NFT를 시작하려는 친구들에게 방법을 알려준다면?

NFT를 홍보하려면 무조건 트위터나 인스타그램에서 그림을 올려서 알려야한다. 민팅과 판매는 NFT 아트마켓에 들어가서 원하는 가격을 정해 작품을 올리면 된다.

부모님은 NFT 아티스트로 활동하는 데 있어 어떤 역할로 도움을 주고 계시는가?

아빠는 제가 트위터나 인스타에 홍보글을 쓰면 약간 수정을 해주시기도 한다. 민팅할 때도 도와주시고, 작가들을 만날 때도 연결시켜주는 일을 많이 해주신다. 정말 감사하다.

코로나가 터지고 학교에 자주 못하게 된 시기와
NFT 창작을 시작한 시기가 맞물린다. 그 시간을 어떻게 보내고 무엇을 경험했나?

코로나 시기가 겹치면서 중학교 1학년 때는 학교를 많이 쉬었다. 그런데 시간이 많아서 그때 그림을 가장 많이 그릴 수 있었다. 좋아하는 일을 마음껏 할 수 있어서 솔직히 정말 행복했다.

2장.

아직은 부모와 교사의 도움이 필요하다

텔레그램에서 'jayplacyco의 암호화폐 공부방(구독자 5,217명. 2022.05.17 기준 https://t.me/jayplaystudy)'을 운영하는 제이님이 아트띠프의 인터뷰 기사를 읽고 이러한 글을 남겨주셨다.

"기술의 발전으로 어린 나이에도 자신이 가장 즐겨하는 것을 집중적으로 할 수 있는 세상이 되었다. 다만 부모들이 해당 기술의 지식과 성향을 이해해야 아이가 자신이 관심을 가지는 것에 집중할 수 있는 것 같다. 아이들의 미래가 부모들의 정보력과 이해력에 따라 바뀔 수 있고 크립토 역시 예외는 아니라고 생각한다. 아트띠프처럼 10대 때 크립토와 매우 긍정적인 접촉을 한 경험을 갖게 되면 이후 성인이 되었을 때 무한한 가능성을 가지고 성장할 것으로 예상된다. 우리 집 유치원생들 그림을 다시 한번 살펴봐야 하는지 잠시 고민해보았다."

신기술에 대한 부모의 지식과 경험, 관점은 자녀가 미래 진로를 탐색해나가는 과정에 있어 영향을 미칠 수 있으며, 이러한 점은 교사 역시 마찬가지이다. 부모와 교사의 역할이 아직은 미래세대가 NFT를 건강하게 이해함에 있어 매우 중요하다. 아트띠프는 아빠가 소셜미디어 관리를 함께 해준다. 그리고 NFT 아티스트 커뮤니티에서 어떤 식으로 작품 방향을 만들어가야 하는지 선배 작가들과 관계를 맺으며 좋은 영향을 받고 있다. NFT는 그림으로 돈 버는 거구나, 라고 아이들이 단순하게 인지하는 것에 그치지 않도록 적절한 지도가 필요하다.

한국 최초 NFT 작가 커뮤니티 '클하 NFT'의 파운더이자 빌더인 킹비트가 처음 NFT에 관심을 갖게 된 계기가 있다. 그것은 바로 예술가를 꿈꾸는 청소년 자녀의 진로에 도움이 될 수 있는 길을 찾고 싶어서였다. 이 시점에서 다시 아빠 킹비트의 목소리를 들어보기로 하자.

킹비트, 자녀가 NFT를 하고 싶어 한다면

블록체인 기술에도 관심이 많았나?

블록체인을 새로운 세계관으로 보고 굉장한 매력을 느꼈다. 일찍이 '스팀잇steemit'이란 블록체인 블로그에서 활동하면서 커뮤니티의 중요성을 배웠다. 지워지지 않는 블록체인 공간에 아이의 그림을 포트폴리오처럼 남기고 싶어서 아들에게도 스팀잇 계정을 만들어줬다. 아들은 초등학생 4학년 때부터 '박하사탕(@bakhasatang)'이라는 이름으로 블록체인에 그림을 기록하기 시작했고, 스팀잇 커뮤니티에서 많은 사랑을 받았다.

스팀잇에 남기던 아이의 그림을 NFT로 선보이게 된 이유는 무엇인가?

졸라맨 형태의 그림을 그리던 아이가 어느 날 아이패드를 보여주면서 '아빠, 이거 봐봐. 내가 그렸어'라고 하는데 약간 쇼킹했다. 〈Hot summer〉라는 작품이었는데 형태와 색감 등 예전과는 확연히 다른 그림이 되어 있었다. 그래서 이 작품을 어떻게 새로운 공간에 선보일 수 있을까 찾게 되었다.

자녀가 NFT 아트를 하고 싶다고 한다면 부모는 어떤 역할로 도우면 좋을까?

가장 중요한 건 아이의 성향은 어떠하며 아이가 무엇에 관심을 가지고 있는지이다. 아트띠프는 코로나로 학교에 가지 못하고 많은 시간을 집에서 보낸 시기에 그림 실력이 확 늘었다. 창작 욕구가 불탔던 것 같다.

아이가 NFT를 하고 싶어한다면 처음부터 블록체인에 관한 철학적 이야기나 기술적인 부분을 설명할 필요가 없다. 단순히 그림을 좋아하는 아이가 새로운 기록을 남긴다고 보면 된다. 지워지지 않는 공간에 일기를 쓴다, 포트폴리오를 남긴다는 마음으로 시작하면 된다.

NFT 아트는 소셜미디어로 작품 홍보를 하는데 자녀의 SNS를 함께 관리해 주는 이유는 무엇인가?

부모로서 원칙은 가지고 있다. 아이의 트위터나 인스타그램을 제가 같이 관리하는 이유는 열린 세상이기에 좋은 점도 있지만 나쁜 점도 있기 때문이다. 그런 것들을 막아줄 필요가 아직은 있다. 왜냐하면 트위터는 서칭을 하면 이상한 세계로 얼마든지 갈 수 있고 또 DM도 누구나 보낼 수 있는 공간이니까 그걸 걸러주는 역할이 필요하다.

한국 최초의 청소년 NFT 아티스트 아트띠프 작가에게도 아빠로서 어떤 이야기를 해주고 싶은가.

자유로운 영혼이었으면 좋겠다. 나는 아티스트를 존경한다. 아티스트는 자유롭게 생활하고 자유롭게 사고한다. 그리고 자신의 감정을 그림이나 음악과 같은 도구를 통해 표현하는 것이 너무 멋있다고 생각한다. 우리 아들도 어느 하나의 장르에 묶이지 않고 자신이 하고 싶은 것들로 감정을 표현하기도 하는 자유로운 영혼이 되었으면 좋겠다.

후문.

그 무엇으로도 대체 불가능한 예술을 위하여

NFT 아트와 함께한 지 어느덧 사계절의 시간이 지났다. 매일 눈을 뜨면 호기심이 가득한 눈으로 하루하루 성장하는 대체 불가능한 예술의 미래가 어떻게 펼쳐지는지 살펴보았다. NFT 아트의 무대가 과학과 기술, 경제와 산업이 예술과 만나는 교집합의 지점인지라 서로 다른 영역의 경계를 춤추듯 넘어 다니며 연구하는 재미가 상당했다. 나에게 NFT는 연결의 미학을 알려준 존재이다. NFT 아트를 연애하듯 하루하루 알아가는 여정에서 NFT 작가와 컬렉터뿐 아니라 NFT 프로젝트 관련 스타트업, 블록체인 및 크립토 업계 종사자, 변호사 등 정말 다양한 분들을 만났다. NFT가 아니었으면 연결될 수 없었을 새로운 인연들을 알게 되었고, 각자의 입장에서 바라보는 다채롭고도 생생한 현장의 목소리를 들으며 살아있는 지식을 얻을 수 있었다. 그러한 경험과 배움은 NFT 시장의 가격 변동성과 상관없이 나에게 불변하는 대체 불가능한 미학으로 남아 있다.

이 책은 하루가 다르게 성장하고 변화하는 NFT 아트라는 역동적인 생명체의 매력에 빠져 헤매었던 지난 일 년여의 여정을 기록한 여행기와도 같다. 향후 NFT와 메타버스가 상호작용하며 동반 성장함에 따라 NFT 아트의 미래는 더욱 다채로워질 것이다.

그러나 현재 NFT 아트는 극초기 단계라 3가지 면이 미숙하거나 부재하다. 바로 디렉팅[Directing], 큐레이팅[Curating], 크리틱[Critic]이다. 그리고 이러한 역량과 지식을 축적해온 상당수의 전문가들은 전통미술시장에서 활동하고 있다. 디렉팅은 전시 기조와 의도 및 전체적인 전시 방향성을 설정하는 것으로, 전체 전시 흐름에 관여하며 전시를 통해 말하고자 하는 바를 명료화한다. 큐레이팅은 이에 부합하는 작가 군을 선정하고 작품을 선별하여 실제적인 전시를 기획하고 진행한다. 크리틱은 완성된 전시에 담긴 미술사적 가치가 무엇인지 어떠한 미학적 속성을 담고 있는지 등에 관한 비평을 말과 글로 전달한다. NFT로 인해 창작자와 컬렉터 사이에서 작품의 판매와 홍보 등의 역할을 도맡았던 갤러리와 같은 중개인의 역할이 사라지고 직거래가 가능하게 되었다고 생각하지만 그 의견이 전적으로 맞지는 않다. 오히려 기존 갤러리와 미술 기관의 역할이 변화하고 한편으로는 더 중요해진 것이 아닌가라는 생각을 해본다. 일례로, NFT 아트 작품을 미학적으로 감상하기 위해서는 메타버스 및 실물 전시장에 NFT 작품을 어떤 식으로 배치해야 좋을지, 아바타의 동선에 따라 어떠한 호흡과 맥락으로 전시 공간을 기획하고 작품을 배치할 것인지에 관한 큐레이터의 역할이 필요하다. NFT 아트의 가치 평가 기준은 무엇인지 등 NFT 아트의 미학적 담론을 형성하는 작업도 시작되어야 한다.

NFT 아트 작가와 컬렉터 등이 모여 현장의 이야기를 나누는 것은 물론 중요하다. 그러나 이를 예술사의 관점에서 정련된 언어로 체계화하는 것은 또 다른 전문가의 역량이 필요한 부분이다. NFT 대중화의 시점에서 더 많은 작가, 컬렉터, 큐레이터, 비평가, 연구자 등이 NFT 아트의 미학을 발견하고 실천하며 또 담론화하는 이 여정에 동참하기를 기대한다.

다만 이 지점에서 현실과 이상의 간극을 느낀다. 현재까지 내가 경험한 전통 예술시장에 속한 사람들은 크립토 시장의 열기와 속도에 곧바로 반응하거나 뛰어들지 않고 신중하게 지켜보는 입장이 많다. 실은 정확히

NFT가 무엇인지 NFT 아트가 도대체 어떠한 양상인지 파악하기 어려워 실체에 대한 실질적인 이해 이전에 판단의 위치에 선 것은 아닌가도 싶다. 그도 그럴 만한다. NFT 아트를 알고자 하는 수요에 비해 체계적인 교육 프로그램은 부족하다. 그러한 분들을 위해 이 책이 NFT 아트를 다각도로 이해해나가는 데 도움이 되었기를 바란다.

몇 가지 당부의 말을 남기고자 한다. NFT 아트를 바라봄에 있어 예술뿐 아니라 과학과 기술, 경제와 산업, 시장을 균형있게 살펴보기를 권한다. NFT 아트는 사회 곳곳으로 침투하는 열린 예술이다. 그래서 나는 독창적인 세계관을 구축하는 NFT 작가의 작품을 살펴보는 것 못지 않게 국내외 굴지의 기업들과 역량 있는 스타트업들이 어떠한 방법으로 혁신 비즈니스 모델을 구축하며 NFT 아트 사업을 추진해나가는지도 주목하고 있다. 또한 대체 불가능한 예술을 대체 불가능하도록 만들어가기 위해서는 다양한 주체들이 필요하다. 지속 가능하고 미래지향적인 NFT 아트 생태계를 조성해나감에 있어 예술가 및 예술시장 종사자 뿐 아니라 과학기술, 법, 경제, 교육 등 다양한 영역의 전문가들의 역할이 중요하다. 무엇보다 이제 막 시작점에 놓인 NFT 아트의 미래를 벌써부터 단정하지 않기를 바란다. 역사적으로 극초기 시장에는 거품과 투기가 발생했다. 중요한 것은 거품이 사라지고 나서도 남게 되는 불변의 근본적인 가치가 무엇인지에 대한 발견이다. 지금 이 시장을 바라보는 당신의 마음이 불편한 이유는, 당신의 역할이 필요하기 때문이다.

마지막으로 카이스트에서 첨단과학기술과 만난 예술의 미래를 그려나갈 수 있도록 지도해 주신 존경하는 정재승 교수님께 진심으로 감사의 마음을 전해드리고 싶다.

NFT Art
그 무엇으로도 대체 불가능한 예술

1판 1쇄 찍음 2022년 6월 25일
1판 1쇄 펴냄 2022년 6월 31일

지은이 김민지

편집 조숙현
편집디자인 김기현

발행인 조숙현
펴낸곳 아트북프레스

출판등록 2018. 12. 10. 제 2018-000138호
주소 서울시 송파구 문정로 83 106-501

홈페이지 www.artbookpress.co.kr
대표메일 artbookpress@gmail.com

ISBN 979-11-977853-1-3 (13600)